MARIBEL MEDINA

KRWAWY DOPING

Z języka hiszpańskiego przełożyła
Joanna Ostrowska

WYDAWNICTWO
SONIA DRAGA

Tytuł oryginału:
SANGRE DE BARRO

Projekt graficzny okładki: Mariusz Banachowicz
Mapa: © Ediciones Maeva
Zdjęcie autorki: © Major Black

Redakcja: Jolanta Olejniczak-Kulan
Korekta: Iwona Wyrwisz, Mariusz Kulan

ISBN: 978-83-7999-349-9

Sprzedaż wysyłkowa:
www.merlin.pl
www.empik.com
www.soniadraga.pl

WYDAWNICTWO SONIA DRAGA Sp. z o.o.
Pl. Grunwaldzki 8-10, 40-127 Katowice
tel. 32 782 64 77, fax 32 253 77 28
e-mail: info@soniadraga.pl
www.soniadraga.pl
www.facebook.com/wydawnictwoSoniaDraga

Skład i łamanie:
Wydawnictwo Sonia Draga

Katowice 2015. Wydanie I

Druk:
Drukarnia Wydawnicza im. W. L. Anczyca S.A.; Kraków

KRWAWY
DOPING

Którejś wiosny sprowokowałam cię do wyboru między zuchwałym życiem a niczym. Mój ty dzielny rycerzu!

Dedykuję tę książkę Andrésowi Martínezowi Modregowi, któremu moja powieść zawdzięcza duszę i ciało; bez jego współpracy ta historia nigdy by nie powstała. To jeden z tych dzielnych ludzi, którzy potrafią krzyczeć i walczyć. Urodzony biegacz obdarzony niezwykłym talentem: 3:39,43 na 1500 metrów, 7:53,02 na 3000 metrów, prowadzący czystą rywalizację dzięki wysiłkowi, uporowi i poświęceniu, ignorujący syrenie śpiewy, które obiecywały mu sławę i pieniądze, jeśli sprzeda własne ciało.

„I po równi chcesz cenić ludzką twarz lub maskę?
Po równi wielbić szczerość i pozór kłamliwy
I stawiać czcze mamidło obok prawdy żywej?
[...]
Doprawdy, większość ludzi to stworzenia dziwne:
Co w zgodzie jest z naturą, to im jest przeciwne".

MOLIER*

„Śni mi się cisza, bo zamilknął dzwonek".

WISŁAWA SZYMBORSKA**

„Myśli, co leżą głębiej, niż łzy sięgnąć mogą".

WILLIAM WORDSWORTH***

*   Molier, *Świętoszek*, tłum. Tadeusz Boy-Żeleński, Wydawnictwo GREG, Kraków 2007, s. 21 (przyp. tłum.).
** Wisława Szymborska, *Słuchawka*, w: *Chwila*, Wydawnictwo Znak, Kraków 2003, s. 13 (przyp. tłum.).
*** William Wordsworth, *Oda o przeczuciach nieśmiertelności czerpanych ze wspomnień o wczesnym dzieciństwie*, w: *Poezje wybrane*, tłum. Zygmunt Kubiak, Państwowy Instytut Wydawniczy, Warszawa 1978, s. 55 (przyp. tłum.).

MIEJSCE AKCJI

Między Jeziorem Genewskim a Gstaad, na wysokości tysiąca dwustu metrów, znajdują się Les Diablerets. Ściana masywu górskiego schodząca do doliny Ormont była uważana w średniowieczu za niebezpieczne, przeklęte miejsce, królestwo diabła. Stąd nazwa miejscowości: Les Diablerets.

1

Chcę cię porwać przyklejoną do moich nóg i biec,
żebyś czuła moc moich żył.
Pragnę cię porwać przyklejoną do moich rąk i kochać,
żebyś drżała, czując moje pieszczoty.
Marzę, by porwać cię przyklejoną do moich ust i szeptać,
żebyś spokojnie spała.
Ja będę twoimi nogami, twoimi rękami, twoimi ustami.
Ty będziesz moją siłą, moją miłością, moim łożem.

Dziewczyna siedziała na łóżku i trzymała w dłoniach kartkę. Nie pamiętała, ile już razy przeczytała te słowa. Położyła się wpatrzona w wiersz i ponownie przebiegła go wzrokiem, wyobrażając sobie autora listu.

Dzień marszczył się niczym skórka na dojrzałej brzoskwini, leniwa mgła wpełzała po stoku u jej stóp. Po kilku dniach deszczu poprzedniej nocy nadszedł błękitny mróz, pokrywając kałuże szkłem cienkim jak skrzydła motyla.

Una Kowalenko patrzyła w zachwycie na światło zmierzchu, które przenikało przez kartkę z wierszem wydartą z zeszytu w kratkę. Słowa zdawały się tańczyć na jej cześć. Położyła się na kołdrze i zwinęła w kłębek, ściskając w dłoni miłosne wersy.

Noc rozciągała swoje panowanie cień po cieniu, połykała łapczywie szczyty gór i korony drzew. Kiedy dotarła do Les Diablerets, pod jej stopami zatrzeszczała ziemia z czarnego lodu. Weszła przez okno i delikatnie spoczęła na dziewczynie śpiącej głębokim snem.

Która miała się już nigdy nie obudzić.

2

Thomas Connors jechał do pracy, lawirując w korkach, i nucił „Who Wants to Live Forever" zespołu Queen. Dzień był słoneczny, a temperatura – osiemnaście stopni – zapowiadała, że po tygodniu zimna i deszczu do Lyonu wreszcie dotarła wiosna. Postanowił zaparkować daleko od celu. Miał ochotę się przejść i nacieszyć ładnym porankiem. Z płaszczem w ręku maszerował szybkim krokiem po bulwarze Charles'a de Gaulle'a. Obok płynęła wartko rzeka Rodan wezbrana po ostatnich burzach. Wrzucił patyk i przez kilka minut obserwował, jak wiruje, aż w końcu znika wchłonięty przez wodę. Sprawdził godzinę, bez pośpiechu przeciął jezdnię i skręcił w spokojną ulicę. Zanim wszedł do kwadratowego budynku z matowego szkła i stali, spojrzał z zazdrością na chłopców biegających po parku La Tête d'Or, jednym z największych terenów zielonych w mieście. Minęła go grupka turystów zdążających do Muzeum Sztuki Współczesnej. Angielska przewodniczka, która im towarzyszyła, wskazała znajdującą się po prawej stronie siedzibę najpotężniejszej na kuli ziemskiej organizacji do walki z przestępczością.

Ponieważ Thomas nie przybył od strony parkingu, musiał wejść drzwiami dla gości prowadzącymi do małego budynku oddzielonego od głównego gmachu. Młoda dziewczyna sprawdziła jego tożsamość i kazała mu przypiąć identyfikator, o którym zawsze zapominał i nie wyciągał go z kieszeni marynarki. Włożył komórkę, klucze i pozostałe drobiazgi do białego plastikowego pojemnika i przeszedł przez ogromny wykrywacz metali. Pokonał podwójne szklane drzwi uruchamiane przez urządzenie zabezpieczające i dotarł do ogródka, którym przechodziło się do głównego budynku; na podłodze widniało logo Interpolu, kula ziemska otoczona laurami i przeszyta mieczem. Szale wagi po obu stronach Ziemi symbolizowały sprawiedliwość.

W drodze do swojego gabinetu Thomas przywitał się z Rose.

– Już przylecieli?

– Jeszcze nie. Lądowanie na Saint-Exupéry jest przewidziane na dwunastą czterdzieści. Wprawdzie będą jechali w eskorcie dwóch samochodów, ale nie sądzę, żeby zebranie zaczęło się przed drugą – odpowiedziała Rose.

– Dobrze, zawiadom mnie, proszę, kiedy wyjadą z hotelu, żebym mógł przygotować spotkanie drugiego stopnia.

Patrząc na plecy Thomasa, Rose zapragnęła zanurzyć palce w jego włosy, poczuć ich zapach, pocałować je. Owładnęło nią uczucie podobne do smutku. „Czasem miłość jest wyjątkowo kapryśna”, pomyślała, wracając do pracy.

Thomas przejrzał agendę. W zebraniu mieli uczestniczyć oprócz niego Hutchinson, dyrektor amerykańskiej Drug Enforcement Administration (DEA), i sekretarz generalny Interpolu, Ronald K. Noble. Chodziło o stworzenie fundamentów umożliwiających zacieśnianie współpracy między tymi dwiema jednostkami: najważniejszą agencją antynarkotykową na świecie i jedyną organizacją policyjną o globalnym zasięgu. Wszyscy zgadzali się co do tego, że zbliżenie będzie korzystne dla obu stron. Thomas odnotował, że podczas krótkiej wizyty w Europie dyrektorowi DEA mają towarzyszyć pani Guhman, jego specjalna asystentka, a także wysocy rangą urzędnicy amerykańskiej agencji. Na zeszłorocznym spotkaniu, które odbyło się w nowojorskiej siedzibie Interpolu, Guhman oznajmiła, że zrobi wszystko co w jej mocy, żeby oddać do dyspozycji Interpolu agenta specjalnego DEA i wzmocnić w ten sposób udzielane dotychczas wsparcie analityczne.

Thomas wrócił do domu po północy. Zdjął garnitur od Hugo Bossa i zostawił wiadomość Lupe, swojej pomocy domowej, żeby nazajutrz zaniosła go do pralni. Ciepły prysznic rozgrzał mu mięśnie. Wytarł się małym niebieskim ręcznikiem i usiadł boso na kanapie relaksacyjnej. Zadowolony, skrzyżował ręce za głową. Wszystko poszło doskonale. Osiągnęli porozumienie o współpracy nie tylko w dziedzinie zwalczania przemytu narkotyków, ale także wspólnych baz danych dotyczących mafii. Jednym z głównych zadań Noble'a było przeciwdziałanie handlowi dziećmi i kobietami, a mafia miała dużo do powiedzenia w tej kwestii. W zebraniu brał udział George, kolega z czasów, kiedy Thomas pracował w FBI jako profiler; umówili się, że zjedzą razem obiad, zanim cała delegacja wyruszy do Anglii.

Dzień później spotkali się na placu Klébera. Razem weszli do restauracji Pierre'a Orsiego. Znaleźć się w Lyonie i nie zjeść w tym miejscu było zbrodnią.

– Zamów, co chcesz, bo ja nie znam ani słowa po francusku – powiedział George.

Thomas uśmiechnął się i przez chwilę przeglądał menu. W końcu wybrał dla siebie ravioli z *foie gras*, a na drugie młodego gołębia w sosie malinowym; dla swojego przyjaciela zamówił risotto z małżami i homarem oraz trzustkę cielęcą.

– Proszę, proszę, wyglądasz fantastycznie. Widzę, że nadal nosisz się jak żigolak – zażartował George.

– Dzięki, tutaj życie jest łatwiejsze niż w Nowym Jorku, nie mówiąc już o Waszyngtonie.

– Jak długo zostaniesz w Lyonie?

– Kontrakt kończy mi się za dwa lata, z możliwością przedłużenia o kolejne trzy. Maksymalnie mogę tu zostać jeszcze przez pięć lat; potem wracam do Nowego Jorku. Kontrakty zagraniczne nie pozwalają na dłuższe pobyty.

– Zamierzasz tu siedzieć jeszcze przez pięć lat? – zapytał z niedowierzaniem George.

– Może, nie wiem. Na razie zostały mi dwa lata, potem zobaczymy.

– Tak bardzo nie chciałeś nas dłużej oglądać?

– Nie, to nie tak, po prostu zmęczyły mnie trupy. Były wszędzie, nie tylko w pracy, ale i w mojej głowie. Teraz zwalczam złych na odległość, zza biurka.

– Domyślam się, że twoja ostatnia sprawa jako profilera miała z tym związek – powiedział George, spuszczając głowę. – Pamiętaj, że to był odosobniony przypadek.

– Wiem.

Telefon przyjaciela zadzwonił ogłuszającą melodyjką, brzmiała jak nieudolne walenie w garnki. Thomas się uśmiechnął – to musiało być nagranie którejś z jego córek. O ile dobrze pamiętał, średnia grała na skrzypcach. George przeprosił, wstał i wkładając papierosa do ust, przeszedł do pomieszczenia dla palaczy. Thomas pociągnął łyk czerwonego wina. Światło przenikało przez kieliszek, na lnianym obrusie tańczyły małe bordowe fale. Było w tym coś hipnotyzującego. Thomas poczuł odprężenie – niczym w transie przypomniał sobie końcówkę pobytu w Waszyngtonie.

Pracował jako wykładowca psychologii na wydziale kryminologii uniwersytetu, kiedy zadzwonili do niego z FBI i poprosili, żeby wygłosił dla nich kilka odczytów. Potem coraz częściej wzywano go jako eksperta. Któregoś dnia zaproponowali mu pracę na cały etat. Oferta wydała mu się interesująca, oznaczała zwrot w jego życiu. Chciał akurat zakończyć związek, do którego zerwania zabrakło mu woli i odwagi, więc przeprowadzka do innego stanu była doskonałym pretekstem.

Technika profilowania kryminalnego została stworzona przez FBI i jego Sekcję Behawioralną jako narzędzie pomocne podczas śledztw. Polegała na opisie zachowania oraz cech fizycznych, psychologicznych, kulturowych i społecznych mordercy. Thomas oceniał z pomocą eksperta medycyny sądowej wszystkie znalezione ślady, szacował wyniki analiz dostarczone przez patologów i badał ich związek z miejscem przestępstwa. Musiał krytycznie interpretować zarówno wyniki badań technicznych i naukowych, jak i rekonstrukcje wydarzeń; oprócz tego dostarczać, kwestionować czy odrzucać informacje, opierając się na swojej znajomości zachowań i psychologii kryminalnej. Przez osiem lat wykonywał rutynową pracę profilera w FBI, aż któregoś dnia przekazano mu sprawę dziwnego zabójstwa.

Przestępca strzelił do kobiety, kiedy wróciła do swojego domu. Thomas wiedział, że napastnik czekał kilka godzin na powrót ofiary, bo wziął prysznic, zjadł, a nawet masturbował się zabawką erotyczną, którą wyciągnął z szafki w głównej sypialni. Po powrocie do domu kobieta znalazła na stole w kuchni list pożegnalny. Przeczytała go. Kiedy usłyszała hałas, odwróciła się i zobaczyła mordercę. Ten oddał dwa strzały; jedna kula utkwiła w ścianie, druga w brzuchu kobiety. Mimo to ofiara zdołała uciec i zadzwonić do męża, który akurat wracał samochodem do domu. Zapytał, co się stało, i wszystko mu opowiedziała. Kiedy dotarł na miejsce razem z pięcioletnim synem, kobieta leżała martwa przed domem.

Miesiąc później nadal nie mieli motywu ani podejrzanych. Sprawę przydzielono jemu. Jedynym tropem był poplamiony krwią list pożegnalny, który znaleziono przy ciele ofiary. Ktoś o imieniu Barry informował o zamiarze popełnienia samobójstwa, nie mógł bowiem znieść wstydu z powodu tego, co zrobił. Pisał o jakimś gwałcie. Nikt z otoczenia kobiety nie znał żadnego Barry'ego. Thomas sporządził profil autora listu. Dwudziestostronicowe dossier zawierało jego przypuszczenia na temat domniemanego mordercy: młody mężczyzna rasy białej, z klasy niższej, nieposiadający żadnej wiedzy sądowej, zważywszy na przytłaczającą ilość śladów, jakie zostawił, o poważnych problemach psychicznych, o których świadczył list. Szukali w bazie danych osób zatrzymanych za gwałt, próbujących popełnić samobójstwo, mieszkających w okolicy prześladowców – bez rezultatu. Po dwóch tygodniach natrafili na doniesienie na niejakiego Petera Barry'ego Luncana oskarżanemu o zgwałcenie trzyletniej córki. Gdy tylko policja weszła do domu podejrzanego, ten przyznał się do zamordowania kobiety. Ku zdumieniu Thomasa wyznał na komisariacie, że nie miał żadnych powodów, żeby ją zabić. Po prostu nie chciał trafić do więzienia za gwałt; wiedział, co więźniowie robią z pedofilami i gwałcicielami. Zamierzał popełnić samobójstwo, ale zabrakło mu odwagi. Wtedy wszedł do pierwszego lepszego domu i zaczekał, aż ktoś się pojawi. Było mu wszystko jedno, kogo zabije.

Ten brak motywu odebrał Thomasowi ochotę do pracy w charakterze profilera. Poprosił o urlop, a później ostatecznie się zwolnił. Potem, dzięki George'owi, dostał pracę w Nowym Jorku w biurze łącznika Interpolu z ONZ.

– Przepraszam – przerwał mu rozmyślania George, wracając do stolika. – Catherine chce kupić bilety na musical, a nie pamiętała, kiedy wracam.

Thomas spojrzał na niego z wdzięcznością – przyjaciel pomagał mu już tyle razy.

– Co u ciebie? – zapytał.

– W porządku, córki są już na studiach. W soboty grilluję, dom jest spłacony, jeśli mi się poszczęści, raz w tygodniu uprawiam seks, i mam psa, który macha ogonem, kiedy wracam z pracy. Wiesz, że Catherine jest wielką tradycjonalistką, lubi się zajmować domem, gotować... Popatrz na mój kałdun – powiedział i wskazał na brzuch – co roku muszę popuszczać pasek o kolejną dziurkę.

Spojrzał na Thomasa, przerwał na chwilę, po czym powiedział:

– Wiodę spokojne życie, z którego jestem stosunkowo zadowolony. Nie mam dużo większych aspiracji.

Thomas się roześmiał.

– Nie opowiadaj głupstw, George. Życie to coś więcej niż jedzenie, praca i chodzenie w soboty z żoną na koncerty.

– Kiedy tak mówisz, wydaje się, że moje życie jest gówno warte – powiedział George urażony. – Nie rozumiesz tego. Cenię sobie drobiazgi. Chcę wrócić do domu i żeby Catherine na mnie czekała. Uwielbiam, kiedy kuchnia pachnie szarlotką, lubię spędzać zimowe dni przed kominkiem, oglądając jakiś mecz lub czytając książkę. Jestem już za stary na imprezowanie, alkohol i niedzielne dochodzenie do siebie na kanapie. Zresztą nie potrzebuję żadnej innej kobiety do tego, żeby mi stanął i żeby mieć przyjemność z seksu. Po tylu latach wciąż mi sztywnieje, kiedy widzę ją nagą. To mi wystarczy. – Przysunął się do Thomasa i dodał: – Potrzebuję mojej pensji pod koniec miesiąca, mojego domu, mojej rodziny, a reszta niech się wali.

– Wybacz, nie chciałem cię urazić. Masz rację, czasami plotę głupstwa.

– Czasami? Skoro już uznałeś się za pleciugę, opowiedz mi, jak ci idzie z tą Francuzką, bo chyba nadal z nią jesteś, prawda? – zapytał, zmieniając temat. – Związek z cudzoziemką brzmi bardzo trendy... – dodał uszczypliwie.

– George, do cholery, jasne, że z nią jestem, żaden ze mnie donżuan...

Thomas spostrzegł, że jego przyjaciel unosi brwi w geście niedowierzania.

– Dobra, dobra, byłem żonaty, miałem kilka partnerek i dużo kochanek – przyznał. – Ale nie robię nic, żeby je zdobyć, po prostu daję się poderwać. Spotykam się z Claire od dziesięciu miesięcy i jest mi z nią dobrze.

– Dobrze to znaczy ile? Chcę liczb.

– Ile? Więcej niż możesz sobie wyobrazić. Na pewno znacznie więcej niż ty.

– Czasami budzisz we mnie wstręt – podsumował George z uśmiechem.

Przedłużali obiad, jak tylko mogli, aż w końcu zadzwonił służbowy telefon George'a. Thomas uregulował rachunek i odprowadził przyjaciela do hotelu Sofitel Lyon Bellecour, w pobliżu opactwa Saint Martin d'Ainay i katedry Saint-Jean, gdzie mieszkali członkowie delegacji DEA. Pożegnał się, obiecując, że odwiedzi go podczas kolejnej wizyty w Nowym Jorku.

Nie miał ochoty wracać do pracy, rzecz dziwna w jego przypadku, jako że zazwyczaj spędzał w biurze więcej niż jedenaście godzin. Włóczył się bez celu po okolicy. Wetknięta między Rodan i wzgórze Croix-Rousse Presqu'île była centrum handlowym Lyonu. Przeszedł Rue de La République aż do olbrzymiego, wyłączonego z ruchu samochodowego placu Bellecour, najpopularniejszego miejsca w mieście. Wmieszał się w tłum, który go o tej porze wypełniał. Zatrzymał się przed kilkoma wystawami, zaskoczony astronomicznymi cenami. Tu skupiały się najelegantsze i najdroższe sklepy Lyonu. Pomyślał, żeby podejść do stóp wzgórza i przespacerować się między budynkami z okresu rewolucji przemysłowej. Lubił łazić po tych ulicach, wdychać ich syndykalną, anarchistyczną atmosferę z przeszłości. Były sceną zaciętych walk, przede wszystkim o prawa pracownicze i przeciw postępowi technicznemu, przez który ludzi zastępowano maszynami. Nieprzypadkowo słowo „sabotaż" pochodzi z Lyonu: wzięło się od *sabots*, drewniaków, którymi robotnicy rzucali w maszyny tkackie, żeby je zatrzymać. W końcu jednak zrezygnował ze spaceru. Był niedaleko domu, uznał więc, że nie ma nic lepszego niż praca z laptopem na tarasie, przy zimnym piwie.

Thomas mieszkał w starej części Lyonu, między rzeką Saoną i wzgórzem Fourvière. Była to dzielnica zbudowana w stylu renesansowym, z dobrze zachowanymi kamienicami z epoki. Zawsze którąś akurat restaurowano. Miała duże sklepy, pasaże dla pieszych, hotele i atrakcyjne restauracje. Jego dom znajdował się niedaleko pięknej budowli z XV wieku – Maison Chamarier przy Rue Alain Bombard – gdzie niegdyś pobierano podatki od transakcji przeprowadzanych podczas jarmarków.

Wszedł na obszerne poddasze. Jak to miał w zwyczaju, rozwiązał krawat, zostawił buty na parkiecie i powiesił na wieszaku płaszcz z gabardyny. Ściągając marynarkę, otworzył drzwi do sypialni. Claire robiła tam laskę jakiemuś facetowi. Przez moment stał nieruchomo, sparaliżowany tym widokiem; potem dyskretnie zamknął drzwi, poszedł do salonu i usiadł na kanapie. Mężczyzna zjawił się kilka minut później. Wybełkotał coś niezrozumiale, zapinając kurtkę, i wyszedł. Thomasowi wydawało się, że go poznaje. Był podobny do jednego z kelnerów z pubu, do którego często chodzili. Claire pojawiła się naga, niczym wyzywająca bogini. Miała cudowne ciało, pełne krągłości, na małych piersiach przyciągały wzrok duże sutki, różowe i owalne. Lubił brać je w usta i ssać. Stanęła przed nim. Zobaczył jej kobiecość, wilgotną, całkowicie wydepilowaną. Bez słowa rozpięła mu spodnie, zsunęła bokserki i usiadła na nim, wkładając sobie do pochwy jego penisa. Wbrew własnej woli Thomas był podniecony i odpowiedział na jej ruchy. Kiedy skończyli, Claire wstała, nadal nic nie mówiąc. Sperma spływała jej między nogami. Chciała się do niego przybliżyć, ale Thomas odepchnął ją ze złością i poszedł pod prysznic. Kiedy wyszedł, już jej nie było; zostawiła wiadomość. Nie potrafił powiedzieć, czy to miały być przeprosiny, czy wymówka.

„Przykro mi, nie wiedziałam, że wrócisz tak wcześnie. Nigdy tego nie robisz".

3

Blanc wyszedł zachodnimi drzwiami ośrodka. Zanim zapuścił się w las, chwycił oparty o sosnę gruby dębowy kij, który służył mu za laskę. Wąską, stromą, prowadzącą przez gąszcz ścieżką dotarł do prześwitu, tam się zatrzymał, żeby chwilę odpocząć. Powyżej tego miejsca było już mało drzew, w krajobrazie dominowały łąki i pastwiska. Ponad koronami majestatycznych dębów wznosił się imponujący ośnieżony szczyt Palette d'Isenau. Złapał oddech, po czym wspinał się dalej aż do opactwa, swojego domu.

Opactwo miało być usytuowanym na odludziu schronieniem dla cysterek; zamieszkiwały je do pewnego wiosennego wieczoru, kiedy to uciekły stąd przerażone. Dwadzieścia lat później kupił je pradziadek Blanca. Od tamtej pory rodzina Kummerów nie oddaliła się od jego murów na więcej niż kilka kilometrów, tyle, żeby bydło, które trzymała w jednym z pomieszczeń służącym też czasami za stajnię, znalazło świeżą trawę.

Blanc wszedł do refektarza. Pomieszczenie było olbrzymie. Odgłos jego stopy ślizgającej się po kamiennej podłodze przypominał stukot racic rannej kozicy uciekającej po skałach. Wyobrażał sobie przeoryszę czytającą Stary Testament leżący na pulpicie, podczas gdy pozostałe zakonnice jadły w ciszy. Oparł laskę o ścianę i zdjął płaszcz z czarnego sukna. Na podłogę wypadło kilka kawałków tektury, które kładł na piersiach, żeby mu było cieplej. Otworzył rzeźbione drzwi z drewna modrzewiowego oddzielające refektarz od *armarium*; wyryta na nich scena przedstawiała spotkanie Jezusa z Szatanem oparte na fragmencie Ewangelii według Świętego Mateusza. Lubił dotykać opuszkami postaci diabła. *Armarium*, którego używał jako spiżarni, było małą niszą w ścianie, gdzie zakonnice trzymały swoje książki.

Blanc przerobił opactwo niemal w całości. Założył instalację elektryczną, sprowadził nowoczesne piece firmy Rüegg i przystosował do zamieszkania miejsce, gdzie niegdyś trzymano bydło. Pomieszczenie przylegające do *armarium* służyło za salon, kuchnię i sypialnię. Wszedł do środka, ułożył w kominku piramidkę z sosnowych drew i wsunął pod nią kilka szczapek. Podpalił kawałek gazety i przytknął go do drewna. Leżące na dole kamienie, które lata temu przyniósł jego ojciec, utrzymywały ciepło, kiedy gasł ogień, i służyły jako płyta do gotowania. Blanc patrzył zahipnotyzowany, jak płomień pochłania drewno i zamienia je w rozżarzone węgielki. Owinął ziemniaka w folię aluminiową i włożył go między gorące kamienie. Za pomocą żelaznych szczypców wsadził jeden z nich do naczynia z mlekiem – natychmiast zaczęło wrzeć. Przelał trochę do szklanki i w zamyśleniu oddalił się od ognia. Poszukał na półkach czegoś do poczytania. W końcu wybrał jakąś książkę na chybił trafił spośród tysięcy, jakie miał w swojej bibliotece. Powłócząc chorą nogą, doszedł do dębowego fotela na biegunach, zwalił się na niego, otworzył książkę i zaczął czytać na głos.

4

Janikowi śmierć ojca złamała serce, a jego matce pomieszała w głowie. Kiedy wracał z treningów, zastawał dom w nieładzie, popielniczki były pełne niedopałków, w zlewie piętrzyły się brudne naczynia. Któregoś dnia matka wyszła z domu bez butów, kiedy indziej włożyła koszulę nocną na ubranie. Nawet nie stawała przed lustrem, żeby zobaczyć, jak wygląda. Zmiany nastroju zdarzały się jej coraz częściej. Kiedy była w dobrym humorze, włączała telewizor czy radio na cały regulator albo śpiewała arie operowe o drugiej w nocy. Po euforii przychodziła depresja – wtedy zamykała się w swoim pokoju i nie wychodziła z niego godzinami. Janik bał się, że któregoś dnia zostanie tam na zawsze.

Kiedy miał czternaście lat, treningi były dla niego zabawą, jednak wymagania rosły równie szybko jak on sam. Wkrótce zdał sobie sprawę, że powinien robić tylko jedno: poruszać jak najszybciej nogami, by spróbować zatrzymać czas. To było jego największe pragnienie: wydłużyć sekundy, minuty, byle tylko nie wracać do domu. W rutynie znalazł najlepsze ukojenie bólu swojej młodej duszy. Po jakimś czasie przyszła nagroda w postaci sukcesów. Zwycięstwa pomogły mu zapanować nad nieśmiałością. Podczas treningów doprowadzał swoje ciało do granicy wytrzymałości, jakby cierpienie zbliżało go do ojca. Wtedy jeszcze nie zdawał sobie sprawy, że wystarczyłoby zwolnić tempo o dwie sekundy, by zrekompensować uderzenia powietrza, które powstrzymywały go niczym fale rozbijające się o kadłub statku. Ale jego dewizą było wówczas: *no pain, no gain*.

W tamtym okresie matka porzuciła pracę. Zaczęła mieszać alkohol i środki uspokajające. Godzinami siedziała w pokoju na kanapie, ze wzrokiem utkwionym w jedno miejsce. Najgorsze były dni poprzedzające zawody. Wtedy stres brał górę nad cierpliwością

Janika. Jego spojrzenie, wcześniej otwarte i czyste, stawało się płochliwe i nieobecne, unikał ludzi, chował się po kątach. Po obiedzie zamykał się w swoim pokoju, kładł na łóżku i wyobrażał sobie raz za razem moment wyścigu.

Tamtej nocy nie mógł spać. Rankiem wsiadł do autobusu i pokonał dwanaście kilometrów dzielących jego miasteczko, Maur, od stacji kolejowej w Zurychu. Dwie godziny i czterdzieści pięć minut później dojeżdżał do Genewy. Budynek, w którym mieściło się centrum medycyny sportowej, przypominał ogromne kolorowe akwarium. Wszedł do środka, wsiadł do windy i znalazł się w szerokim korytarzu. Zobaczył na wprost tabliczkę z napisem „Rejestracja". Skręcił w prawo, gdzie jakaś młoda dziewczyna rozmawiała przez telefon. Na jego widok pokazała ręką, żeby zaczekał, zapisała coś w zeszycie i zapytała:

– Pan na testy?

– Tak – odpowiedział nieswoim głosem, który wydobywał mu się z gardła, kiedy był zdenerwowany.

– Pan Janik Toledo?

– Tak, z Maur – odpowiedział, jakby pochodzenie z Maur miało jakiekolwiek znaczenie.

– Niech pan będzie tak miły i przebierze się w tamtym pokoju, a potem proszę usiąść na ławce pod ścianą i zaczekać. Za chwilę wezwie pana lekarz, który wykona testy.

Mimo że rok wcześniej zajął trzecie miejsce w krajowych zawodach juniorów w biegach przełajowych, pierwszy raz przechodził takie badania. Od trenera dowiedział się, że Hendrik przygotowuje jednego z najlepszych tenisistów w historii, a w gazecie przeczytał, że przez jego gabinet przechodzą najwybitniejsi szwajcarscy sportowcy. Miał świadomość, jaki to ważny moment, nie chciał przepuścić takiej okazji.

Po wejściu do szatni poczuł nerwowy skurcz w żołądku. Przebrał się w krótkie spodenki i koszulkę na ramiączkach, którą podarowała mu matka, kiedy miał czternaście lat. Straciła swój oryginalny kolor i wytarły się litery „N" i „R" ze słowa „UNIVERSITY", ale nie miało to dla niego znaczenia; dobrze się w niej czuł. Kiedy wyszedł na korytarz, natknął się na kilku zgrzanych sportowców w koszulkach mokrych od potu. Usiadł na ławce, którą wskazała mu dziewczyna z recepcji, i czekał. Głos dobiegający z jednego z pokoi sprawił, że serce zabiło mu mocniej.

– Janik Toledo? Proszę, może pan wejść.

Gdy wszedł do gabinetu i zobaczył siedzącego za biurkiem Hendrika, zdał sobie sprawę, że nie należy on do lekarzy ubranych w biały fartuch, ze stetoskopem na szyi i wystającym z kieszeni termometrem. Ujrzał szczupłego mężczyznę, mniej więcej czterdziestopięcioletniego, o bujnych włosach, szeroko rozstawionych brwiach i małych oczach. Miał na sobie szary sweter pod szyję i znoszone dżinsy. Jego palce cienkie jak u pianisty poruszały się szybko i nerwowo, uderzając opuszkami w stół.

– Jak samopoczucie, Janiku? – zapytał, jakby się znali.

– Jestem trochę zdenerwowany.

– To normalne. Zadam ci kilka pytań, zanim przejdziesz testy. Ważne, żebyś odpowiadał szczerze, w przeciwnym razie badania, które wykonamy, będą nic niewarte.

Hendrik wyciągnął z jednej z szuflad szafki teczkę opatrzoną białą naklejką z nazwiskiem Janika, położył ją na biurku, sięgnął po długopis i zdjął skuwkę.

– Dobrze wypocząłeś tej nocy? – zaczął.

– Tak.

– Czujesz, że bierze cię katar albo jakaś inna choroba?

– Nie.

– Kiedy odbyłeś ostatni intensywny trening?

– Przed trzema dniami.

– A ostatni trening siłowy?

– Tydzień temu.

– Wiesz, po co robimy ci testy?

– Żeby sprawdzić, czy nadaję się do biegania, prawda?

Lekarz odłożył kartki na stół. Zmienił pozycję i pierwszy raz spojrzał mu uważnie w oczy.

– Wyjaśnię ci, co zrobimy i czemu to służy. Test na maksymalny pułap tlenowy określa naszą zdolność do wchłaniania, zużywania i metabolizowania tlenu w różnych tkankach. Im ten pułap będzie wyższy, tym lepiej dla ciebie.

Hendrik wyciągnął z teczki jakąś kartkę i zaczął wypełniać wolne miejsca krzyżykami. Janik uderzał prawą dłonią w spodenki, żeby odreagować zdenerwowanie. Zastanawiał się, jak jakaś maszyna może w ciągu godziny powiedzieć mu to, co jego trener odkrywał przez tyle lat.

Jego puls przyspieszył, a po szyi przebiegł mu prąd zimnego powietrza.

– Nie jestem pewien, czy chcę to wiedzieć – rzucił drżącym głosem.

Lekarz kontynuował wypełnianie formularza, jakby nie słyszał słów Janika.

– To nie jest zwykłe badanie. Dowiemy się, czy twoje geny są stworzone do biegania.

Hendrik wstał, wziął teczkę i poprosił Janika, żeby poszedł z nim do sali z mechaniczną bieżnią. W milczeniu zeszli po schodach. Kiedy znaleźli się w środku, lekarz sięgnął po plastikową taśmę wiszącą w kącie na jednym z haków w ścianie. W tym czasie pielęgniarka smarowała Janikowi kremem małżowinę ucha. Kilka sekund później poczuł silne pieczenie w tym miejscu.

– Teraz przewiąż się tą taśmą na wysokości piersi i załóż pulsometr na prawy nadgarstek.

Lekarz wcisnął czerwony guzik w kształcie grzyba i bieżnia zaczęła się poruszać. Odgłos gumy trącej o wałki stawał się coraz głośniejszy. Hendrik wyjął mały przyrząd z kółkiem na jednym końcu i licznikiem na drugim. Umieścił go na taśmie i sprawdził, czy odpowiednio się trzyma.

– Proszę zdjąć koszulkę, muszę przyczepić panu elektrody – powiedziała pielęgniarka.

W tym momencie Janik miał ochotę wybiec i już nigdy więcej się tu nie pojawić.

– Mogę włożyć z powrotem koszulkę? – zapytał, jakby nie usłyszał wyjaśnienia pielęgniarki.

– Nie, muszę podłączyć pana kablami do EKG.

Janikowi ścisnął się żołądek. To był jego amulet. Przypomniał sobie dzień, w którym matka zaprowadziła go za rękę na pierwsze wyścigi. Miał dar. Wiedział o tym, odkąd skończył dwanaście lat. A teraz ta przeklęta maszyna mogła zniweczyć jego marzenia.

– Założę panu tę siatkę, żeby się nie odpięły podczas biegu – wyjaśniła pielęgniarka, kiedy skończyła podpinać kable.

Potem zrobiła mu małe nacięcie na koniuszku ucha, mocno ścisnęła i wypełniła szklaną rurkę próbką krwi. Następnie założyła mu na twarz maskę przytrzymywaną z tyłu głowy zaczepami.

– Kiedy ci powiem, wejdziesz na bieżnię – rzucił oschle Hendrik. – Co jakiś czas będę zwiększał prędkość, aż powiesz nam, że wystarczy, albo dasz znać ręką.

Janik spuścił głowę na znak, że rozumie.

Wydawało mu się, że z tą plątaniną kabli przyklejonych do piersi i maską zakrywającą mu twarz nie zdoła zrobić ani kroku.

– Jesteś gotowy? – zapytał Hendrik.

Janik podniósł kciuk.

– Trzy, dwa, jeden. Start. Zaczynamy.

Czas mijał, a on starał się koncentrować na utrzymaniu równowagi na bieżni. Było bardzo gorąco, uciskała go maska. Próbował biec jak najbliżej początku taśmy, ze strachu, że z niej spadnie. Krople potu pryskały z jego ciała na wszystkie strony.

Stopniowo zaczynał czuć się coraz pewniej. Za każdym razem, kiedy Hendrik zwiększał prędkość, Janik był bardziej zdeterminowany; prędzej padnie, niż się podda.

– Jestem najlepszy – szeptał do siebie.

Czuł prędkość w nogach, stawiał coraz dłuższe kroki. Wyobrażał sobie, że biegnie ścieżkami otaczającymi jego wioskę, dając się prowadzić łagodnym pagórkom i lekkiemu powiewowi powietrza na plecach. Cieszył się zapachem kwiatów, gnijącego drewna niesionego przez rzekę, palonej kukurydzy i mokrej ziemi. Dźwięki wydawane przez bieżnię tłumiło wspomnienie ptaków lecących w stronę cieplejszych krajów, głos wieśniaka, który pozdrawiał go, kiedy przebiegał obok, i tętent galopujących koni. Lekarz przywrócił go do rzeczywistości, żeby dostosować poziom tlenu i dwutlenku węgla.

– Dalej, jeszcze trochę – zachęcali go chórem Hendrik i pielęgniarka. – Bardzo dobrze ci idzie, jeszcze trochę, zwiększamy do dwudziestu jeden. Dalej, Janiku, niewiele już brakuje! – zawołał lekarz.

Wydawało się, że jego nogi biegną same. Przy poruszaniu się taśmy słychać było odgłos wałków i uderzenia adidasów o miękką powierzchnię. Zaczynał czuć, że nogi nie są w stanie dorównać tempu maszyny. Łudził się, że złapie drugi oddech, czego doświadczył w swojej karierze sportowej każdy lekkoatleta: kiedy nie mógł już biec dalej, miał wrażenie, że otwierają mu się płuca, i próbował znaleźć siły tam, gdzie wcześniej było tylko zmęczenie. Tak się jednak nie stało. To był już koniec.

– Możesz iść pod prysznic. Potem omówię z tobą wyniki – powiedział Hendrik.

Po powrocie Janik był już w lepszym nastroju.

– Wyobraź sobie, że twoje ciało to samochód z silnikiem, który spala benzynę, czyli węglowodany, w zależności od wrzucanych biegów – wyjaśnił lekarz. – Ta benzyna produkuje odpady, nazywane kwasem mlekowym.

Przerwał mu dzwonek telefonu. Spojrzał na numer na wyświetlaczu i wcisnął guzik wyciszający dźwięk.

– Załóżmy, że biegi naszego samochodu są ponumerowane od zera do pięciu. Bieg zerowy wrzucasz, kiedy biegniesz w wolnym tempie, bieg piąty, kiedy biegniesz najszybciej, jak możesz – ciągnął. – Jeśli poruszasz się na biegu zerowym albo na pierwszym, możesz się nie zatrzymywać przez długi czas. Jeśli wrzucisz drugi, ty, który regularnie trenujesz, możesz przebiec maraton, nie zmniejszając prędkości. Jeśli wrzucisz trzeci, ciało zaczyna wytwarzać kwas mlekowy i wytrwasz góra trzydzieści minut bez zmniejszania szybkości. Na czwartym i piątym biegu możesz utrzymać prędkość najwyżej przez kilka minut, albo nawet sekund. W naszym żargonie nazywamy te biegi T0, T1, T2, T3, T4 i T5. Będą naszym punktem odniesienia, żebyś dał z siebie jak najwięcej.

Doktor Hendrik wyjął z teczki jedną z kartek.

– Żebyś mnie dobrze zrozumiał… chodzi o rozwiązanie równania. Niewiadomą jest tętno, które pozwoli ci biec w szybkim tempie przez określony czas tak, by nie pojawiło się zmęczenie. Taką prędkość nazywa się T3 albo progiem mleczanowym. To będzie złoty środek, który zrobi z ciebie mistrza.

– Mój trener nigdy nie mówił nam o tym wszystkim – powiedział Janik.

Lekarz wykorzystał jego zainteresowanie, żeby udzielić mu dodatkowych wyjaśnień. Janik słuchał go jak uczeń nauczyciela. Próg mleczanowy, kwas mlekowy, pulsometr, maksymalny pułap tlenowy... Pomyślał, że minie trochę czasu, zanim nauczy się tych nazw.

– Janiku, w twoim przypadku maksymalny pułap tlenowy wynosi osiemdziesiąt dwa mililitry na kilogram na minutę. To pokazuje, że masz silnik Formuły 1. Jeśli nie chcemy, żeby się zatarł, musisz być pod naszą kontrolą.

– Co mam robić? – Janik zapytał z zainteresowaniem.

– My tobą pokierujemy – odpowiedział lekarz i upuścił długopis na stół. – Istnieje program dla obiecujących młodych ludzi. Na pewno słyszałeś o ośrodku, który wybudowały niedaleko Genewy koncern farmaceutyczny Poche i Rada do spraw Sportu.

Janik oglądał reportaż o instalacjach w Les Diablerets. Ośrodek został otwarty dwa lata wcześniej. Znajdował się na wysokości tysiąca dwustu metrów nad poziomem morza. Niektórzy szwajcarscy sportowcy spędzali w nim całe miesiące, a narciarze z innych krajów przyjeżdżali tam w okresach poprzedzających zawody. Niemiecka reprezentacja pływacka trenowała na przemian w ośrodku w Szwajcarii i w Sierra Nevada na południu Hiszpanii. Bieżnie upodobali sobie biegacze z Europy Środkowej. Grupa kubańskich skoczków i miotaczy kończąca europejską serię zawodów wybrała ośrodek jako tymczasową bazę. Kiedy kręcono reportaż, właśnie zainstalowała się tam szwajcarska reprezentacja w triathlonie trenująca przed olimpiadą. Pokoje były duże, z bezprzewodowym Internetem i telewizją satelitarną. Poza tym zatrudniano tam lekarzy, fizjoterapeutów, a nawet psychologów sportowych.

– Wpiszę cię na listę – powiedział Hendrik.

Nigdy wcześniej nie słyszał o takiej liście, ale z uśmiechu lekarza wywnioskował, że chodzi o coś bardzo ważnego.

– Będziemy w kontakcie. Pomyśl, że jesteś pierwszym lekkoatletą, który osiągnął w tym centrum takie wyniki. A mieliśmy tu krajowych mistrzów w biegach średniodystansowych. Masz duże szanse zajść tam, gdzie zaszli oni – powiedział, patrząc mu w oczy. Była pora obiadowa. Mieszanka zapachów smażonej kiełbasy i stopionego sera docierała na ulicę. Okna domów otwierały się na oścież, by wpuścić świeże górskie powietrze. Jakaś nastolatka dyskretnie podpatrywała przechodniów ze swojego punktu obserwacyjnego, gładząc dłonią włosy. Siwy starzec w niemodnych okularach czytał na tarasie gazetę. Janik zastanawiał się, czy któraś z tych osób jest w tym momencie tak szczęśliwa jak on.

5

– Dzień dobry, Rose – rzucił energicznie Thomas, kierując kroki w stronę swojego gabinetu. – Mamy coś ciekawego na dziś?

Rose wstała i wygładzając dół sukienki, pospiesznie odpowiedziała na powitanie szefa. Potem zaczęła przeglądać terminarz. Zeszłego popołudnia poszła do fryzjera i obcięła włosy na chłopaka. Rano przez godzinę się malowała i wybierała strój pasujący do jej nowego wizerunku. Ostatecznie zdecydowała się na sukienkę w stylu lat sześćdziesiątych, z szarej wełny, wciętą w talii, a do tego czerwone szpilki. Usta pomalowała pod kolor butów. Zapukała do gabinetu i weszła.

– Dzień dobry, panie Connors.

Thomas podniósł wzrok. Nie przywykł jeszcze do francuskiego zwyczaju zwracania się do wszystkich per pan, pani. Spojrzał na nią. Ładnie wyglądała. Dobrze jej było w ściętych na krótko czarnych włosach, ale jego uwagę przyciągnęły przede wszystkim czerwone usta wyróżniające się na tle bladej twarzy. Miał ochotę je pocałować. Poczuł się winny, spuścił więc wzrok, udając, że szuka czegoś w szufladzie biurka.

– O dziesiątej ma pan wywiad z dziennikarzem „Le Monde". Ostatnia wizyta naszych gości była tak szeroko komentowana, że chcą dowiedzieć się więcej o organizacji. O dwunastej przyjmuje pan delegację mołdawskiej policji; interesuje ich wdrożenie modelu FIND. O pierwszej obiad z panem Noble'em. To wszystko na dziś.

– Widać, że to piątek i ludzie chcą mieć wolne popołudnie.

– A pan nie? – zapytała Rose z większym zainteresowaniem, niż chciałaby okazać.

– To zależy – odpowiedział Thomas.

Sekretarka spuściła głowę i wyszła.

Thomas obserwował ją, kiedy zamykała drzwi, i przeklął się w duchu, że był dla niej taki nieuprzejmy. Widział, że Rose się nim interesuje. Nie mógł sobie jednak pozwolić na romanse w pracy. Pod żadnym pozorem.

„Kiedy ktoś wyobraża sobie dziennikarza, widzi zazwyczaj kogoś, kto wygląda dokładnie jak ten, który siedzi teraz naprzeciwko mnie", pomyślał Thomas. Przypominał Clarka Kenta. Nosił okulary w szylkretowych oprawkach i miał potargane włosy, jakby przed wejściem do gabinetu przeszło nad nim tornado. Patrzył zatroskany na swój nowoczesny dyktafon, tak bardzo skomplikowany, że nawet on sam nie wiedział, jak działa. W końcu zrezygnował z postawy co-też-miałem-zrobić, ograniczył się do wciśnięcia guzika „rec" i rozpoczął wywiad.

– Mógłby pan się przedstawić i powiedzieć, jakie stanowisko zajmuje pan w tej organizacji?

– Nazywam się Thomas Connors. Zostałem oddany do dyspozycji przez centralę w Nowym Jorku. Zajmuję kierownicze stanowisko czwartego stopnia.

– Co znaczy „oddany do dyspozycji"?

– Jestem funkcjonariuszem, który został przeniesiony tutaj na wniosek Interpolu. Takie oddelegowanie trwa zazwyczaj trzy lata. Okres ten może zostać przedłużony na wniosek sekretarza generalnego pod warunkiem, że otrzyma się zgodę administracji danego kraju. Na ogół przyjmuje się jednak, że nie powinien przekroczyć pięciu lat. Ale przypuszczam, że nie to pana interesuje – zakończył Thomas z wyraźnym niezadowoleniem.

– Och! Oczywiście, że nie. Żadnych tematów osobistych. Zapomniałbym, że panowie nie powinni pokazywać swoich ludzkich twarzy – odpowiedział dziennikarz. – W porządku, chciałbym wiedzieć, ilu członków liczy organizacja, jakim budżetem dysponuje, jak działa i jakie ma cele – wyliczył, czytając ciurkiem ze swojego notesu.

– Główne cele Interpolu to walka z terroryzmem i międzynarodową przestępczością zorganizowaną we wszystkich jej postaciach: z praniem pieniędzy, handlem narkotykami, fałszowaniem banknotów. Transgraniczny handel dziećmi, międzynarodowe siatki parające się prostytucją, działalność mafii także wchodzą w zakres naszych kompetencji. Roczny budżet wynosi pięćdziesiąt sześć milionów euro, do podziału między sto dziewięćdziesiąt państw członkowskich.

– Wszystkie kraje mają te same uprawnienia?

– Oczywiście. W każdym z państw członkowskich znajduje się Krajowe Biuro Interpolu, KBI, którego funkcjonariusze czuwają nad respektowaniem krajowego ustawodawstwa.

Thomas wypił łyk wody i ciągnął dalej:

– Szef KBI to zazwyczaj jeden z najwyższych rangą funkcjonariuszy. W zależności od wielkości kraju w KBI mogą pracować zaledwie dwie czy trzy osoby zajmujące się sprawami związanymi z Interpolem albo kilkadziesiąt; są wśród nich specjaliści w dziedzinach terroryzmu, ucieczek, przestępczości komputerowej, handlu żywym towarem, narkotyków czy kradzieży.

Spojrzał na swoją komórkę. Na ekranie rozświetlała się i gasła twarz Claire. Odrzucił połączenie.

– Jakie macie wyniki i jak doprowadziliście do ich osiągnięcia? – zapytał dziennikarz.

– Rośnie zaniepokojenie rządów rozkwitem przestępczości zorganizowanej na skalę międzynarodową, jako że wykorzystywane przez przestępców najnowsze technologie są coraz bardziej zaawansowane. Do jej zwalczania potrzebne są szybkie i skuteczne kanały przekazywania informacji, które muszą być jednocześnie całkowicie bezpieczne. Obecnie przesłanie zdjęć, informacji i plików cyfrowych do poszczególnych Biur Krajowych w naszych państwach członkowskich zajmuje dokładnie osiemdziesiąt sekund.

– Jaki jest państwa główny cel?

– Dzieci – odpowiedział bez wahania Thomas. – Jednym z naszych głównych narzędzi do walki z wykorzystywaniem seksualnym dzieci jest baza danych Interpolu ze zdjęciami i filmami z przestępstw popełnianych przeciwko nieletnim. Od dwa tysiące pierwszego roku pomogła ona uratować ponad siedemset ofiar nadużyć seksualnych. Dzięki pieniądzom, które przyznała nam G8, przekształcamy tę bazę danych w coraz bardziej zaawansowany środek do walki z przestępczością. – Zrobił krótką przerwę. – Na przykład w dwa tysiące siódmym roku wystartowaliśmy z operacją

VICO; pierwszy raz skierowaliśmy do ludności prośbę o pomoc w zidentyfikowaniu mężczyzny, który na serii filmików udostępnionych w Internecie wykorzystywał seksualnie dzieci. Kilka dni później podejrzany został zatrzymany, co pokazuje, że współpraca z obywatelami i środkami przekazu z całego świata przynosi owoce. Niedługo potem, w dwa tysiące ósmym roku, przeprowadziliśmy operację IDENT, która zakończyła się podobnym sukcesem. Kiedy osoba oskarżona o zabójstwo, morderstwo czy gwałt opuszcza kraj, w którym popełniła przestępstwo, śledztwo się komplikuje. Policja musi powierzyć ściganie jej instytucjom międzynarodowym, z którymi współpracuje, to znaczy nam.

– A jak przekazuje się nakaz zatrzymania między państwami? – pytał dalej dziennikarz, coraz bardziej zainteresowany.

– Interpol publikuje zawiadomienia w różnych kolorach. Na przykład czerwone, najwyższego stopnia, to międzynarodowy nakaz aresztowania dotyczący osób ściganych przez wymiar sprawiedliwości, który obliguje wszystkie państwa członkowskie do współpracy przy poszukiwaniu i późniejszym zatrzymaniu przestępcy.

Rozmowę przerwała Rose, która weszła do gabinetu, niosąc na tacy kawę i ciastka.

– Przepraszam, życzył pan sobie z mlekiem, prawda? – zapytała usłużnie dziennikarza.

– Tak, dziękuję. To bardzo miłe z pani strony – odpowiedział ten zdenerwowany.

Thomas się uśmiechnął. Rose wywoływała taką reakcję u większości mężczyzn. Przypominała raczej aktorkę niż sekretarkę. W każdym razie bez wątpienia była najskuteczniejszą asystentką, jaką kiedykolwiek miał.

– Dla pana czarna… – powiedziała, stawiając filiżankę po lewej stronie biurka.

– Dziękuję, Rose. Jestem ci… to znaczy jestem pani wdzięczny. – Thomas pomyślał, że nigdy nie przywyknie do zwracania się do ludzi per pan, pani.

Dziewczyna skinęła głową i z uśmiechem na ustach wyszła z gabinetu.

– Ludzie myślą, że mamy tajnych agentów, którzy podróżują po całym świecie incognito, jak James Bond. Prawdę mówiąc, ja sam kiedyś tak myślałem – powiedział Thomas zrelaksowanym tonem i pociągnął łyk kawy.

– A tak nie jest?

– Nie – odpowiedział. – Niemniej pomagamy policji w prowadzeniu ważnych śledztw i operacji, które czasem bywają bardzo niebezpieczne. Jesteśmy w stanie wysyłać ekipy specjalistów do różnych miejsc świata, kiedy dochodzi do jakiejś katastrofy. Te ekipy mogą udzielać też specjalistycznej pomocy miejscowej policji.

Dziennikarz skinął głową.

– Na przykład kiedy policja znajduje przemycane narkotyki albo kiedy zostaje dokonany zamach. Inne zespoły pomagają przy planowaniu środków bezpieczeństwa podczas dużych wydarzeń, jak olimpiady, i udzielają wsparcia przy wprowadzaniu ich w życie. Poświęcamy także dużo czasu na informowanie policji z całego świata o najnowszych technologiach i ich zastosowaniu.

– To musi być kluczowe. Tym bardziej że każdy kraj jest na innym poziomie rozwoju gospodarczego i kulturalnego – wtrącił dziennikarz.

– Właśnie. Wiele przestępstw jest popełnianych jednocześnie w różnych krajach. Na przykład niektóre narkotyki są przewożone nielegalnie z Ameryki Południowej do Europy przez Afrykę. Dlatego ważne jest, by siły porządkowe z całego świata były w kontakcie i ujęły sprawców tych przestępstw. W tym celu muszą mieć dostęp do wspólnych systemów i informacji. Wszystkie państwa członkowskie Interpolu są podłączone do naszego światowego systemu łączności policyjnej, znanego jako I-24/7.

– Jak on działa?

– To system podłączony do Internetu i wyposażony w zaawansowaną technologię, która umożliwia policji bezpieczne wysyłanie wiadomości i ściśle poufnych informacji oraz sprawdzanie danych figurujących w naszych bazach.

Thomas sięgnął po czekoladowe ciasteczko i ciągnął dalej:

– Na przykład podczas jednego ze śledztw w Monako policja znalazła na miejscu przestępstwa odciski palców, a po porównaniu ich z tymi, które figurowały w bazie danych Interpolu, odkryła nie tylko tożsamość sprawcy i jego związek z innymi przestępstwami, popełnionymi w Serbii, ale również to, że ów człowiek był ścigany w pięciu innych państwach europejskich.

Dziennikarz wyglądał na zadowolonego z wywiadu; uznał, że ma już wystarczająco dużo informacji do napisania artykułu. Schował notes i dyktafon do torby na ramię i pożegnał się z Thomasem uściskiem ręki.

Po wywiadzie Thomas miał wolny czas aż do spotkania z przedstawicielem mołdawskiej policji. Zadzwonił do Claire.

– Cześć, widziałem, że do mnie dzwoniłaś, ale nie mogłem odebrać, byłem zajęty. – Natychmiast pożałował ostatnich słów. Wyobraził sobie, że myśli: „jak zwykle".

– Nie szkodzi, przywykłam, chociaż się nie poddaję – powiedziała. – Nie tracę nadziei, że kiedyś wyluzujesz i przestaniesz być Panem Odpowiedzialnym.

Thomasowi nie spodobał się jej ton, zbyt cierpki. Mogła przynajmniej udawać, że choć trochę żałuje tego, co zdarzyło się w domu. Chciał jej to powiedzieć, ale zamilkł. Nagle zapragnął jak najszybciej zakończyć tę rozmowę.

– Chcę cię zobaczyć – powiedziała łagodniejszym tonem. – Może pójdziemy na kolację, a potem wpadniemy do kasyna? Ostatnim razem przegraliśmy i poprzysięgliśmy zemstę, a... to było w Boże Narodzenie.

Thomas faktycznie miał ochotę miło spędzić weekend i wyjść gdzieś wieczorem.

– W porządku, o której po ciebie przyjechać?

– O ósmej.

– Zgoda, w takim razie do wieczora.

– Ja... Przepraszam, Thomasie – dodała Claire. – Czasami bywam trochę okrutna. Sam wiesz...

– Nie przejmuj się, porozmawiamy później – odpowiedział ugodowo.

– *D'accord*, do zobaczenia wieczorem – pożegnała go i odłożyła słuchawkę.

***

To był niekończący się dzień wypełniony pracą. Thomas dotarł do mieszkania Claire punktualnie, ale nie chciał wchodzić na górę, zaczekał w samochodzie.

– Cześć – przywitała się i pocałowała go w policzek.

Nie odpowiedział. Skupiał uwagę na drodze.

– Zamierzasz się do mnie odezwać czy będziemy tak milczeli przez całą noc?

Thomas nie zareagował.

– Nie wybaczysz mi tego z wczoraj?

Cisza.

– To było tylko małe potknięcie.

– Umówiliśmy się, że dopuszczamy seks z innymi, ale zawsze z uwzględnieniem uczuć drugiej osoby – wyjaśnił.

– Obiecuję ci, że to się więcej nie powtórzy. Teraz zapomnij o tym i spędźmy miło noc.

Kiedy weszli do restauracji, zauważył, że wygląda prześlicznie. Gdy zdjęła płaszcz, odsłoniła suknię wieczorową, którą włożyła na tę okazję. Miała dekolt w kształcie „V" sięgający brzucha. Od razu spostrzegł, że nie włożyła stanika. Brzegi dekoltu sięgały dokładnie granicy sutków. Pomyślał, że dość trudno oprzeć się takiej kobiecie. Przy niej czuł, że ma władzę i że inni mu zazdroszczą. *Maître* zaprowadził ich do stolika.

– Nie wiem, jak załatwiłeś rezerwację. Nie mogę uwierzyć, że tu jesteśmy – powiedziała Claire, siadając.

– Nieważne, zrobiła to moja sekretarka.

– Jest ładna?

– Bardzo.

– Przeleciałbyś ją?

– Nie.

– Dlaczego?

– Bo dla mnie pracuje – uciął, skrępowany.

– Tylko dlatego?

– Tak.

Spojrzał na Claire – nie chciał, by umknęła mu jej reakcja. Rozczarował się. Nie zobaczył najmniejszej oznaki zazdrości, złości, niczego. Po prostu zmieniła temat.

– Uwielbiam to miejsce – powiedziała.

– Ja też – przytaknął, podejmując jej grę.

Restauracja Philippe'a Gauvre'a była jedną z najlepszych w Lyonie i okolicach. Jej kreatywność została nagrodzona w 2000 roku drugą gwiazdką Michelina. Była częścią kasyna Le Lyon Vert. Otoczona bujną roślinnością, stanowiła perełkę architektoniczną stylu art déco; zachęcała wprost, by cieszyć oczy jej otoczeniem. Znajdowała się w La Tour-de-Salvagny, małej miejscowości słynącej właśnie z luksusowego kasyna. Miejsce miało szczególny urok; w środku urządzono piękne sale w stylu belle époque.

Kolacja przebiegła spokojnie. Kiedy skończyli, Thomasowi przeszła ochota na kasyno.

– A co chcesz robić? – zapytała Claire.

– Chcę seksu.

– Ze mną czy z inną?

– Nie wiedziałem, że to ma dla ciebie jakiekolwiek znaczenie.

– Ja też nie.

Spojrzeli na siebie. Thomas nie zamierzał ustąpić. Nie wybaczył jej tego, co zaszło w jego mieszkaniu. On nigdy nie przespał się z nikim bez jej wiedzy, tym bardziej nie w jej domu. Czego chciała od niego Claire? Kiedy się poznali, narzuciła swoje zasady, pragnęła być wolna, uprawiać seks z innymi. Ku własnemu zdziwieniu przystał na jej warunki. Taki układ załatwiał niewygodną kwestię zobowiązań. Tak naprawdę nie chciał jej mieć w swoim życiu, tylko w łóżku.

– Pojedziemy do Club Auberge? – zaproponował. – Jest późno, o tej porze będzie tam już odpowiednia atmosfera.

Thomas lubił ten klub – mały, dyskretny, z zakazem wstępu dla samotnych mężczyzn. Można było wymieniać się spokojnie partnerami, bo nie wpuszczano ciekawskich, jedynie pary i samotne kobiety. Miał pomalowane na niebiesko ściany i kanapy z czerwonej skóry ustawione jedne naprzeciwko drugich. Z boku znajdował się bar, w głębi – parkiet do tańca, a tuż przy nim drugi, mniejszy, w kształcie ośmioboku otoczonego lustrami, gdzie tańczyli tylko najodważniejsi. Podniecało go czerwone światło, przydawało twarzom zmysłowości, a skórze odcienia, który zachęcał do rozpusty.

Przywitali się z kilkoma parami, z którymi zazwyczaj wymieniali partnerów. Thomas odmówił pójścia z nimi do jednego z pokoi wyłożonych lustrami, w którym stało łóżko o wymiarach trzy na cztery metry, idealne, by pomieścić kilka ciał. Naliczył siedem osób. Claire odstawiła nagle kieliszek i przyłączyła się do grupy. Nie miał nic przeciwko temu. Na parkiecie panowało duże ożywienie. Usiadł w pobliżu ze swoim mojito. Jego uwagę od razu przykuła kobieta, która tańczyła, wykonując powolne, zmysłowe ruchy. Miała na sobie czarny gorset z fioletowymi wstążkami, czarne stringi i sięgające do ud pończochy z podwiązkami. Nie znał jej i to mu się spodobało. Skorzystał z okazji, że poszła zamówić coś przy barze, i dotknął jej ramienia. Odwróciła się i pozdrowiła go spojrzeniem.

– Podoba mi się, jak tańczysz.

– Dziękuję – odpowiedziała. – Dziwne, taki przystojny mężczyzna sam.

Thomas zaśmiał się z komplementu.

– Moja partnerka jest na górze, grupowy seks to dla mnie za dużo… A twój partner?

– Jestem sama. Nudziłam się w domu, a to najlepsze miejsce na spędzenie piątkowego wieczoru dla samotnej kobiety, jakie przyszło mi do głowy. Można tu przyjść w najseksowniejszym stroju, a nikt cię nie będzie zaczepiał; „nie" zawsze znaczy „nie", w każdej sytuacji. Poza tym wejście jest za darmo, a do tego fundują ci drinka. Jak w bajce.

– Czy w twoim repertuarze powodów, żeby tu przyjść, był też seks?

– Jako jeden z ostatnich – odpowiedziała z uśmiechem. – Lubię, kiedy na mnie patrzą i kiedy mnie pożądają, ale wolę tańczyć.

– Moim zdaniem nie można ci się oprzeć… Kiedy zmęczysz się tańcem, czekam na ciebie tutaj.

Zaśmiała się zadowolona.

– Nazywam się Bárbara i właśnie wskoczyłeś na szczyt mojej listy.

– Thomas. Miło mi – przedstawił się i pocałował ją w szyję.

– Dokąd pójdziemy? – zapytała podniecona.

– Chciałbym, żebyśmy byli sami, więc jacuzzi i sauna odpadają.

– Chodźmy do łazienki – zaproponowała i podała mu rękę.

Thomas oparł ją o marmurowy blat, ściągnął jej stringi i brutalnie wszedł w nią od tyłu. Nacierał, pieszcząc jednocześnie okrężnymi ruchami palców jej łechtaczkę. Wkrótce usłyszał jej orgazm; doszła w hałaśliwy sposób, a on zaraz po niej. Kiedy skończył, położył się na jej plecach, słuchając przyspieszonego bicia serca. Pocałował ją we włosy i odsunął się, ściągając prezerwatywę.

– Dziękuję, Bárbaro. Jeśli nie masz nic przeciwko temu, wrócę do domu. Przed wyjściem postawię ci drinka.

– Nie trzeba, pójdę potańczyć – odpowiedziała. Wytarła się szybko wilgotnym papierowym ręcznikiem i całując go w czoło, dodała: – Następnym razem, kiedy się zobaczymy, wyciągnę cię na parkiet.

– Będzie ciężko – odpowiedział Thomas, zapinając pasek.

– Jestem bardzo uparta – zapewniła Bárbara.

Pocałował ją na pożegnanie w szyję i oddalili się w przeciwnych kierunkach. Zostawił kelnerowi wiadomość dla Claire. Pomyślał, żeby włożyć do koperty pieniądze na taksówkę, ale uznał, że by mu tego nie wybaczyła. Wyszedł na zewnątrz i wsiadł do samochodu. Na telefonie migało czerwone światełko. Sprawdził nieodebrane połączenia – pięć z nieznanego numeru na jego prywatnej komórce. Przestraszył się. Pomyślał o rodzicach, niewiele osób znało ten telefon. Oddzwonił, ktoś natychmiast odebrał.

– Thomasie – powiedział zapłakany głos. – Thomasie – powtórzył, dławiony łzami.

Oniemiał, słysząc głos kobiety.

– Maire – szepnął.

Przeszłość powróciła niespodziewanie, bez ostrzeżenia. Cios był brutalny. Nagle zobaczył siebie samego sprzed dwudziestu pięciu lat.

– Maire, to ty? Co się stało?

– Umarła Una, moja córka – powiedziała kobieta, powstrzymując szloch.

– Nie wiedziałem, że masz córkę. Ja… Przykro mi.

– Pomóż mi, Thomasie, proszę.

– Oczywiście – odpowiedział przytłoczony. – Co mogę zrobić?

– Przywieź ją do domu. Jest w Szwajcarii, w szpitalu Chablais. Musisz zidentyfikować zwłoki, załatwić formalności, nie wiem, co jeszcze... Repatriacja... wszystkie te sprawy. – Maire nie była w stanie mówić dalej, wybuchnęła płaczem.

– Ale ja nie znałem twojej córki – powiedział Tomasz zmieszany.

– Będziesz wiedział, że to ona, gdy tylko ją zobaczysz – odpowiedziała spokojniej. – Ja przechodzę rekonwalescencję po operacji, nie mogę jechać. Twoi rodzice dali mi ten numer, jesteś blisko miejsca, gdzie mieszka. Mieszka w Monthey. To znaczy... mieszkała. Boże... nie dam sobie z tym rady.

– Jak umarła?

– Powiedzieli mi, że nagle, we śnie. Znaleźli ją dziś rano. Zdziwiło ich, że nie przyszła na trening. Kiedy zjawili się lekarze, nic nie mogli już zrobić...

– Podam ci mój adres mailowy, prześlesz mi wszystkie dane i upoważnienie, żebym cię mógł reprezentować. Bądź spokojna, wszystkim się zajmę.

– Dziękuję, Thomasie. Jestem taka zmęczona... Lekarz dał mi jakąś pastylkę, zaczyna działać. Położę się, jest bardzo późno. Kto wie, jutro może się okazać, że nic nie zaszło, że to tylko zły sen. Dobranoc.

Thomas nieświadomie odpowiedział jej po gaelicku.

Setki obrazów eksplodowały w jego głowie. Maire, która się do niego uśmiecha; Maire i jej czerwone włosy walczące z wiatrem; Maire i jej blade ciało; Maire, która płacze... Wysiadł z samochodu, musiał odetchnąć świeżym powietrzem i zapomnieć. Usłyszał za sobą śmiechy kilku palaczy, którzy beztrosko rozmawiali w drzwiach klubu. Odszedł kawałek dalej. Przystanął, próbując się zorientować, gdzie jest. Usiadł na kamieniu i chwycił w garść trochę ziemi, odruchowo ją powąchał. Drżała mu ręka. Przypomniał sobie swój dom, pastwiska, a zwłaszcza góry. Wznosiły się groźnie nad horyzontem, niczym olbrzymi strażnicy dalekiej, nieosiągalnej dla niego krainy. Kiedy tam mieszkał, lubił na nie patrzeć; zmieniały się w zależności od pory roku i światła: jesienią były brązowe jak porastające je suche paprocie, zimą ukryte we mgle, latem zielone i spokojne. Kiedy przestał o nich śnić?

Wstał. Wracał do domu.

6

Ojciec Janika zmarł na raka płuc osiem lat wcześniej. Wielkie stado szpaków odprowadzało trumnę z domu pogrzebowego na cmentarz. Kiedy Janik zapytał matkę, czy te szpaki przyleciały go pożegnać, nie wiedziała, co mu odpowiedzieć. Pogrzeb wydał mu się tylko snem, czymś nierealnym, ale kiedy wrócił do domu, zasłony i fotele nadal były przesiąknięte zapachem ojca… Janik nie mógł tego znieść, więc wybiegł na zewnątrz. Wpadł do warsztatu stolarskiego. Tam przeszedł wonią terpentyny i wiórów, ale również nie zdołał się uwolnić od bólu. Skierował się drogą w stronę rzeki. Usiadł na brzegu i czekał, aż prąd zabierze jego smutek. Patrzył, jak stada kaczek podlatują i lądują na wodzie. Paraliżował go płynący z serca żal. Chciałby zrobić to samo co one, schować głowę i o niczym nie myśleć. Wtedy usłyszał głos ojca – pomógł mu stanąć na nogi i towarzyszył, dopóki nie zniknął ból. Ten głos wskazał mu coś, czego dotąd nie znał; od tamtej pory nie przestał biegać.

Jego nieśmiałość stanowiła przeszkodę w relacjach z dziewczynami, ale treningi pomagały spacyfikować hormony. Opracował technikę mającą na celu zaspokojenie popędu bez konieczności nawiązywania rozmowy. Snuł swoje fantazje w jakiejkolwiek scenerii. Samotna przyjemność masturbacji, której codziennie się oddawał, oszczędzała mu kontaktów z kobietami. Zaczął wyobrażać sobie różne sytuacje i opanował umiejętność bycia zwykłym obserwatorem – odrywał się od własnego ja i w wyobraźni wysyłał je na podbój płci pięknej. Mógł robić wszystko, rzucając się w przepaść tego, co zabronione. Przyjazd do ośrodka tylko spotęgował jego fantazje.

***

41

O siódmej rano budzik zaczął wydawać powtarzający się gwizd, który przerwał jego sen. Obok zegarka, na jednym z rogów szafki nocnej, wisiała taśma z pulsometrem.

Nie poruszając żadnym mięśniem, niemal nie oddychając w obawie przed zakłóceniem rytmu zaledwie trzydziestu dziewięciu uderzeń serca, zapalił lampkę nocną i wyciągnął rękę w poszukiwaniu taśmy z czujnikiem. Opasał nią piersi i złączył oba końce. Lewą ręką wcisnął start, po czym leżał z zamkniętymi oczami, nie myśląc o niczym i powstrzymując oddech. Kiedy uznał, że minęło sześćdziesiąt sekund, otworzył oczy. Wysunął nogi i usiadł na brzegu łóżka. Wstał powoli jak kameleon, żeby nie przyspieszyć choćby jednego uderzenia swojego młodego serca. Wcisnął stop, kiedy licznik doszedł do dziewięćdziesięciu sekund. Z westchnieniem wyłączył jedno po drugim urządzenia do zapamiętywania pulsu. Stopił się z otoczeniem, zapominając o tym, co dzieje się w jego wnętrzu.

Wyszedł na balkon. Jakaś sportsmenka, która właśnie opuściła ośrodek, patrzyła w niebo. Gałęzie drzew trzeszczały cicho na wietrze. Na horyzoncie widać było nadciągającą burzę, wydawało się, że niebo wstrzymuje oddech. W oczach Janika powiększało się i kurczyło, jak jego serce. W oddali rozświetlały je co jakiś czas elektryczne błyski, niczym pulsujące przedsionki i komory serca. Pchnął drzwi balkonowe i wrócił do pokoju. Wziął laptopa z szafki nocnej, podłączył interfejs i przybliżył pulsometr. Czerwone światełka zamigotały, wskazując, że transfer danych przebiega prawidłowo. Kilka sekund później sprawdził średnie tętno: czterdzieści dwa na leżąco, czterdzieści osiem na stojąco. Całkowicie doszedł do siebie po wysiłku, tętno nie zapowiadało żadnej niedyspozycji. Od dwóch lat korzystał z tego systemu. Był równie wiarygodny jak twierdzenia matematyczne.

Ethan, dwudziestoletni kolarz z Australii, wziął poprzedniej nocy środek nasenny, i teraz spał spokojnie na sąsiednim łóżku. Jego kręcone włosy i nieschodzący z twarzy uśmiech nadawały mu sympatyczny i radosny wygląd, chociaż ostatnio był raczej poirytowany i zapominał o wielu rzeczach. Te problemy sprawiały, że zachowywał się nieprzewidywalnie, a Janik musiał wypełniać jego luki w pamięci.

Chłopak włożył kolarki, koszulkę, bluzę i lekkie jak piórko żółte buty do biegania. Wyszedł z pokoju i ruszył korytarzem w stronę siłowni. Środek sali zajmowały maszyny do trenowania poszczególnych mięśni; w jednym z rogów stała duża drewniana ława, a na ścianie wisiało lustro, z którego sportowcy korzystali, by poprawić swoją technikę, unikając przy tym urazów. Wokół ławy znajdowało się mnóstwo drążków, ciężarków, hantli, piłek wszelakich rozmiarów i gum treningowych. Po przeciwnej stronie umieszczono rowery, bieżnie, orbitreki i ergometry wioślarskie. Samotność i cisza o tej porannej godzinie, mnogość i różnorodność maszyn pełnych przycisków, dźwigni, przekładni i wysięgników tworzyły nierzeczywistą, futurystyczną atmosferę. Janik pomyślał, że te urządzenia to androidy pogrążone w letargu, że po włączeniu światła nabiorą życia. Zapalił lampy, ale nic się nie wydarzyło. Wybrał jeden z rowerów i zaprogramował licznik. Sześćdziesiąt minut, sto dwadzieścia watów. Hendrik wyjaśnił mu, że to doskonały sposób na zastąpienie treningu biegowego czymś mniej szkodliwym dla mięśni i ścięgien. Co nie zmieniało faktu, że strasznie się nudził i marzył tylko, by wrócić do pokoju.

Żeby przełamać monotonię treningu, wyobraził sobie, że zsiada z roweru, rozbiera się i kładzie na karimacie. Wtedy wchodzą do sali dwie dziewczyny z zespołu gimnastyki artystycznej o ładnych ciałach, ale bez wyraźnie zarysowanych twarzy, jak to bywa czasami w snach. Dziewczyny zastają go nagiego, z członkiem niemal w stanie erekcji. Na ten widok zdejmują ubrania i uprawiają z nim seks. Myśl ta wywołała u niego taki wzwód, że musiał przestać pedałować w obawie, że ktoś pojawi się w drzwiach.

Stołówka była dużą salą z ogromnymi oknami i okrągłymi kolumnami. Każdy ze stołów rozproszonych niczym wysepki mógł pomieścić dziesięć osób. Janik i Ethan nałożyli sobie śniadanie przy ladzie.

– Węglowodany na śniadanie, węglowodany na drugie śniadanie, na obiad, na podwieczorek, na kolację. Mam powyżej uszu węglowodanów! – wykrzyknął Ethan.

– Nie narzekaj, ty nie jesz codziennie aminokwasów, glukozaminy, karnityny, koktajli proteinowych, żelaza, witaminy C, B…

– Wystarczy, wystarczy, przypominasz chemika robiącego inwentaryzację.

Usiedli przy jednym z pustych stolików. Umilkli. Janik skończył pierwszy i zajął się obgryzaniem paznokci. Na niektórych palcach miał małe ranki.

Nagle do stołówki wpadł jak burza Peter, sprinter wchodzący w skład holenderskiej sztafety długodystansowej. Usiadł obok Ethana. Po wyrazie jego twarzy można było sądzić, że zobaczył ducha.

– Una zmarła dziś w nocy. Przed chwilą wynieśli ją zapakowaną w czarny worek – powiedział po angielsku.

Koszykarze zajęci rozmową po drugiej stronie stołu podnieśli głowy; pingpongista siedzący przy stoliku naprzeciwko upuścił słodką bułkę do szklanki z mlekiem i podszedł do kolegów.

– Una, ta z ekipy rosyjskiej? – zapytał Ethan.

– Tak, ta od czterystametrówki.

– Co się stało?

– Nie wiem, kiedy byłem na schodach, zobaczyłem dwóch policjantów przy wejściu na jej korytarz. Nikogo nie przepuszczali.

– Policjanci w ośrodku!

– Tak, zaczekałem kilka minut – powiedział Peter. – Najpierw wyszli jacyś mężczyźni w garniturach. Chwilę po nich ratownicy medyczni. Zapytaliśmy, co się stało. Powiedzieli, że umarła jakaś dziewczyna.

– O kurwa! To była Una? Jesteś pewien? – zapytał z niedowierzaniem Ethan.

Wiadomość w mgnieniu oka obiegła całą stołówkę. Do ich stolika podeszły trzy dziewczyny z niemieckiej drużyny pływackiej. Otoczyły Petera, który opowiadał dalej.

– Tak, przy windzie stała jej koleżanka z Irlandii. Kiedy przechodzili obok z noszami z czarnym workiem, powtarzała imię Uny.

Cisza rozciągnęła się jak sprężyna, nikt nie wierzył w to, co opowiadał Peter. Jakby popychani niewidocznym palcem, wszyscy opuścili stołówkę i rozpierzchli się w różne strony. Na stołach zostały tace ze śniadaniem, aż wreszcie jedna ze sprzątaczek zaczęła ustawiać je na wózku, zła, że musi sama je pozbierać.

Blanc Kummer siedział przy kominku i błądził wzrokiem po pokoju. W kuchni otaczały go wspomnienia. To tu jego dziadek opowiadał mu historie o diable. Miejscowi powtarzali je, odkąd w 1882 roku przodkowie Blanca kupili ruiny opactwa. Kilka miesięcy później zaczęli unikać wszelkiego kontaktu z rodziną Kummerów, bo wierzyli, że zawarła pakt z samym Lucyferem. Obarczali ją winą za osuwiska i zniknięcia.

Latem 1920 roku grupa mieszkańców Les Diablerets, uzbrojonych w siekiery i kosy, próbowała zlinczować Kummerów za zniknięcie jakiejś dziewczyny. Wielki głaz, który spadł z La Quille du Diable, słynnej granitowej skały wysokiej na czterdzieści metrów, udaremnił ich zamiary. Dziewczyny nigdy nie znaleziono.

Blanc dorastał pośród owiec, kóz i pogardy okolicznych mieszkańców. Kiedy był mały, nie rozumiał, dlaczego szkolni koledzy nie chcą się z nim bawić. Myślał, że może dlatego, że cuchnie bydłem.

– Matko, dlaczego pachniemy tak dziwnie, że nikt nie chce się z nami zadawać?

– Nie wstydź się, że pachniesz jak zwierzęta, dzięki nim mamy żywność i ubrania chroniące nas przed zimnem. Poza tym jak twoim zdaniem pachną inni ludzie? – powiedziała matka.

Ta odpowiedź jeszcze bardziej go zaniepokoiła. Dlaczego w takim razie go unikali? Łatwiej było mu wierzyć, że przyczyną odtrącenia jest zapach. Od tamtego dnia matka karciła go za każdym razem, kiedy widziała, jak szoruje ciało błotem, albo gdy nakrywała go nagiego na tarciu skóry zimną wodą i mydłem.

Kiedy na jego twarzy pojawił się pierwszy zarost, nienawidził już chorobliwie swoich bliźnich i przestało mu przeszkadzać, że ludzie ze wsi myślą, iż ma w sobie coś demonicznego.

Z anim Thomas wszedł do gabinetu, z poważną miną nakazał gestem Rose, żeby mu towarzyszyła.

– Biorę trochę wolnego, więc musi pani odwołać wszystkie spotkania. Myślę, że to będą jakieś dwa, najwyżej trzy dni.

Rose czuła pokusę, żeby zapytać o powód, ale pytanie zamarło jej na ustach, zanim padło. Ugryzła się w dolną wargę i skwapliwie przytaknęła.

– Muszę się też skontaktować z Ambasadą Irlandii w Szwajcarii i poprosić o informacje dotyczące transportu zwłok. To pilne. Jak tylko się pani do nich dodzwoni, proszę mnie połączyć. – Umilkł na moment, po czym zapytał: – Przyszedł dziś rano jakiś faks z Irlandii?

– Pójdę sprawdzić, zaraz wracam.

– Proszę mi przygotować czarną kawę. Dziękuję – dodał, zanim wyszła.

Chwilę później ktoś zapukał do drzwi. To była Rose, niosła kawę i niebieską teczkę.

– Dostał pan te dokumenty od Maire Gallagher – położyła papiery na biurku i opuściła gabinet.

Thomas otworzył teczkę i szybko przejrzał papiery.

Córka Maire nazywała się Una Kowalenko. Zdziwiło go to: gaelickie imię i wschodnioeuropejskie nazwisko. Przeczytał dane ubezpieczyciela, który miał pokryć koszty transportu, i wstępny raport o przyczynach śmierci, jeszcze sprzed sekcji zwłok.

Zadzwonił telefon. Rose połączyła go z kimś z ambasady.

– Dzień dobry, mówi Thomas Connors, kierownik odpowiedzialny za organizację i przebieg zebrań Zgromadzenia Ogólnego i Komitetu Wykonawczego Interpolu. – Taka prezentacja wydała mu się przesadnie pompatyczna, ale potrzebował pomocy, i to szybko.

– Oczywiście, dzień dobry, William Kennedy. Co mogę dla pana zrobić?

– Muszę załatwić formalności związane z transportem zwłok ze Szwajcarii do Irlandii, a nie wiem, jak wygląda procedura.

– Śmierć nastąpiła w sposób naturalny czy był to gwałtowny zgon, który będzie wymagał policyjnego śledztwa?

– Z tego co wiem, naturalny.

– Wobec tego po sekcji zwłok ciało musi zostać zabalsamowane i przewiezione w specjalnej trumnie, drewnianej, z desek o grubości co najmniej dwudziestu milimetrów, dodatkowo wzmocnionej metalowymi obręczami – wyjaśnił głos po drugiej stronie linii. – W środku powinna się znajdować druga skrzynia z cynku, ołowiu albo innego materiału o tych samych właściwościach; nie może ulegać biodegradacji ani przepuszczać wody, żeby nie przeciekły płyny ustrojowe.

Urzędnik przerwał, po czym zapytał:

– Jest pan kimś z rodziny?

– Nie, ale reprezentuję rodzinę.

– Ma pan podpisane i uwierzytelnione pełnomocnictwo?

– Tak, właśnie trzymam je w rękach – odpowiedział Thomas.

– Dobrze, w takim razie proszę złożyć wniosek do konsulatu o zezwolenie na przewiezienie trumny, musi ona bowiem zostać zamknięta w obecności naszego urzędnika. Osoba ta ma sporządzić protokół z zamknięcia i opasać skrzynię taśmą, która zostanie zapieczętowana. – Kennedy wyjaśniał procedurę z irytującą dokładnością. – Dzięki tej pieczęci na granicy będą wiedzieli, że ciało może zostać przewiezione.

– Chce mi pan powiedzieć, że do przewiezienia zwłok potrzebuję pozwolenia z ambasady? – zapytał Thomas ze zdumieniem.

– Tak, i musi je pan odebrać osobiście, nie da się tego załatwić na odległość.

Thomas zaczynał tracić cierpliwość. Zbyt dobrze wiedział, jak wygląda biurokracja w ambasadach.

– Istnieje jakiś sposób na ominięcie tej formalności? – zapytał.

– Interwencja konsulatu nie jest potrzebna, kiedy zwłoki są przewożone między państwami, które podpisały Konwencję Strasburską z tysiąc dziewięćset siedemdziesiątego trzeciego roku, w tym wszystkimi krajami Unii Europejskiej. Wystarczy zezwolenie na przewóz zwłok wydane przez miejscowe władze.

– Szwajcaria podpisała Konwencję?

– Chyba tak, chwileczkę, zaraz sprawdzę.

Thomas usłyszał stukanie w klawiaturę komputera.

– Oczywiście, że tak – potwierdził urzędnik. – Co za przeoczenie z mojej strony! Proszę wybaczyć, ale pracuję tu od niedawna i jeszcze nie jestem ze wszystkim na bieżąco – tłumaczył.

– Nic nie szkodzi, proszę mi powiedzieć, gdzie mogę dostać formularze – odpowiedział Thomas zmęczony.

– Jeśli pan chce, ten najważniejszy wyślę panu faksem. A jeżeli poda mi pan dane osoby zmarłej, spróbuję przyspieszyć formalności w szpitalu, w którym znajdują się zwłoki – dodał.

– Byłbym panu ogromnie wdzięczny – odparł Thomas z ulgą.

Podał Kennedy'emu swój numer telefonu i faksu, po czym zapisał telefon urzędnika.

– Proszę dzwonić bez wahania, jeśli pojawią się jakieś przeszkody. Powodzenia – pożegnał go Kennedy.

– Tak zrobię. Jeszcze raz dziękuję.

Pił kawę, która była już zimna, kiedy weszła Rose i wręczyła mu jakąś kartkę.

– To przyszło z ambasady Irlandii.

Zanim Thomas zapoznał się z formularzem, przeczytał informację, którą dołączył Kennedy:

„Jeśli z powodu tajemnicy zawodowej nie zostanie wskazana przyczyna zgonu, podczas transportu przy zwłokach powinien się znajdować umieszczony w zapieczętowanej kopercie certyfikat wskazujący ową przyczynę. Musi on zostać przedstawiony odpowiednim urzędom w kraju docelowym. Zapieczętowana koperta powinna być opatrzona informacją umożliwiającą jej rozpoznanie i w sposób trwały połączona z zezwoleniem na transport zwłok. Jeśli przewożona osoba zmarła śmiercią naturalną i w wyniku choroby niezakaźnej, powinno to zostać wskazane w zezwoleniu".

Thomas wszedł na stronę internetową Michelina, żeby sprawdzić trasę i czas podróży z Lyonu do szwajcarskiego miasteczka Monthey. Okazało się, że odległość nie jest duża – dwieście sześćdziesiąt pięć kilometrów. Przejazd drogami ekspresowymi zajmie mu dobre dwie godziny. Pożegnał się z Rose krótkim „do widzenia" i ruszył w stronę parkingu. Dopiero w samochodzie sprawdził nazwę szpitala w dokumentach wysłanych przez Maire i wpisał jego adres do GPS-u. Przed wyjściem z domu spakował niezbędne rzeczy: bieliznę, ciemny garnitur na pogrzeb, ciepły nieprzemakalny płaszcz, buty za kostkę, grube skarpetki i dres.

W recepcji szpitala Chablais Thomas przedstawił się i wyjaśnił, po co przyjechał. Kilka minut później przyjął go zastępca dyrektora, Antoine Toupard. Oczekiwał go, odkąd zadzwonili z ambasady.

– Witam, panie Connors. Przykro mi, że poznajemy się w takich okolicznościach – powiedział uprzejmie.

W odpowiedzi Thomas uścisnął mu rękę.

– Bardzo mi miło.

Był zmęczony. Poprzedniej nocy prawie nie spał; duchy, o których – jak sądził – zapomniał, pojawiły się bez uprzedzenia.

– Odkąd otrzymaliśmy telefon z ambasady, próbujemy maksymalnie przyspieszyć formalności – poinformował Toupard, wskazując mu drogę.

– To bardzo uprzejme z pana strony.

– Szpital jest olbrzymi, to kompleks złożony z trzech budynków, a każdy z nich jest większy niż poprzedni: geriatria, położnictwo i oddział, na którym się teraz znajdujemy – wyjaśnił z dumą dyrektor. – Część sekcyjna mieści się na pierwszym piętrze, w lewym skrzydle Zakładu Patomorfologii. Jej powierzchnia służy wypełnianiu założonych celów i przekracza minimum wymagane przez Krajową Komisję Patomorfologii, sto metrów kwadratowych.

Thomas nie mógł uwierzyć własnym uszom – zastępca dyrektora zachowywał się jak przewodnik wycieczki. Wziął głęboki oddech i spróbował się skupić na jego wyjaśnieniach.

– Łączy się bezpośrednio z kostnicą na parterze, a przez podziemia ze szpitalem oraz z pozostałymi pomieszczeniami Zakładu Patomorfologii na drugim piętrze – opowiadał dalej Toupard. – Prosektoria są ze sobą połączone za pomocą szatni i toalet. Część sekcyjna i pozostałe oddziały mają wspólną recepcję i rejestrację, laboratoria do badania pobranych próbek, zatapiania, krojenia, barwienia i dystrybucji preparatów, sekcję patologii molekularnej i mikroskopii elektronowej, sekretariat oraz archiwum, gdzie przygotowywane są raporty i zdjęcia. Ciekawe, nieprawdaż? – zapytał retorycznie. – Już jesteśmy na miejscu.

Poprosił, żeby zaczekał w bezpłciowym pomieszczeniu pomalowanym na biało. Thomas nie znosił tego koloru. Biel przypominała mu irlandzką mgłę, zimną i gęstą. Kiedy opadała, zasłaniała i przytłaczała wszystko, łąki i zarysy gór, zamieniając przestrzeń, którą tak dobrze znał, w zimne, nierealne miejsce. Od dziecka trudno mu było się rozgrzać; jak mawiali starzy ludzie z jego wioski, zimno tkwiło w jego ciele.

W rodzinnym domu Thomasa nie było ogrzewania ani bieżącej wody, korzystali z drewnianego wychodka stojącego na końcu ogrodu. Codziennie musiał chodzić do studni. Kąpiel brali w niedziele przed pójściem na mszę, w olbrzymim cebrze stawianym przed piecem opalanym drewnem. Spał w aneksie przylegającym do kuchni-salonu, w małym łóżku przy ścianie; odgradzająca go od reszty pokoju zasłona dawała pozory intymności. Drugie pomieszczenie – sypialnię – zajmowali jego rodzice. Życie toczyło się w ogromnej kuchni. W kredensie stała porcelanowa zastawa w kwiatki i słoiki z rozmaitymi przetworami. W drewnianych skrzynkach trzymali orzechy włoskie i laskowe. Na hakach wbitych w sufit wisiało mięso, dopóki się nie zakonserwowało, i pęki suszonych ziół. Nad fajerkami był rozciągnięty sznur do suszenia mokrych ubrań, podnoszony i opuszczany za pomocą łańcucha.

Usłyszał odgłos otwieranych drzwi. Zastępca dyrektora pojawił się w towarzystwie atrakcyjnej brunetki.

– Przedstawiam panu naszego lekarza medycyny sądowej, doktor Laurę Terraux.

– Miło mi panią poznać – Thomas wyciągnął rękę.

– I wzajemnie, panie Connors – powiedziała poważnie i od razu przeszła do rzeczy: – Przeprowadziłam sekcję zwłok pani Uny Kowalenko. Nie znalazłam niczego godnego uwagi ani odbiegającego od normy – zaczęła, nie kryjąc irytacji. – Zawodowa sportsmenka, dwadzieścia cztery lata, cieszyła się doskonałym zdrowiem. Przyczyną zgonu był zator płuc, który doprowadził do zatrzymania pracy serca. Ponieważ w ciągu ostatnich dwudziestu czterech godzin nie stwierdzono u niej żadnych problemów ze zdrowiem, jako diagnozę wpisałam w raporcie nagłą śmierć.

– Proszę mi wybaczyć – przerwał dyrektor – ale mam sporo pracy. Bardzo przepraszam, panie Connors. Zostawiam pana w dobrych rękach. Miło było pana poznać – powiedział na odchodnym.

– W takim razie mogę zadzwonić do zakładu pogrzebowego, żeby przetransportowali zwłoki? – zapytał Thomas, nie poświęcając wiele uwagi Toupardowi.

– Przykro mi, ale trzeba jeszcze zabalsamować ciało. Proszę się nie martwić, nie zajmie nam to dużo czasu. Jeśli poda mi pan numer swojej komórki, zawiadomię pana, kiedy skończymy. Widzę, że się pan spieszy. Musi pan być niezwykle zapracowaną osobą – powiedziała sarkastycznie, wyjmując długopis z kieszeni białego fartucha.

– Słucham? Chyba nie sprawiłem pani żadnego kłopotu? – odparł ze złością.

– Pan może nie, ale nasz kochany dyrektor zmusił nas do odłożenia na bok pilniejszych spraw, żebyśmy przeprowadzili sekcję zwłok pańskiej krewnej.

– Ona nie jest moją krewną.

– To widać – odpowiedziała Laura oschle. – Proszę wybaczyć, praca czeka.

– W porządku, będę w kawiarni.

Thomas podał jej swój numer telefonu i odszedł. Zabłądził w korytarzach, musiał zapytać kilka osób, zanim trafił do kawiarni. Czuł głód. Od rana wypił tylko kawę. Stoliki przy oknie były zajęte, zaczekał więc, aż któryś się zwolni. Zamówił u sympatycznej kelnerki sałatkę na ciepło i pudding rybny, a do picia coca-colę light. Kiedy czekał na jedzenie, zadzwonił do Claire, ale nie odebrała. Wysłał jej SMS-a, w którym tłumaczył krótko, co się stało.

Kiedy skończył mus czekoladowy, pojawiła się lekarka.

– *Bon appétit.* Mogę się na chwilę przysiąść?

– Oczywiście, bardzo proszę – odpowiedział Thomas zaskoczony i wskazał puste krzesło.

– Liczyłam, że jeszcze tu pana zastanę. Przepraszam za moją wcześniejszą reakcję, to była impertynencja – powiedziała.

– Nic się nie stało. Wszyscy miewamy gorsze dni – odparł.

– Wiem, że to mnie nie usprawiedliwia, ale ostatnio mamy sporo pracy. Ten szpital obsługuje także kantony Vaud i Valais, czasem nie nadążamy ze wszystkim. Musieliśmy wstawić do kostnicy dodatkowe urządzenie chłodzące.

Thomas spojrzał na nią pytająco.

– Wcześniej mieliśmy urządzenie utrzymujące dodatnią temperaturę wynoszącą dwa lub cztery stopnie Celsjusza, w której można przechowywać zwłoki kilka dni lub tygodni, ale nie zapobiega ona powolnemu rozkładowi ciała – wyjaśniła lekarka. – To, które kupiliśmy, utrzymuje temperaturę minus piętnaście i minus dwadzieścia stopni. W takich warunkach ciało ulega całkowitemu zamrożeniu i rozkład zostaje zatrzymany. Wychodziło taniej niż zatrudnienie dodatkowych lekarzy medycyny sądowej – powiedziała z rezygnacją.

– Zapraszam panią na obiad – zaproponował niespodziewanie Thomas.

– Ale... pan już skończył jeść – odpowiedziała z uśmiechem. – Poza tym umówiłam się na obiad w stołówce dla personelu. Chociaż... kawy nie odmówię.

Doktor Terraux wrzuciła trzy kostki cukru do swojej *café noisette*.

– Wyładowałam na panu mój stres, to niewybaczalne w sytuacji, z którą przyjdzie się panu teraz zmierzyć – przepraszała, mieszając łyżeczką kawę. – Kiedy skończę, zaprowadzę pana na identyfikację zwłok. Wiemy, kim jest zmarła, ale sam pan rozumie, biurokracja. Musi to zrobić ktoś z krewnych albo przedstawiciel rodziny. To bardzo trudny moment.

– Proszę się nie martwić, pracowałem osiem lat dla FBI. Jestem przyzwyczajony – uspokoił ją Thomas. – Nie wiem tylko, jak mam zidentyfikować zwłoki, skoro nie znałem tej osoby.

– Słucham? – zapytała zaskoczona.

– Jej matka zapewniła mnie, że nie będę miał problemów z rozpoznaniem. Nie rozumiem, co chciała przez to powiedzieć...

– Wiem, że pracuje pan dla Interpolu, ale nie miałam pojęcia, że jest pan policjantem. Spodziewałam się raczej jakiejś szychy z biura.

– Nie jestem policjantem, w FBI pracowałem jako profiler.

Thomas zobaczył, jak na ładnej twarzy lekarki maluje się pytanie.

– Opracowywałem profile psychologiczne, kiedy nie było wiadomo, od czego zacząć śledztwo – wyjaśnił zwięźle. – Dostarczałem informacji o tym, gdzie i kogo szukać, o potencjalnych podejrzanych i tak dalej. W końcu zostawiłem pracę na uniwersytecie i na stałe wszedłem do zespołu.

– To musiało być doświadczenie bardzo odbiegające od pracy dydaktycznej. Warto było? – zapytała lekarka.

– Szczerze mówiąc, myślę, że nie. Za dużo naprawdę złych ludzi – odparł z gorzkim uśmiechem.

Ten grymas nie umknął uwadze Laury. Thomas wydał jej się atrakcyjnym, tajemniczym mężczyzną.

Kiedy skończyła kawę, poprosił o rachunek i wyszli z kawiarni.

W kostnicy natychmiast rozpoznał zapach towarzyszący balsamowaniu. W ciało wstrzykiwano całą serię produktów chemicznych, jak formaldehyd, aldehyd glutarowy, metanol, etanol i inne rozpuszczalniki, których opary unosiły się w powietrzu. Nie maskowały jednak silniejszego zapachu, zapachu śmierci. Doktor Terraux sprawdziła dane na drzwiczkach jednej z wnęk, otworzyła je i wysunęła nosze ze zwłokami.

– Jest pan gotowy?

Przytaknął.

Odkryła ciało i Thomas podszedł bliżej.

To była Maire. Ta, która stała u stóp wzgórza, płacząc i błagając, żeby nie wyjeżdżał. Te same czerwone włosy, ta sama twarz... Zakrył usta, żeby zdusić jęk, i skinął głową. Jego serce zaczęło mocno bić. Było mu gorąco, poluzował krawat, próbując się uwolnić od uczucia duszności, po czym wyszedł z kostnicy.

– Lepiej się pan czuje? – zapytała Laura; przyniosła mu szklankę wody.

– Tak, dziękuję – odpowiedział.

Wziął od niej szklankę i wypił jej zawartość.

– Spokojnie, najgorsze już ma pan za sobą. Wszystko jest przygotowane. Ubezpieczyciel kupił bilet, ciało zostanie przewiezione jutro rano. Zadzwoniono do nas, żebyśmy potwierdzili, że wszystko jest w porządku. Teraz musi pan już tylko odpocząć i towarzyszyć zwłokom w drodze do Dublina.

– Do Kilconnell, to wioska dwie godziny od Dublina – uściślił zmęczony. – Tam się wychowałem.

– Jest pan Irlandczykiem? Nie zdradza pana akcent.

– Do szpiku kości – powiedział z kpiną w głosie.

– Dawno pan tam nie był? – zapytała z zainteresowaniem.

– Od ponad dwudziestu lat – odparł Thomas, zaskoczony własną odpowiedzią. – Czas płynie bardzo szybko.

Laura domyśliła się, że musi istnieć jakiś powód tak długiej nieobecności, ale postanowiła nie być wścibska.

– No cóż – powiedział Thomas i wstał. – Nie będę już pani przeszkadzał. I tak dużo pani dla mnie zrobiła, doktor Terraux.

– Mam na imię Laura – odparła, wyciągając rękę.

– Bardzo mi miło.

– Swoją drogą – powiedziała lekarka, zanim zamknęła drzwi – w tym roku to już moja piąta sekcja z powodu nagłej śmierci.

Thomas stanął jak wryty.

– To się często przytrafia w pani pracy?

– Nie, chociaż czasami zdarzają się całe serie. Dwa lata temu mieliśmy cztery przypadki śmierci na gruźlicę. Potem już żadnego.

– Dlaczego mi pani o tym mówi? – zapytał zaintrygowany.

– Bo, jak powiedziałam, po przeprowadzeniu wcześniej czterech sekcji zwłok postawiłam tę samą diagnozę. Razem z tą, już pięć osób zmarło w tym roku w identycznych okolicznościach. Wszystkie łączą te same cechy: młode dziewczyny, zdrowe, sportsmenki. Ja… nie znajduję żadnego wyjaśnienia. Kiedy wspomniał pan, gdzie wcześniej pracował, pomyślałam, że może trzeba by to zbadać.

– Mówiła pani o tym policji?

– Oczywiście. Ich odpowiedź była kategoryczna: jeśli to śmierć z przyczyn naturalnych, nie ma czego sprawdzać – odparła, wykrzywiając ze złością usta. – Przeprowadziłam wyjątkowo dokładne sekcje zwłok, ale szczerze mówiąc, nie odkryłam niczego interesującego.

– W porządku, jeśli zdarzy się kolejny taki przypadek, proszę mnie zawiadomić, ale musi pani wiedzieć, że zgadzam się z policją.

Lekarka skinęła głową.

Thomas wsiadł do samochodu i ruszył do hotelu. Jego mózg zaczął intensywnie pracować.

9

Janik pierwszy raz zobaczył Irinę na siłowni, z której wychodziło się na bieżnie. Miał trening siłowy na suwnicy do ćwiczenia różnych partii mięśni nóg, kiedy pojawiła się w drzwiach w towarzystwie Franka, swojego menedżera. Ciało przeszył mu prąd, od głowy do czubków palców u stóp. Wstrząsnął nim dreszcz, ze wstydu nie odważył się podnieść wzroku, dopóki nie ruszyła do wyjścia. Było w tej dziewczynie coś, co mu się podobało, jej sposób chodzenia, to, jak podnosiła głowę – jakby była księżniczką z bajki.

Przez kilka miesięcy spotykali się wśród ciężarków, hantli i przyrządów do ćwiczenia mięśni, aż któregoś dnia Olivier, jego szkoleniowiec w Les Diablerets, zaproponował, żeby trenowali razem w ramach T0, progu o najmniejszej intensywności. Irina zgodziła się, przyzwyczajona ślepo słuchać swoich trenerów. Początkowo panowało między nimi milczenie, towarzyszyło im od momentu, kiedy spotykali się w drzwiach ośrodka, aż do powrotu. Było przerywane jedynie pytaniami, takimi jak: „Nie będzie ci przeszkadzać, jeśli włączę tę płytę?" albo: „Co ty na to, żebyśmy dziś pobiegli tą drogą?". Po kilku tygodniach, któregoś dnia, kiedy z odtwarzacza w samochodzie rozbrzmiewała najnowsza płyta Adele, ciekawość Janika wzięła górę nad dyskrecją i postanowił rozpocząć rozmowę.

– Dobrze ci się mieszka w Les Diablerets? – zapytał.

– Dla mnie to jakby raj – odparła Irina.

Zaniemówił, słysząc jej odpowiedź. Raj? Dla niego to był raczej zakon klauzurowy. Co kryła jej przeszłość, że myślała w taki sposób? Janik postanowił nie zadawać więcej pytań i przez resztę drogi błądził myślami gdzieś daleko. Widział kiedyś reportaż o metodach treningowych stosowanych w Rosji. Był to dokładnie zaprojektowany łańcuch, nakierowany wyłącznie na zdobywanie medali.

Wybierano bardzo młodych sportowców i zabierano ich daleko od rodzin. Od dnia, kiedy trener uznał, że spełniają wymagania, byli poddawani kontrolom bardziej przypominającym sprawdzanie części maszyn niż opiekę nad istotami ludzkimi. Ich życie obracało się wokół treningów; nie szczędzono środków, by osiągnąć zamierzone cele za pomocą ciężkich sesji prania mózgu. Może Irina była zaprojektowana tak, by nie kwestionować porządku rzeczy. Znając jej charakter, Janik pomyślał, że niełatwo będzie ją przekonać do powierzenia mu swoich sekretów.

Z czasem zaczęli rozmawiać o treningach. Niekiedy między uwagami na temat tętna na T3, jakie miało każde z nich, Irina zadawała mu jakieś osobiste pytanie. Jednak kiedy kilka razy on zapytał o jej życie, udzieliła wymijającej odpowiedzi i znów skryła się za milczeniem.

Janik wiedział, że ma dużo szczęścia, mogąc mieszkać na wysokości tysiąca dwustu metrów. Jego ciało produkowało więcej czerwonych krwinek, dzięki czemu do mięśni docierało więcej krwi i tlenu. To pozwalało mu dużo szybciej dochodzić do siebie po wysiłku. Tamtego ranka, nieróżniącego się niczym od innych, włożył długie legginsy, krótką koszulkę i buty z bocznym wzmocnieniem dla pronatorów do treningu mieszanego, po czym wyruszył w stronę bieżni w Monthey. Dzień był piękny, bez śladu chmur, świeciło słońce; w oddali wznosił się majestatycznie Mont Blanc królujący nad innymi szczytami. Przed treningiem Janik chciał wstąpić do szpitala Chablais, by odwiedzić Ethana. Na ostatnich zawodach jego przyjaciel upadł tak pechowo, że złamał obojczyk. W drodze na moment opanował go niepokój. Bardzo nie lubił szpitali. Ten zapach, którym wszystko przesiąkało; drażnili go pacjenci w zniszczonych szlafrokach, ze znudzonym wyrazem twarzy. Jego umysł nie był zaprogramowany do oglądania statycznych ciał leżących w łóżkach. Ich bezruch sprawiał, że czuł się niekomfortowo. Wiedział, że zaraz po wejściu do szpitala zacznie odliczać minuty, jakie zostały do momentu, w którym będzie mógł go opuścić i odetchnąć świeżym powietrzem.

– Co porabiasz, mistrzu? – zapytał, wchodząc do sali.

Ethan siedział na krześle, na łóżku stała taca z jedzeniem. Właśnie otwierał torebkę z pieczywem.

– Janiku, przyjacielu!

– Masz pozdrowienia od wszystkich kolegów i całusy od wszystkich koleżanek – powiedział, żeby podnieść chorego na duchu.

– To o koleżankach chyba zmyśliłeś – odparł Ethan, krojąc na kawałki rybny filet.

Janik położył na parapecie komiksy, które kupił poprzedniego dnia. Zauważył kilka magazynów kolarskich. Usiadł na brzegu łóżka.

– Co ci powiedzieli lekarze?

– Że wszystko w porządku, ale sezon już się dla mnie skończył. Jak ja nie znoszę tego żarcia, wszystko smakuje tak samo – poskarżył się Ethan.

– Co zamierzasz?

– Rozmawiałem z moim dawnym fizjoterapeutą z Australii, zrobi wszystko co w jego mocy, żebym był gotowy na kolejny sezon – odpowiedział, otwierając butelkę z wodą.

– Co na to dyrektor?

– Powiedział, że liczą na mnie w przyszłym roku. – Ethan pociągnął łyk wody i odwrócił się w poszukiwaniu serwetki.

– Zanim zapomnę – powiedział Janik. – Widziałem się z Maksem, tym z twojej ekipy. Odwiedzi cię jutro.

Ethan zostawił rybę, sięgnął po nóż i zaczął obierać jabłko.

– Świetnie. Widziałeś mojego masażystę?

Janik obserwował przyjaciela. Zauważył, że kroi jabłko na maleńkie kawałki, aż zupełnie straciło swój kształt. Mogło być wcześniej czymkolwiek.

– Tak, widziałem go w stołówce welodromu, wyglądał na bardzo zajętego.

– Kiedy przyszedł po kasę, nie był taki zajęty – powiedział Ethan, przeżuwając jabłko.

– Kasę? Jesteś mu winien pieniądze? – zapytał Janik zaskoczony.

– Tak, za to gówno, które mi sprzedał. Na pewno kupił je w Internecie.

– Nie wiem, o czym mówisz.

– Nie musisz udawać głupiego. Nie będę pytał, jak ty sobie radzisz.

Janik wstał z łóżka i spojrzał mu w oczy.

– Powtarzam ci, że nie wiem, o czym mówisz – powiedział z poważną miną.

– Mówię o zaufaniu, zaufaniu do osoby, która sprzedaje ci EPO, żeby zarobić parę euro – ciągnął Ethan, nie przejmując się tym, co właśnie ujawnił. Sięgnął po butelkę z wodą i postawił tacę obok łóżka.

– Przestań, przestań... Nie wiem nic na ten temat ani nie chcę wiedzieć – nalegał Janik z zakłopotaniem. – I nie mogę uwierzyć, że ty...

– Na jakim świecie żyjesz? – przerwał mu przyjaciel.

– Posłuchaj, Ethanie, lepiej niczego mi nie opowiadaj.

– No co ty, nie znasz koktajlu z EPO, hormonu wzrostu i sterydów?

Janik nie wierzył własnym uszom. Natychmiast zrozumiał, że dziwne zachowanie przyjaciela w ciągu ostatniego roku miało związek z narkotykami.

– Naprawdę nie mam pojęcia, o czym mówisz.

Janik otworzył okno, żeby wywiało efekt słów, które rozbrzmiewały w pokoju niczym echo.

– Nie byłeś jeszcze w Scriptorum?

– Co to jest Scriptorum?

– Naprawdę nie podali ci EPO? W takim razie jesteś lepszym zawodnikiem, niż myślałem.

– Zwariowałeś! – zawołał Janik i podszedł do okna, by zaczerpnąć świeżego powietrza. – Nie potrzebuję tego gówna, żeby poprawiać wyniki. Nie wszyscy jesteśmy tacy jak ty.

– Ja chcę tylko skończyć to, co zacząłem. Mam za sobą za wiele lat poświęceń, z dala od mojej rodziny, za ciężko trenuję, żeby teraz to wszystko zaprzepaścić. Myślisz, że miałem wybór? Janiku, ty naprawdę niczego nie bierzesz? – zapytał zdziwiony.

– Za kogo się uważasz? Zobacz, dokąd zaprowadziło cię oszukiwanie. Zrobili ci pranie mózgu. – Janik był oburzony.

Ethan wstał z krzesła i usiadł na brzegu łóżka. Janik zauważył na jego twarzy wyraz rezygnacji i przygnębienia, kiedy opadł z grymasem bólu na kołdrę.

– Może i zrobili mi pranie mózgu, może nawet nie jestem już tą samą osobą co wcześniej, ale sport to moje życie. Jeśli będę musiał poddać się lobotomii, żeby spełnić swoje marzenia, nie ma problemu. Spełnienie marzeń ma swoją cenę, zrozumiesz to, kiedy sam staniesz przed podjęciem decyzji. To jedynie kwestia tego, gdzie umieścisz granicę. Znam cię dobrze. Niewiele się ode mnie różnisz.

Janik odsunął się od niego i oparł o ścianę.

– Nie rozumiem, jak mogłeś to zrobić. Dlaczego?

– A co ty byś zrobił, gdyby ktoś zaproponował ci pięcioprocentową poprawę siły, odporności albo prędkości? – zapytał Ethan wyzywająco. – Weź to, a w rok zrobisz postępy, które normalnie zajęłyby ci pięć lat. Możesz w dwie godziny odzyskać siły po intensywnym treningu. A po zawodach w trzy.

– Nie wierzę. A nawet gdyby to była prawda, zobacz, gdzie doprowadziły cię te twoje postępy?

Janik wyszedł z sali i nie oglądając się za siebie, zamknął drzwi. Najpierw pomyślał, że to niemożliwe, że przyjaciel go oszukał; potem powiedział sobie, że nic go to nie obchodzi, że to nie jego sprawa. Wreszcie uznał, że Ethan jest oszustem i zasłużył sobie na to, co mu się przytrafiło.

10

Kiedy wylatywali z lotniska w Genewie, na zewnątrz było dziesięć stopni. Personel zakładu pogrzebowego wynajętego przez ubezpieczyciela zajął się formalnościami związanymi z przewozem trumny do samolotu. Połączenie było dogodne, lot trwał zaledwie dwie godziny. Thomas próbował się zdrzemnąć. Odchylił fotel w pierwszej klasie do niemal poziomej pozycji, włożył do uszu zatyczki i zamknął oczy. Zdał sobie sprawę, że zasnął, dopiero kiedy stewardesa obudziła go z informacją, że lądują. Zdezorientowany, ustawił fotel we właściwej pozycji i zapiął pas.

Nikt nie czekał ani na niego, ani na trumnę, nie licząc pracowników irlandzkiego zakładu pogrzebowego. Wytłumaczył Maire, że byłoby stratą czasu, gdyby rodzina przyjechała do Dublina tylko po to, żeby potem wszyscy razem wrócili do wioski. Zgodziła się z nim. Thomas nie miał ochoty jechać z karawanem, ale przypomniał sobie, że w Irlandii obowiązuje ruch lewostronny, więc z niechęcią zrezygnował z pomysłu wynajęcia samochodu. Usiadł na tylnym fotelu. Kierowca wpisał adres do GPS-u, zaczekał w milczeniu, aż włożą trumnę do karawanu, i ruszył w drogę.

Niebo było zachmurzone, nieprzerwanie padał drobny deszcz. Thomas oparł głowę o szybę i patrzył na spływające krople. Nieraz śniły mu się irlandzki deszcz, wilgotne powietrze i odgłos wiatru. Przypomniał sobie głębokie jeziora, zalane pastwiska i wieczną mgłę. A pośród tego wszystkiego swój dom, miejsce, w którym dorastał. Był bardzo stary, miał grube ściany z szarego kamienia; stał frontem do wioski i do rzeki, która wijąc się, spływała ze zbocza. Główne drzwi wychodziły na warzywnik i ogród. Przy ścianach rosły dziko zioła. Tymianek, rozmaryn, mięta i lawenda przemieszane z wysoką trawą, stokrotkami, narcyzami i dzwonkami. Żółte azalie splatały się z wysokimi rododendronami o różowych i szkarłatnych kwiatach. W północnej części ogrodu matka zawsze sadziła białe gardenie. Z biegiem lat tę najchłodniejszą część opanowały olbrzymie niebieskie hortensje. Za ogrodem i warzywnikiem, oddzielony od ich gospodarstwa rozległą, otoczoną kamiennym murem łąką, znajdował się dom rodzinny Maire.

W jego wspomnieniach zawsze się uśmiechała. Już w wieku dwunastu lat była piękna. Przed wyjściem do szkoły czyściła ryby, które jej ojciec łowił w jeziorze Acalla, na ogół pstrągi tęczowe. Im była starsza, tym częściej opuszczała lekcje. Wtedy Thomas chodził szukać jej nad jeziorem. Naprawiała sieci na samym brzegu, gdzie rosły lilie, których liście pozostawały pod wodą; widać było jedynie ich jasnofioletowe kwiaty unoszące się na powierzchni. Lubiła na nie patrzeć podczas pracy. Thomas zamknął na chwilę oczy i zobaczył ją, jak skacze przez kałuże na swoich długich nogach i wspina się na pieniek, żeby zawisnąć mu na szyi. Maire, Albert, jezioro i góry były jego życiem. Zawładnął nim wielki smutek. Tyle lat uciekał od wszystkiego... Życie w Lyonie wydało mu się odległe. Tak bezpieczne, zawsze pod kontrolą. Bał się powrotu do Irlandii. Tu znów był młody, oni wszyscy byli młodzi.

Po półtorej godziny podróży deszcz przestał padać i olbrzymi niebieski prześwit utorował sobie drogę między chmurami. Thomas zapragnął nagle wysiąść z samochodu i zanim dojadą do wsi, pobyć przez chwilę sam. Kazał kierowcy stanąć. Karawan, który jechał za nimi, także się zatrzymał. Thomas wysiadł szybko i ruszył przez pastwiska. Przystanął na wzniesieniu. Wokół panował spokój. Z oddali dobiegał odgłos owczych dzwonków. Mężczyzna podniósł kołnierz płaszcza i zanurzył ręce w kieszeniach. Zapomniał już o tej wilgoci, która przenikała kości. Rozpoznał ciemne prostokąty wycięte w ziemi, służące do wybierania torfu. Poczuł tęsknotę za straconymi latami, które spędził poza domem. Odetchnął głęboko i wypuścił powietrze w postaci pary. Zdał sobie sprawę, że chce opóźnić powrót do Kilconnell.

Kiedy minęli znak drogowy z gaelickim napisem „géill slí", wiedział, że jest w domu. Kilconnell było małą wioską w hrabstwie Galway. Jej mieszkańcy pracowali głównie w sektorze mleczarskim i zajmowali się hodowlą zwierząt. Poza domami zbudowanymi po obu stronach głównej szosy większość budynków, o kamiennych murach i łupkowych dachach, była od siebie oddalona, rozproszona pośród krajobrazu. Na końcu wsi znajdowały się średniowieczne opactwo i kościół. Na niewielkim pagórku wznosiły się ruiny klasztoru franciszkańskiego, wokół którego powstało Kilconnell.

Kondukt żałobny zmierzał w stronę kościoła. Miejscowi przerywali na znak szacunku swoje zajęcia i żegnali się, spuściwszy głowy. Mężczyźni pijący piwo i palący przed pubem zostawili wszystko i przyłączyli się do konduktu. Thomas miał wrażenie, że w jego piersi zaczyna się kręcić jakiś olbrzymi wir suchych liści. Przy każdym obrocie drapały ściany jego płuc, powodując maleńkie ranki. Dlaczego tu był? Thomas, którego znał, nie przystałby na prośbę Maire. Ale odkąd zadzwoniła, ciągnęło go do młodości złożonej z niekończących się, pełnych blasku dni, otulonych dyskretnymi obietnicami urzeczywistniającymi się w jej ciele. Z bólem przypomniał sobie gorzki moment, w którym skończyło się życie w raju, swoją ucieczkę, a potem samotność. Ale czy chciał odzyskać przeszłość, czy też Maire? Pragnął ją zobaczyć, upewnić się, że dwadzieścia pięć lat to za dużo, że nic nie może się oprzeć okrutnemu upływowi czasu; jednym słowem chciał wiedzieć, czy Maire, którą pamiętał, ta, którą wciąż w sobie czuł, zniknęła na zawsze.

Przyszła cała wioska, przynajmniej takie można było odnieść wrażenie. Samochód z trudem torował sobie drogę pośród ludzi. Kierowca zaparkował przed głównym wejściem do kościoła. Thomas wysiadł i zaczekał, aż zatrzyma się karawan. Pierwsze uderzenie wilgotnego powietrza, które poczuł na twarzy, ugasiło jego gorączkowe myśli i wzmogło odczucie zimna. Kiedy chwycił lodowaty pierścień ciemnej trumny zdobionej masą perłową, trzęsły mu się dłonie. Natychmiast odepchnęły go czyjeś ręce. Wydało mu się, że poznaje ojca Maire i innych bliskich krewnych, którzy nadeszli, żeby zająć się trumną. Czyjaś dłoń dotknęła jego ramienia.

– Thomasie – powiedział zapłakany głos.

Czas zrobił swoje. Dziewczyna, którą pamiętał, stała się kobietą. Ukrywała oczy za okularami przeciwsłonecznymi. Była bardzo blada. Przypomniał sobie Unę w kostnicy. Na początku trudno mu było rozpoznać Maire w kobiecie, która go obejmowała. Była tak szczupła, tak krucha, że wydawała się przezroczysta między jego palcami. Pomyślał, że kiedy ją puści, zniknie rozwiana przez wiatr. Słońce przebiło ciemny płaszcz południa i miedziane włosy Maire rozświetliły twarz Thomasa. Zaczęła mówić po gaelicku, szepcząc mu słowa podziękowania. Zamknął oczy i mocno ją przytulił. Potok naładowanych emocjami wspomnień uwiązł mu w gardle; nadal żył, nadal oddychał przeszłością, która nie była martwa. Wróciła.

Pogrzeb wydał mu się długi i nużący. Maire obstawała, żeby usiadł obok niej w ławce w pierwszym rzędzie. Wokół, pośród ubranych na czarno osób, były znane mu twarze. Ksiądz, ten sam co zawsze, choć grubszy i z bardziej zaróżowionymi policzkami, recytował z pamięci gaelicką litanię. Po nabożeństwie Thomas skorzystał z okazji, że nadciągnęła lawina żałobników z kondolencjami, i wyszedł z kościoła. Wziął z samochodu walizkę, pożegnał kierowcę i ruszył do hotelu, który znajdował się przy głównej ulicy.

Długi prysznic rozgrzał jego ciało i ducha. Wycierając się, włączył BBC News. Ubrał się w sztruksy, wełniany golf i włożył porządne buty. Był głodny. Zszedł do restauracji i zamówił krem pieczarkowy, pieczeń z baraniny z ziemniakami i szklankę guinnessa. Kiedy wrócił do pokoju, całe napięcie spowodowane podróżą spadło na niego niczym ciężki głaz. Zadał sobie pytanie, co robi w tej wsi, czego tak naprawdę tu szuka. Nie był już tym samym człowiekiem, wydarzyły się rzeczy nie do naprawienia. Mógł jedynie skomplikować sobie życie. Nie czuł się naiwnym chłopcem, żeby ścigać marzenia i próbować odzyskać miłość – jakkolwiek by na to patrzeć – dawno już skończoną. Był dojrzałym mężczyzną, stosunkowo szczęśliwym, który po prostu wrócił do miejsca, gdzie dorastał. Powrót wywołał w nim oczywiście dużo emocji, ale – co najważniejsze – przyjechał wyłącznie po to, by zaspokoić swoją ciekawość i zobaczyć Maire. Poza tym miał ochotę odwiedzić miejsca zapamiętane z dzieciństwa, zrobić wycieczkę, przypomnieć sobie, jak przyjemne są spacery, i pooddychać świeżym powietrzem.

Wiedział, dokąd chce pójść w pierwszej kolejności. Włożył płaszcz i wyszedł z pokoju. Ścieżka za hotelem biegła równolegle do rzeki i lasu. Pokonał niecały kilometr dzielący go od kamiennego mostu. Przeciął rzekę i wszedł na niewielkie wzgórze, zostawiając za sobą drzewa. Od razu zobaczył dom, a za nim wrzosowiska, trawę i paprocie wspinające się w stronę gór. Ruszył w tym kierunku. Z zewnątrz budynek na pierwszy rzut oka wyglądał tak samo. Kiedy podszedł bliżej, dostrzegł szklarnię w południowej części. Zioła i kwiaty zastąpił trawnik. Na płaskiej części rosło drzewo, w jego cieniu znajdował się drewniany stół i dwie ławki, a po prawej stronie brudny dmuchany basen z namalowanymi rybkami. Usłyszał szczekanie psa, potem drugiego. W oddali zobaczył dom rodzinny Maire. Zawrócił i zszedł ze wzgórza. Zamiast przejść przez most, skręcił w kierunku jeziora Acalla. Popsuła się pogoda, zaczął wiać silny wiatr. Thomas założył wełnianą czapkę i szedł dalej.

Kiedy przekonał ojca, żeby przeszedł na emeryturę, reszta poszła jak z płatka. Rodziców zachwyciły zdjęcia willi, którą kupił dla nich na hiszpańskim wybrzeżu. Stary, zimny dom został sprzedany razem z bydłem i farmą. Rodzice bez specjalnego żalu wyruszyli w stronę słońca. Ochoczo włączyli się w życie licznej miejscowej wspólnoty irlandzkiej, do tego mieli tam puby i irlandzkie restauracje.

Wkrótce dotarł nad jezioro. Miało powierzchnię trzydziestu akrów. Otaczające je łąki i mokradła porastała konyza o żółtych kwiatach. Oczami wyobraźni widział Maire naprawiającą sieci rybackie swojego ojca. Z rozkoszą oddychał wilgotnym powietrzem, kiedy jego wzrok spoczął na znajdującym się na środku akwenu krannogu. Szacował, że w Irlandii muszą być co najmniej dwa tysiące takich sztucznych wysp, a pod powierzchnią wody prawdopodobnie kryło się ich o wiele więcej.

Krannog z Kilconnell był wyjątkowym okazem. Zachował się drewniany okrągły budynek, który zbudowano na wodzie kilka wieków wcześniej. Thomasowi miejsce to kojarzyło się z Maire bardziej niż jakiekolwiek inne. Bezwiednie poszukał wzrokiem starej łódki ukrytej w zaroślach, której używali, żeby do niego dopłynąć, ale już jej nie było. Przypomniał sobie wytarty pled, którym dziewczyna okrywała sobie zimą ramiona, tekturę, na której siadała na ziemi. Zobaczył wyraźnie jej białe ciało czekające na niego. Pomyślał, że czasami nie trzeba wiele, by być szczęśliwym. Usiadł na kamieniu i spojrzał na platformę. Nagle już nie chciał pamiętać. Minęło ponad dwadzieścia lat. Poza krannogiem z przeszłości zostały tylko szczątki niczego. Spojrzał na zegarek i ze zdziwieniem stwierdził, że spaceruje już od czterech godzin. Uznał, że upłynęło wystarczająco dużo czasu, by nie natknąć się na nikogo przy grobie Uny. Cmentarz rozciągał się za opactwem, wystawiony na pastwę czterech wiatrów. Rozproszone tu i ówdzie groby wystawały ze świeżo skoszonej trawy. Zachodziło słońce, pomarańczowy pas rozświetlał horyzont pośród szarych chmur. Nic nie mogło się równać z irlandzkim niebem. Thomas szedł powoli, czytając napisy na płytach nagrobnych. Zawsze lubił cmentarze. Nie było tam niedokończonych historii, jedynie dane i fakty. Zamknął oczy i wciągnął głęboko zapach trawy. Zauważył na szczycie pagórka jakąś postać niosącą kwiaty. To była Maire.

Pomachał i ruszył w jej stronę.

– Cześć, Maire.

– Cześć – odpowiedziała zaskoczona.

– Przykro mi z powodu tego wszystkiego. W takich sytuacjach nigdy nie wiem, jak się zachować ani co powiedzieć – wyznał z zakłopotaniem.

– Nie przejmuj się, mam tak samo.

Popatrzył na nią. Z bukietem spoczywającym na ramieniu w gipsie i zaczerwienionymi z zimna policzkami wyglądała jak mała dziewczynka. Miał ochotę ją objąć i ku swojemu zaskoczeniu zrobił to. Wtuliła się w zagłębienie jego szyi i ukryła głowę w jego płaszczu.

– Nie wiem, co teraz pocznę. Moje dotychczasowe życie już nie istnieje. Nie mam siły na wymyślenie sobie nowego.

– Wyjedź stąd – podsunął.

– Jak ty? Zostawiając wszystko i wszystkich? – zapytała gniewnie.

– Było ciężko, ale wtedy nie widziałem innej możliwości – odpowiedział zdziwiony jej reakcją.

– Popatrz, to grób Alberta. Był twoim najlepszym przyjacielem. Jego też zostawiłeś.

– To niesprawiedliwe, nie mów tak do mnie.

– A nie wyjechałeś dlatego, że czułeś się winny? – wypomniała mu ze złością.

– Nie chcę o tym rozmawiać. Minęło dużo czasu – odpowiedział Thomas i odwrócił się, żeby odejść.

– Zawsze uciekałeś. Widzę, że nadal dobrze ci to wychodzi.

– Nie wszyscy są tak silni jak ty.

– Jesteś dzieciakiem.

Thomasa zamurowało. Nigdy by nie przypuszczał, że ktoś go tak nazwie. Wszyscy, włącznie z nim samym, uważali, że odniósł w życiu sukces. Miał się za człowieka zrównoważonego, dojrzałego, stąpającego twardo po ziemi. Ruszył w stronę grobu Alberta, Maire poszła za nim. Szary kamień nagrobny został nadgryziony zębem czasu. Wokół rosła trawa, a wśród niej polne kwiaty. Na prostej płycie można było przeczytać: Albert Olan, datę śmierci i słowa „ukochany syn i brat" upamiętniające jego przyjaciela. W dniu, kiedy zginął Albert, dla Thomasa skończyła się młodość i bezpieczny świat. Jego śmierć wszystko zmieniła.

– Pamiętasz ten moment, kiedy pierwszy raz zobaczyliśmy Alberta? – zapytał. Nagle naszła go ochota, żeby porozmawiać o przyjacielu.

– Oczywiście. Siedzieliśmy na kamiennym murku otaczającym szkołę. Była prawie noc. Latem mogliśmy przebywać do późna na zewnątrz. Nasi rodzice pracowali na łące, kosili trawę i zrzucali ją na kupki, a rano rozkładali na słońcu. I tak codziennie, aż wyschła. Nocna rosa wszystko przenika – dodała zamyślona.

– Albert niósł coś w dłoniach – ciągnął Thomas. – Zapytaliśmy go, co to takiego, a on, nie patrząc na nas, powiedział, że złapał ważkę. Potem zrobił nam wykład o Indianach i o tym, do czego je wykorzystywali. Na koniec stwierdził, że czekają na niego z kolacją, i poszedł sobie.

Maire zadrżała z zimna. Miała na sobie lekką sukienkę i czarny płaszcz.

– Chodźmy do pubu na piwo – zaproponował Thomas.

– Nie powinnam, dopiero co pochowałam córkę.

– Tym bardziej. Masz prawo robić, co ci się podoba – powiedział, chwytając ją za ramiona.

Ulice pachniały whisky, charakterystyczną wonią palonego torfu. W pubie było ciepło. Znaleźli ustronne miejsce w kącie. Na zewnątrz zapadał zmierzch, małe krople deszczu w zawrotnym tempie ześlizgiwały się po szybie. Po kilku pintach guinnessa przyszła kolej na pieczone ziemniaki, a po nich kolejne piwa.

– Z nikim nie lubiłem się kłócić tak jak z Albertem – powiedział Thomas.

– Tak, to był niezły zawadiaka. Wszystko kwestionował. Czasami myślałam, że robi to ludziom na złość. Byłby świetnym naukowcem.

– Doprowadzał nas do szału tymi swoimi owadami, pamiętasz?

– Tak, nie znosiłam ich, zwłaszcza karaluchów.

– Wciąż mam w pamięci to, co mi kiedyś powiedział: że przeżyją wszystko, nawet bombę atomową. W dodatku opowiadał o tym z taką pasją, że zaciekawiłby największego idiotę – stwierdził Thomas z uśmiechem.

– Albert był przekonany, że kiedy umierasz, trafiasz do lepszego świata. Mam nadzieję, że się nie mylił – szepnęła Maire ze wzrokiem utkwionym w deszcz.

– Na kilka dni przed jego śmiercią udało mi się skontaktować z dalekim kuzynem, który mieszka w Dublinie i pracuje w kwiaciarni. Zamówiłem u niego dla Alberta roślinę mięsożerną. To było jego marzenie. Kiedy mu o tym powiedziałem, nie mógł uwierzyć, szalał z radości. – Thomas upił łyk piwa i ciągnął dalej: – Tego dnia podprowadziliśmy rzeźnikowi motor; stał zaparkowany przed sklepem. Albert siedział z tyłu. Wyjechaliśmy na główną szosę. Nadal słyszę nasze śmiechy i krzyki.

Maire złapała go za rękę.

– Daj spokój, Thomasie, było, minęło.

– Nie, jesteś jedyną osobą, z którą mogę o tym rozmawiać. – Poprosił kelnera o kolejne piwo. – Miałem dziewiętnaście lat, życie było cudowne. Nie jechałem szybko, po prostu wygłupiałem się na motorze. Byłem taki szczęśliwy...

– Byliśmy tacy szczęśliwi – przerwała mu Maire.

– To najlepszy okres w moim życiu. – Zamyślił się na chwilę. – Pamiętam, że na asfalcie leżał żwirek, motor wpadł w poślizg. Nie byłem w stanie nad nim zapanować. Zatrzymało nas drzewo. Natychmiast wstałem i podniosłem motor. Albert został na ziemi.

Nieruchomy. Myślałem, że się wygłupia. Powiedziałem, żeby wstawał, ale nadal siedział bez ruchu na wpół oparty o pień drzewa. Dotknąłem go, osunął się na trawę. Uniosłem go i zobaczyłem, że ma ranę na głowie. Zabiło go głupie uderzenie – powiedział Thomas, przesuwając dłonią po włosach.

– Miał pecha. To nie twoja wina. Niczyja.

– Ale musiałem wyjechać. Nie wiesz, co znaczy tak żyć. Jego rodzice przestali się do mnie odzywać, ludzie szeptali między sobą na mój widok, ty stałaś się zimna...

– Czasami cię nienawidziłam, czasami kochałam. Ale rzeczywiście obwiniałam cię o to, co się stało. Jednym ruchem zniszczyłeś nasz raj.

– Zapłaciłem za to. Miesiąc po jego śmierci zadzwonił mój kuzyn z informacją, że przysłali mu roślinę mięsożerną. Pobiegłem do domu Alberta, żeby mu o tym powiedzieć, jak gdyby nic się nie stało. W połowie drogi stanąłem, uświadomiłem sobie, że nie żyje. Wybuchnąłem płaczem i... nie wiem, nie mogłem już przestać. Wtedy postanowiłem, że muszę wyjechać. Stypendium było dla mnie szansą, ale przez długi czas nie potrafiłem się odnaleźć. Tęskniłem za tobą.

– Trzeba było wytrzymać, spieprzyłeś mi życie.

Jej brutalność zaskoczyła Thomasa. Nie sądził, że straciła więcej niż on. Nagle zadzwonił jego telefon. Claire.

– Przepraszam, muszę odebrać – powiedział i wyszedł z pubu. Na zewnątrz zaatakowała go nocna wilgoć.

– Cześć, Claire. Miałem zamiar zadzwonić do ciebie z hotelu. Wszystko wydarzyło się tak niespodziewanie, że nie miałem na nic czasu.

– Nie przejmuj się. Jak to znosisz? – zapytała zmartwiona.

– W porządku. Wyświadczam jedynie przysługę przyjaciółce.

– Twój chłód czasami mnie przeraża.

Thomasa zamurowało, nie rozumiał tego oskarżenia. To prawda, umarł człowiek, do tego młody. Ale koniec końców takie jest życie – jedni umierają, inni się rodzą. Problem polegał na tym, że śmierć traktowano jako coś odległego, jak los na loterii, który nieprędko wygra. Zmienił temat.

– Pojutrze będę w Lyonie. To tylko dwa dni – powiedział i podszedł do drzwi pubu.

– Wszystko mi jedno, kiedy wrócisz, żałuję, że mnie nie uprzedziłeś. Pojechałabym z tobą.

– Przepraszam, nie przyszło mi to do głowy. Nie myślałem, że chciałabyś uczestniczyć…

– W twoim życiu – przerwała mu Claire. – Oczywiście, co za niedorzeczność!

Thomas zaczął tracić cierpliwość. Nie miał ochoty się kłócić, tym bardziej o to.

– Claire, porozmawiamy, kiedy wrócę. – Chciał już znaleźć się w pubie.

– Wiesz, co ci powiem, Thomasie? Poza twoją pracą we wszystkim innym jesteś tchórzem. Uciekanie to twoja ulubiona rozrywka – powiedziała i przerwała połączenie.

Już druga osoba nazwała go tego dnia tchórzem. Wszedł zamyślony do pubu i wrócił do stolika, gdzie czekała na niego Maire.

– Przepraszam, to była moja… – Poczuł potrzebę, żeby się wytłumaczyć. – Moja partnerka.

Kiedy to powiedział, własne słowa wydały mu się głupie i dziecinne.

– Jak wam się układa?

– Układa się – odpowiedział krótko.

Maire spojrzała na niego z zaciekawieniem, kiedy wstał, żeby zapłacić. Poprosił o rachunek po gaelicku. Nie mogła się oprzeć wrażeniu, że Thomas unika rozmowy o swoim związku i że jego obojętność jest przesadzona.

– Już nie pada, masz ochotę na spacer?

Maire przytaknęła.

– Kręci mi się trochę w głowie, za dużo piwa.

– Chodź, złap się mojego ramienia.

Zapadła ciemna noc, poza pubem wioska wydawała się wyludniona. Kamienny chodnik błyszczał, odgłos ich kroków był jedynym dźwiękiem rozlegającym się na ulicy.

– Nie jestem przyzwyczajony do takiej ciszy. Wydaje mi się nieprawdziwa. Mam wrażenie, że to przyjęcie niespodzianka: wszyscy czekają w ukryciu na znak, żeby wyjść.

Maire się uśmiechnęła.

– Dlaczego Una miała na nazwisko Kowalenko? – zapytał niespodziewanie.

Zatrzymała się i spojrzała mu w oczy. Minęła chwila, zanim odpowiedziała.

– Kiedy wyjechałeś, poznałam Iwana. Pracował na budowie fabryki konserw. Często tamtędy przechodziłam w drodze nad jezioro, tak więc… Pobraliśmy się równie szybko, jak potem rozstaliśmy. Tu nie było dużo pracy, sytuacja się… skomplikowała. Myślał, że kiedy dostanie irlandzkie obywatelstwo, otworzą się przed nim drzwi, ale tak się nie stało. Wrócił do Rosji i tyle.

– A Una, co z nią?

– Widywała Iwana latem. Zazwyczaj spędzała u niego miesiąc. Początkowo nie chciała tam jeździć, ale z wiekiem bardziej się do niego przywiązała. Mieli tę samą pasję, lekkoatletykę. Zdał sobie sprawę z potencjału Uny i załatwił dla niej stypendium w Szwajcarii. Weszła w skład rosyjskiej reprezentacji lekkoatletycznej i zaczęła wygrywać wyścigi. Na ostatniej olimpiadzie dostała się do półfinałów biegu na czterysta metrów. Była taka szczęśliwa… – Załamał jej się głos i zaczęła szlochać.

Thomas odwrócił się, żeby ją przytulić, ale go odepchnęła.

– Una była wspaniała, szkoda, że jej nie poznałeś – powiedziała spokojnie. – Wierzyła, że w tym roku zdobędzie medal na mistrzostwach świata w Korei.

– Ja… przykro mi. A jej ojciec? Przyjechał? Nie zauważyłem go.

Maire stanęła naprzeciw Thomasa i spojrzała na niego. Poczuł się onieśmielony na widok tych dużych oczu błyszczących od łez. W milczeniu ruszyli w stronę kościoła.

– Una nigdy nie miała ojca w pełnym tego słowa znaczeniu. W Iwanie znalazła trenera, niewiele więcej. Kiedy uznał, że już wystarczająco rozwinęła skrzydła, zapomniał o niej. Nawet nie byłam w stanie go zlokalizować – powiedziała, ocierając policzki wierzchem dłoni. – Wiesz, jakie to wspaniałe uczucie obejmować własne dziecko? Trzymać w nocy jego małą rączkę, splatać palce z jego paluszkami. – Przystanęła i zadała mu kolejne pytanie: – Wiesz, co się czuje, kiedy mówi, że cię kocha?

– Nie wiem – odpowiedział Thomas, nie patrząc na Maire. – Nigdy nie chciałem mieć dzieci. Dawno temu, jeszcze zanim się ożeniłem, poddałem się wazektomii i zapomniałem o tym problemie. – Uznał, że jego odpowiedź zabrzmiała bardzo bezdusznie, więc dodał: – Przypuszczam, że to miłe doświadczenie.

Maire powiedziała:

– Nie czuję się dobrze. Pójdę do domu, to był bardzo długi dzień.

Thomas zaproponował, że ją odprowadzi, ale odmówiła i zniknęła w ciemnościach.

W nocy źle spał i miał koszmary. Wstał zmęczony i o mały włos nie zrezygnował ze swoich planów. Wziął prysznic i po śniadaniu poczuł się lepiej. Od przyjazdu czekał na ten moment. Wycieczka w góry Connemary była dla niego jak wejście w inny wymiar. Po pokonaniu pagórków i dotarciu do gołych szczytów, wygładzonych przez miliony lat deszczu i wiatru, trafiało się do miejsca nie z tej ziemi. Właściciel hotelu pożyczył mu swój samochód, miał w zamian oddać go z pełnym bakiem. Kiedy włączył silnik, nagle obleciał go strach: biegi były po lewej stronie. Odetchnął spokojnie i przekonał sam siebie, że ruch lewostronny jest jak jazda na rowerze, to coś, czego się nie zapomina. Problem polegał na tym, że nigdy nie prowadził samochodu w Irlandii.

Kiedy wyjechał z wioski, otoczyły go łąki, torfowiska, mokradła i jeziora. Nie umiał sobie wytłumaczyć, jak mógł przez tyle czasu żyć bez tej nieujarzmionej irlandzkiej przyrody. W deszczu zobaczył czekające na niego dzikie tereny. Patrzył na kręte ścieżki, na ziemię, czasem skalistą, a niekiedy miękką jak gąbka. Ten krajobraz, ten tak dobrze mu znany bezkres sprawiał, że czuł się mały. Nie zdziwiło go, że jedną z dróg nazywano „Niebiańską szosą". Przeciął Letterfrack i ruszył w stronę swojego celu, łańcucha Twelve Bens. Choć wydawał się niski, zdobycie ośmiu z jego szczytów nie należało do łatwych zadań. W Irlandii zawsze można było iść w góry, bo chociaż pogoda nie należała do najlepszych z powodu deszczu i wiatru, to temperatura rzadko spadała tu poniżej zera i prawie nigdy nie padał śnieg.

Thomas wysiadł z samochodu. Przeskoczył niską drewnianą furtkę i ruszył pełną kałuż i błota ścieżką prowadzącą na płaskowyż. W miarę jak piął się w górę, paprocie sprawiały wrażenie coraz większych. Gdy dotarł na miejsce, zobaczył dwa małe wzgórza, które musiał pokonać, żeby wejść na Maumonght, pierwszy szczyt zaplanowany na ten dzień. Wspinaczka odbywała się w linii prostej, była bardzo ciężka. Zachwyciły go wspaniałe widoki na Diamond Hill i zatokę Letterfrack, które miał za plecami. Myśl, że zbliża się do najlepszego odcinka wędrówki, dodała mu energii. Po zdobyciu Maumonght ruszył w stronę kolejnego szczytu, Bencullagh; prawie nie musiał schodzić w dół. Tam zrobił sobie przerwę. Wyjął z plecaka wodę i czekoladowy batonik z orzechami laskowymi. Czuł się dobrze. Pijąc, patrzył na zarośnięte skaliste zejście, które miał przed sobą. Pomyślał o Maire. Wyczuwał jej żal, kiedy mówiła o przeszłości. Może w którymś momencie mogła opuścić wieś i zmienić swój los. Nie potrafiła robić nic innego poza puszkowaniem ryb w fabryce. Jej życie wydało mu się pozbawione nadziei, zmarnowane. Nie wiedział, czy sam zniósłby myśl o przyszłości bez celów i perspektyw.

Po krótkim odpoczynku ruszył na wschód. Zdobył Muckanaght. Stamtąd zszedł niżej skalistą granią, po czym czekała go ciężka wspinaczka na Benbaun. Wiał silny wiatr, podejście sporo go kosztowało. Przekonał się, że ma marną formę, obiecał sobie, że po powrocie do Lyonu będzie więcej ćwiczył. Dotarł na szczyt; poruszył go widok otoczonej górami kotliny, kontrast z Atlantykiem, falisty kontur półwyspu Connemara. Chciało mu się krzyczeć i tak też zrobił. Zacisnął pięści, wrzask wydobył się wprost z jego wnętrzności. Przerwał dopiero, gdy zabrakło mu tchu. Poczuł się dobrze. Z Benbaun zszedł inną, dość krętą ścieżką. Kiedy dotarł na przełęcz między Mauminą a szczytem Benbreen, zaczęła opadać bardzo gęsta mgła. Wkrótce przestał widzieć, co ma przed sobą, i wściekły zszedł na równinę.

Było późno, kiedy wrócił do hotelu. Rozebrał się, wziął prysznic, włożył szlafrok i zamówił kolację do pokoju. Skorzystał z okazji, żeby oddać kelnerowi brudne ubranie. Chłopak zapewnił go, że będzie gotowe na dziewiątą. Thomas poprosił go także, żeby zamówił mu taksówkę na dziesiątą rano. Przez cały dzień wydzwaniała do niego matka, ale zawsze wybierała nieodpowiedni moment. Teraz w końcu do niej oddzwonił.

– Dobry wieczór, kochanie. Gdzie jesteś? – zapytała i nie dając mu czasu na odpowiedź, ciągnęła dalej: – Jaką masz tam pogodę? Na pewno pada ten niewidoczny deszcz, z którego zdajesz sobie sprawę dopiero, gdy jesteś przemoczony.

– Skoro już wiesz, gdzie jestem, to po co pytasz? Kto ci powiedział?

– Nie denerwuj się, Tommy. Kiedy Maire zadzwoniła, żeby poprosić o twój numer telefonu, i opowiedziała mi, co się stało... Wciąż nie mogę uwierzyć, to straszne! Domyślałam się, że jej pomożesz, no wiesz, przecież mieliście się ku sobie w dzieciństwie... Ze względu na stare czasy, jak to się mówi, i wszystkie te rzeczy, pomyślałam, że zrobisz co w twojej mocy, ale nie przypuszczałam, że wrócisz do Kilconnell.

– Jak się dowiedziałaś?

– Zadzwoniłam dzisiaj do Glena, tego z farmy owiec przy rzece. Wiesz, o kim mówię?

– Nie mam zielonego pojęcia.

– Ależ tak, o tym, którego złapali z córką listonosza i który potem ją zostawił, żeby ożenić się ze swoją kuzynką, z którą miał tego przygłupiego syna.

Thomas nie znał informatora matki, ale odpowiedział z przekonaniem:

– Ach, tak... już wiem, Glen, ten, co ma syna przygłupa i który w młodości wystawił córkę listonosza.

– Ten sam. Wiedziałam, że go sobie przypomnisz. Jest bardzo sympatyczny, porywczy, ale wielkoduszny.

Thomas lubił pogawędki z matką. Jej akcent, sposób mówienia, wyrażania się... Był charakterystyczny dla Irlandczyków, ludzi wesołych i prostych.

– No więc Glen opowiedział mi o pogrzebie, podobno nie zjawił się ojciec dziewczyny. Co za bezczelność! I o tym, że O'Connail, grabarz, przesadził z whisky.

– Skandal.

– Naturalnie.

Thomas położył się na łóżku, czując ból we wszystkich mięśniach, i po chwili rozmowy pożegnał się z matką obietnicą, że wkrótce ją odwiedzi. Zjadł zupę rybną i – tradycyjnie – smażone ziemniaki. Telefon zadźwięczał, oznajmiając, że ma wiadomość. To była Maire, pojechała do Limerick, wróci nazajutrz, żeby zdążyć się pożegnać. Nie napisała nic więcej. Zdziwiło go to. Nagle poczuł się bardzo zmęczony, nie chciał już o niczym myśleć. Wyłączył komórkę, umył zęby, nastawił budzik i natychmiast zasnął. Tym razem głęboko.

O wpół do dziesiątej Maire czekała na niego w restauracji. Usiedli i rozmawiali, jak gdyby nic się nie stało. Thomas z radością stwierdził, że je z apetytem. Oboje zamówili to samo, śniadanie irlandzkie. Wygłodniały spojrzał na kiełbaski, fasolę, jajka sadzone, boczek, kapustę i brokuły. Wypił łyk kawy.

– Nie ruszę się stąd, dopóki wszystkiego nie zjem – powiedział z zadowoleniem.

– Zacznij się spieszyć, bo masz tylko pół godziny – przypomniała mu Maire.

– Wystarczy. Właśnie, jak ręka?

– W porządku, chociaż strasznie mnie swędzi. Wczoraj obejrzał mnie lekarz i dał mi zwolnienie na kolejne dziesięć dni.

– Co będziesz robiła?

– Chcę zmienić pracę. Okolica przyciąga coraz więcej turystów, rośnie zapotrzebowanie na domy, a jest ich mało na sprzedaż. Ludzie nie mają zaufania, wolą trzymać dom czy gospodarstwo zamknięte, niż brać się za szukanie nabywcy, a tym bardziej nie chcą ich powierzać agencji.

– I tu wkraczasz ty.

– Właśnie. Widziałam ogłoszenie i wczoraj pojechałam na rozmowę kwalifikacyjną. W agencji nieruchomości w Limerick zaproponowano mi pracę. Chcą założyć tu filię.

– Bardzo się cieszę – powiedział szczerze Thomas.

Patrzył na nią zahipnotyzowany. Po tylu latach dziwnie było mieć przed sobą przeszłość.

– Maire, posłuchaj… przepraszam za przedwczoraj. Wybacz, jeśli czymś cię uraziłem. Jestem przyzwyczajony do tego, żeby wydawać polecenia, kierować, czasami nie potrafię rozmawiać o uczuciach. W tych dniach uświadomiłem sobie parę rzeczy.

– Na przykład?

– Na przykład, że mam zwyczaj ucinać rozmowę, kiedy schodzi na osobiste tematy. Nie wiem, jak podchodzić do prywatnych spraw, w które wtajemniczają mnie inni. Czuję się niezręcznie – wyznał zakłopotany.

– Dziękuję, że mi o tym powiedziałeś – odparła Maire, chwytając go za dłoń.

– Wiesz, że nie chodzę za rękę z moją partnerką?

– Nigdy? – zapytała zaskoczona.

– Tylko kiedy zostaję zmuszony – odpowiedział z uśmiechem.

– Kiedy byliśmy razem, ciągle się do mnie kleiłeś. Bez przerwy mnie całowałeś, przytulałeś. Pamiętam dzień, w którym pocałowałeś mnie we włosy – dodała, grzebiąc widelcem w fasoli. – W tamtym momencie zrozumiałam, że mnie kochasz.

– Nigdy więcej nie poczułem niczego podobnego – wyznał. – To pewnie młodość, pierwsza miłość i takie tam…

– Pewnie tak – zgodziła się Maire zamyślona.

Na zewnątrz zatrąbił samochód. Thomas wyjrzał przez okno restauracji.

– To moja taksówka.

Dokończyli śniadanie i Maire odprowadziła go do drzwi.

– Uważaj na siebie. – Thomas przytulił ją na pożegnanie. – Masz mój numer, dzwoń, kiedy tylko zechcesz.

– Zadzwonię, bądź spokojny.

Kiedy wsiadł do taksówki, poczuł się winny, że wyjeżdża; chciał powiedzieć Maire, że w jakiś sposób nadal ją kocha. W końcu się jednak powstrzymał, wolał uniknąć problemów. Pomachał jej na do widzenia i kazał kierowcy ruszać.

11

Od rozmowy z Ethanem w szpitalu minęło kilka tygodni, a Janik wciąż nie potrafił zrozumieć, jak taki dobry chłopak może w ten sposób oszukiwać. Nie mógł przestać myśleć o tym, co powiedział mu przyjaciel. Próbował się postawić na jego miejscu, ale trudno mu było usprawiedliwić postępowanie Ethana. Powtarzał sobie, że przecież długodystansowcy mają opancerzone umysły. Że ciężkie treningi, które muszą znosić, i presja zawodów przygotowują ich, by wychodzili zwycięsko z trudności, a kontuzje i porażki sprawiają, że stają się silniejsi wobec wszelakich przeciwności. Są przyzwyczajeni, by odmawiać. „Nie, nie imprezuję w weekendy". „Nie, dziękuję, nie piję alkoholu".

Mityng lekkoatletyczny zaplanowany na to popołudnie na stadionie Cornaredo w Lugano był pierwszymi ważnymi zawodami sportowymi w tym sezonie. Podczas śniadania Janik przysiadł się do Petera, który miał biec na sto metrów.

– Pływacy dali ci spać? – zapytał Peter.

– Tak, a co? – zdziwił się Janik.

– Niezłą awanturę urządzili o drugiej w nocy.

– Przed ważnymi zawodami śpię z zatyczkami. Niczego nie słyszałem, ale za to kiedy wstałem, zobaczyłem porozrzucany po podłodze w korytarzu papier toaletowy.

– Szkoda, że nie widziałeś, jak biegają w czepkach, owinięci papierem.

– Ty ich widziałeś? – zapytał Janik.

Prawdą jest, że w ośrodku dochodziło do rozmaitych wybryków, ale te, których dopuszczali się pływacy, uchodziły za najgorsze.

– Nie mogłem ich nie zobaczyć… – poskarżył się Peter. – Zapukali do moich drzwi, więc wstałem. Wszyscy pijani. Było ich kilkanaścioro.

– Dziewczyny też?

– Tak, cała ekipa. Urządzili sobie imprezę… Zaprosili mnie, żebym z nimi świętował.

– Ale żeby pływaczki!

– Chciałem tylko jednego, żeby pozwolili mi spać. Byłem wściekły. Zagroziłem, że obudzę ich, jak tylko wstanę, ale nic to nie dało. Zamknąłem się w pokoju i oglądałem film do czasu, aż przestali hałasować.

– Spełniłeś rano swoją groźbę? – chciał wiedzieć Janik, zaintrygowany.

– Nie, ale zrobiłem komórką zdjęcie dwóch gołych tyłków. Zamierzam wstawić je na fejsa – powiedział Peter, kiwając głową.

Rozmowę przerwały im Irina i jej koleżanka z pokoju, Anna, uprawiająca skoki wzwyż.

– Cześć, chłopaki – przywitały się chórem, stawiając tace na stole.

– Mało brakowało, a byśmy zaspały. Niezłą miałyśmy dziś noc… – powiedziała Irina.

– Właśnie o tym rozmawiamy – odparł Peter.

Usiadły przy nich i zaczęły mieszać płatki z mlekiem. W tym czasie Janik zdążył już obgryźć to, co zostało z jego paznokci.

– Wygląda na to, że będziemy mieli ładną pogodę na zawody – zagadnęła Anna.

– Ciekawe, czy będzie co świętować – dodał Peter, spoglądając na Irinę.

– Wiem, do czego zmierzasz, ale ja nie jestem taka jak pływaczki – odpowiedziała, smarując grzankę dżemem.

– Nie myślałem o takim świętowaniu, ale… Rozrabiająca Irina! Świetny pomysł. – Peter się uśmiechnął.

– Na razie nie ma powodów, żeby cokolwiek świętować. Zobaczymy na koniec sezonu – odpowiedziała dziewczyna z niezmienionym wyrazem twarzy.

– Hej, nie bądź taka, świetnie ci idzie. Naprawdę myślisz, że nie ma czego świętować? – nalegał Peter.

– Nie lubię ludzi, którzy uprzedzają fakty.

Było po dwunastej, kiedy weszli we czwórkę do hotelu Lugano Dante Center. Janik spotkał się w jadalni z selekcjonerem reprezentacji średniodystansowców i jego pomocnikami.

– Jak się czujesz, chłopcze? – zapytał trener.

– Dobrze, ale zobaczymy, jak będzie po południu.

Podczas ostatniego spotkania rozmawiali o sposobach na odzyskiwanie sił po intensywnym treningu. Janik pomyślał o tym, co powiedział mu Ethan na temat wracania do formy z pomocą sterydów, EPO i hormonu wzrostu.

– Chodzą słuchy, że jeden z biegaczy, z którym będziesz rywalizował, jedzie na dodatkowym paliwie – rzucił któryś z asystentów.

– Nie ma lepszego paliwa niż talerz makaronu – powiedział Janik.

– Po południu przekonamy się o jakości twojego spaghetti.

Wszyscy roześmiali się z żartu. Poza nim.

W pokoju Peter zasunął do połowy żaluzje i położył się na łóżku. Janik wyciągnął z plecaka „Małego Księcia". Zawsze zabierał go ze sobą na zawody; przy każdej kolejnej lekturze odkrywał jakieś nowe znaczenia. W pewien sposób identyfikował się z bohaterem. Jego planetą były Les Diablerets i bieżnie, a kwiatem, który należało pielęgnować – jego ciało. Kiedy oddalał się od Les Diablerets, spotykał różne postacie, które radziły mu, co powinien, a czego nie powinien robić. Podczas podróży, którą rozpoczął po śmierci ojca, wierzył, że zapomni o jego nieobecności, jeśli zakłóci bieganiem rytm swojego serca. Czuł się tak jak Mały Książę, kiedy porzucił swoją planetę, sam, opuszczony przez wszystkich.

Autobusy na stadion odjeżdżały co pół godziny. Janik czekał, siedząc z Peterem w hotelowym holu. Miał ze sobą tylko małą torbę z kolcami biegowymi, koszulką, identyfikatorem upoważniającym do wejścia na stadion i dwoma numerami startowymi. Oderwał papier zabezpieczający klej i umieścił nalepkę na przodzie koszulki. Ponieważ czasami klej nie trzymał z powodu potu, dodatkowo przytwierdzał numer agrafkami, które miał w jednej z bocznych kieszonek torby. Rozłożył koszulkę, żeby sprawdzić, czy dobrze wygląda.

– Idealnie – powiedział Peter, który z zainteresowaniem śledził całą operację.

– Nie lubię dużych nalepek, są niewygodne.

Tak jak Mały Książę postępował z baobabami, podobnie Janik z ogromną dyscypliną przestrzegał swoich małych rytuałów. Chciał wreszcie dotrzeć na stadion i zacząć rozgrzewkę. Jego ciało było w pełnej gotowości. Tak musieli czuć się pierwotni myśliwi przed starciem z jakimś wielkim ssakiem. Sędziowie wezwali lekkoatletów piętnaście minut przed wyścigiem. Wtedy zobaczył wszystkich swoich rywali. Trzej biegacze z Kenii wkładali buty z kolcami, nie przestając się śmiać. Zawsze byli weseli, jakby wyścig ich nie dotyczył. Szwajcarski lekkoatleta, który miał być pierwszym zającem, siedział na ławce ze wzrokiem wbitym w podłogę.

Zające biegły na czele wyścigu, narzucając tempo. Utrzymywały stałą prędkość, dzięki czemu oszczędzały zawodnikom dodatkowego wysiłku w starciu z wiatrem. Od nich zależało, czy inni osiągną założone cele. Trudność polegała na utrzymaniu stałego tempa. Czasami zając przyspieszał i wtedy zostawał sam. Z kolei jeśli biegł za wolno, zawodnicy z czołówki tracili cenne sekundy. Drugimi zającami zostawali wybitni sportowcy, jako że utrzymanie się na czele wyścigu było bardzo trudne. Szacowano, że na każdym okrążeniu mogliby zyskać nawet sekundę, gdyby nie biegli jako pierwsi. Dlatego w zawodach, podczas których miał paść jakiś światowy rekord, na pozycji zajęcy wystawiano prawdziwych mistrzów. Niektóre zające zarabiały więcej niż najlepsi biegacze.

Janik zwrócił uwagę na przeraźliwą szczupłość drugiego zająca. Pozazdrościł mu eleganckiej sylwetki. Tysiącom lat przemierzania równin Wielkich Rowów Afrykańskich przez jego przodków zawdzięczał lekki szkielet, szeroką pierś mieszczącą płuca niezbędne do pokonywania długich dystansów, wąskie kostki u nóg podtrzymujące włókniste dźwignie napędzające całe ciało i potężne serce z siłą pompujące krew, by uzupełnić brak tlenu spowodowany wysokością ponad tysiąca metrów. Sukces ewolucji człowieka w dziedzinie prędkości i wytrzymałości. Kenijskie i etiopskie dzieci zwykle przebiegały dziennie ponad trzydzieści kilometrów, a po powrocie do domu musiały do zmierzchu paść bydło. Janik nie mógł utrzymać ich tempa, a tym bardziej dorównać im, jeśli chodzi o zmiany prędkości, przez które ogromnie cierpiały nogi europejskich biegaczy. Afrykanie go fascynowali. Zdecydowanie należeli do wyższej rasy. Trybuny pękały w szwach, biegacze na 110 metrów przez płotki walczyli na ostatnim odcinku, a oszczepnicy przygotowywali się do końcowej próby. Wstążeczki wskazujące kierunek wiatru były nieruchome. Reflektory zamieniały stadion w wyspę pośród ciemności. Od ziemi bił zapach syntetycznej bieżni, wdzierał się w nozdrza i zostawał w nich na dłużej. Nadszedł moment prawdy: Janik miał się przekonać, czy treningi doprowadziły do zwiększenia liczby czerwonych krwinek, włókien mięśniowych i serca, by mógł wygrać ze stoperem o kilka sekund, kilka dziesiątych sekundy.

Starter dostał przez walkie-talkie sygnał od głównego sędziego.

– *On your marks!* – krzyknął.

Zawodnicy ustawili się możliwie jak najbliżej linii startowej.

Wystrzał było słychać na całym stadionie. Obydwa zające gwałtownie wysunęły się naprzód. Janik walczył, by znaleźć się na dobrej pozycji. Musiał kilkakrotnie zmieniać kierunek, bo zawodnicy puścili się do przodu i zajęli jego tor. Ktoś go lekko popchnął, poczuł, jak kolce jednego z biegaczy delikatnie drapią mu skórę na łydce. Po przebiegnięciu ośmiuset metrów wyprzedził dwóch zawodników, którzy nie byli w stanie utrzymać szybkiego tempa wyścigu. Po tysiącu miał tuż przed sobą Francuza.

– Dwie minuty, dwadzieścia jeden sekund – oznajmił ktoś z boku bieżni.

Janik wyrównał swój własny rekord na tym etapie biegu, ale wcześniej już trzykrotnie osiągał takie prędkości. Najgorsze dopiero go czekało, ostatnia pięćsetka. Te końcowe metry były dla lekkoatlety wyrokiem. Odróżniały dobrego biegacza od biegacza wybitnego. Kiedy mijał dzwonek ogłaszający ostatnie okrążenie, zaczął czuć wysiłek w nogach. Zobaczył, że na przedostatniej prostej przed metą jeden z kenijskich zawodników odrywa się od grupy, próbując przyspieszyć.

Bez zastanowienia poszedł w jego ślady. Któryś z rywali tak bardzo się do niego zbliżył, że mógł usłyszeć jego oddech, tuż przy swoim karku. Nie zostało mu już dużo sił. Przy takiej prędkości ciało wytworzyło wystarczającą ilość trucizny, by stopniowo spowalniać bieg. Kiedy znalazł się na ostatniej prostej przed metą, zamknął oczy, zacisnął zęby i skupił się na przekazywaniu poleceń nogom. Zmień tempo. Dalej, zmień tempo. Publiczność, która wstała z miejsc, żeby zagrzewać zawodników, zaczęła krzyczeć i klaskać. Trzy minuty, trzydzieści pięć sekund, czterdzieści dwie setne. Niezły wynik, powiedział sobie. Nie mógł w to uwierzyć. Owładnęły nim satysfakcja i radość z tego, co osiągnął. Został przy bieżni, żeby z wyjścia na stadion obejrzeć wyścig Iriny.

Kiedy srebrna medalistka z poprzednich mistrzostw wysunęła się naprzód, rozciągając grupę biegaczek na 1500 metrów, Irina bez wahania pobiegła za zającem. Etiopska zawodniczka wygrała, ale aż do ostatnich sześćdziesięciu metrów Rosjanka deptała jej po piętach.

– Udało nam się – powiedziała Janikowi, kiedy zobaczyła go podczas rundy honorowej.

Janik zapatrzył się na twarz Iriny; jej oddech świadczył o wysiłku, a oczy – o radości. Przez ciało przeszedł mu dreszcz. Znów ją przytulił. Kiedy ich spojrzenia się spotkały, pocałował ją w usta. Irina zareagowała uśmiechem i dalej zbierała wyrazy uznania od kibiców.

Potem Janik dołączył do Anny i Petera i we trójkę wyszli po Irinę. Zanieśli ją na rękach nad rów na bieżni do 3000 metrów z przeszkodami i wrzucili do wody. Kilku sędziów i pomocników, którzy przechodzili obok, spojrzało na nich ze zdziwieniem.

– Zaczekajcie chwilę – powiedział Peter.

Poprosił jednego z pomocników, żeby zrobił im zdjęcie – zdjęcie, które stanie się dla Janika tak bardzo ważne.

Po powrocie do Les Diablerets czwórka przyjaciół spotkała się w pokoju Iriny i Anny. Odbyli ciekawą dyskusję na temat muzyki, jaką lubiło każde z nich. Irina uwielbiała heavy metal i operę. Utrzymywała, że oba style są bardzo podobne i że dobrzy piosenkarze heavymetalowi nie mają czego zazdrościć diwom *belcanto*. Peter był fanem Lady Gagi i Beyoncé. Anna z kolei wolała Coldplay.

Jak w wielu innych kwestiach, Janik różnił się od swoich przyjaciół. Nie lubił muzyki, płyty, które miał w samochodzie, sprezentował mu Ethan.

– Zagramy w karty? – zaproponowała Anna.

Tamtej nocy ze wstydu, że zostanie nakryty, Janik odważył się zerkać na Irinę tylko kątem oka. Twarz dziewczyny zdawała się błyszczeć niczym gwiazda. Jej niebieskie oczy, duże i smutne, spoglądały na karty i na kilka sekund zatrzymywały na nich wzrok. Zwrócił uwagę na jej wydatne, dobrze zarysowane usta, które tego dnia pierwszy raz pocałował. Chciał więcej, chciał całować całe jej ciało, zejść od ust na szyję, powiedzieć jej do ucha, że ją kocha.

Budzik zadzwonił o ósmej rano. Janik usiadł na brzegu łóżka i przypomniał sobie miłe chwile, jakie spędził z Ethanem. Pomyślał, że może powinien był do niego zadzwonić, ale co miał mu powiedzieć? Powodzenia, wracaj do zdrowia, jak gdyby nic się nie stało? Nie należał do tego rodzaju ludzi. Przyjaciel okłamał go i to paliło Janika od środka.

W holu spotkał Annę, która biegła na trening. Myślał, że zobaczy Irinę w stołówce, ale tam jej nie było. Postanowił zajrzeć do pokoju dziewczyn.

Zapukał do drzwi. Nikt nie odpowiedział. Zapukał mocniej.

– Irino, jest już po wpół do dziesiątej, wstawaj.

Nie otrzymał odpowiedzi.

– Irino, wchodzę.

Zdziwiło go, że drzwi są otwarte. W pokoju panował półmrok, słabe promienie światła wciskały się przez szpary żaluzji. Ktoś leżał pod kołdrą na jednym z łóżek. Janik zawahał się, czy wejść, najpierw zawołał ją z progu.

– Wstawaj, musimy iść na trening!

Cisza.

Podszedł powoli do brzegu łóżka. Irina leżała na boku.

– Irino?

Nie poruszyła się.

– Wszystko w porządku? – zapytał, potrząsając jej ciałem.

Powietrze zapachniało stęchlizną. Irina wysunęła mu się z rąk niczym wiązka siana.

Promyk słońca oświetlił jej twarz; fioletowy kolor warg kontrastował z bladą skórą.

12

Thomas spędził cudowny weekend w Wiedniu. Claire zaskoczyła go ekspresową wycieczką do austriackiej stolicy. Lepiej im się układało. Odkąd wrócił z Irlandii, wyglądało na to, że zawarli rozejm. Poszli do opery na „Aidę" z wielkim Plácidem Domingiem, ale największą atrakcją dnia była wystawa szwajcarskiego artysty Christopha Büchela.

Claire zabrała go do Muzeum Secesji, gdzie wystawiano obrazy Gustava Klimta. Thomas lubił tego malarza, więc chętnie się zgodził. Ale kiedy zaproponowała mu wystawę Büchela, początkowo uznał, że to zły pomysł. Było po jedenastej w nocy, większość muzeów zamykano o tej godzinie. Zrobiło się zimno, brukowane ulice wyludniły się. Jednak po wejściu do budynku otworzył ze zdziwienia usta. Szwajcar Büchel próbował wywołać taki sam skandal, jaki na początku XX wieku spowodowały zmysłowe, erotyczne obrazy Klimta, Schielego i Kokoschki. W tym celu przeniósł do muzeum słynny burdel Element6, a w kilku salach zgromadził eksponaty związane z seksem. Thomas zobaczył tam rozmaite przyrządy sadomasochistyczne, fotele ginekologiczne, pokoje z poduszkami ze skóry lamparta, a na ścianach nagie ciała. Ale największa niespodzianka czekała go w podziemiach: klub dla swingersów.

Rzeźby w greckim stylu podtrzymywały olbrzymie tace pełne kondomów, a na skrzyżowanych belkach przytwierdzonych do ściany wisiał przywiązany łańcuchami za ręce i nogi muskularny, uśmiechnięty mężczyzna. Przeszli długim korytarzem; po obu stronach znajdowały się małe pomieszczenia bez zasłon, w których prezentowano najróżniejsze pozycje seksualne. Zostawili za sobą sceny sadomasochistyczne, *bondage* i trójkąty. W miarę jak szli, muzykę coraz bardziej zakłócały ludzkie odgłosy, rosło też podniecenie Thomasa. Zatrzymał się przed kobietą, która klęczała z głową i rękami umieszczonymi w czymś w rodzaju gilotyny. Bezwstydnie pokazywała pupę, poruszając nią to w jedną, to w drugą stronę, niczym kotka w rui. Claire pogłaskała ją po pośladkach, po czym przesunęła po nich ustami. – Pyszna. Jest cała twoja – powiedziała Thomasowi. – Ja pójdę do tego z krzyża, jego lubieżny język to gwarancja raju.

Pełne pożądania ciało Thomasa stopiło się z ciałem uległej, kilkakrotnie doprowadzając je do rozkoszy. Noc nieoczekiwanie się wydłużyła.

W poniedziałek, po dwóch kawach, mógł się wreszcie skoncentrować na pracy, którą miał do zrobienia, i przestać myśleć o Wiedniu. Musiał się spotkać z delegacją z Wysp Świętego Tomasza i Książęcej. Sprawdził godzinę. Odetchnął z ulgą, miał jeszcze trzydzieści minut na zorientowanie się w bieżących sprawach. Przeczytał raporty Interpolu leżące na jego biurku.

Wyspy Świętego Tomasza i Książęca to jedno z najmniejszych państw Afryki. W 2003 roku kraj ucierpiał wskutek zamachu stanu przeprowadzonego przez byłych żołnierzy południowoafrykańskich wojsk z epoki apartheidu. Sytuacja unormowała się tam dzięki międzynarodowej mediacji. Wprowadzono system wielopartyjny, a prawa człowieka obejmujące wolność słowa i prasy są przestrzegane do pewnego stopnia.

Thomas wcisnął guzik telefonu łączący go z sekretarką.

– Rose, właśnie przeczytałem, że językiem urzędowym na Wyspie Świętego Tomasza jest portugalski. Wie pani może, czy mówią po angielsku albo po francusku?

– Znają trochę francuski, ale ponieważ podczas spotkania będzie mowa o sprawach technicznych, poprosili o tłumacza. W tej chwili towarzyszy delegacji… – przerwała i spojrzała na kartkę, którą trzymała w dłoni – właśnie z Wysp Świętego Tomasza i Książęcej. Przyjedzie z nimi z hotelu.

– Dziękuję, Rose, jak zawsze jest pani nieoceniona.

Ktoś zapukał do drzwi. To była Rose z kopiami programu FIND przetłumaczonego na portugalski. Zostawiła po jednej dla każdego z członków delegacji na stole w sali przylegającej do gabinetu Thomasa.

– Co mam przynieść do picia?

– To, co uzna pani za stosowne – odpowiedział, nie podnosząc wzroku znad papierów.

Chwilę później Rose wróciła z wózkiem zastawionym różnymi napojami i przekąskami. Ustawiła po butelce wody dla każdego z uczestników, napoje orzeźwiające, filiżanki, gdyby ktoś miał ochotę na kawę albo herbatę, i tacę z ciasteczkami.

Kiedy przechodziła obok Thomasa, uśmiechnął się do niej. Jej małe, pełne krągłości ciało poruszało się z wdziękiem, zanim zniknęła za drzwiami.

Przedstawiciele rządu i policji z Wysp Świętego Tomasza i Książęcej zasiedli przy dużym prostokątnym stole. Tłumaczka stanęła obok.

Thomasowi odebrało na moment mowę. To była Claire. Miała na sobie dopasowaną prążkowaną garsonkę, białą koszulę i okulary w czerwonej oprawce. Zrezygnowała z makijażu, pomalowała jedynie błyszczykiem usta. Włosy spięła w wysoki kok. Przywitała go uściskiem dłoni.

– Panie Connors – powiedziała oficjalnie.

Wcisnęła przycisk w słuchawkach. Pozostali uczestnicy zebrania poszli w jej ślady.

– Dzień dobry państwu. Witam w naszej siedzibie w Lyonie – zaczął Thomas, starając się mówić jak najwolniej. – Wiem, że są państwo zainteresowani naszą bazą danych zawierającą informacje o wizach, paszportach i dowodach osobistych, których kradzież lub utrata zostały zgłoszone w poszczególnych krajach. Dzięki niej będą państwo mogli od razu sprawdzić, czy dany dokument tożsamości figuruje jako skradziony lub zgubiony. Interpol dysponuje także bazami danych dotyczących skradzionych pojazdów i osób poszukiwanych przez wymiar sprawiedliwości.

Przerwał, żeby nalać sobie wody, po czym ciągnął:

– Aby ułatwić poszczególnym państwom łączność, Interpol zintegrował istniejące bazy danych i połączył je w stałą sieć, znaną pod nazwą FIND. Jest ona kompatybilna z systemami wspomaganej komputerowo weryfikacji, jakimi dysponują poszczególne kraje.

– Chciałbym wiedzieć, jak to działa – powiedział ogromny mężczyzna siedzący po jego prawej stronie.

– Bardzo prosto. Funkcjonariusz może wysłać zapytanie do krajowego systemu, skanując paszport w cyfrowym czytniku albo wprowadzając ręcznie jego numer. Odpowiedź wskaże, czy dokument odpowiada któremuś spośród zarejestrowanych w bazie danych. Najważniejsze jest to, że zapytanie przechodzi jednocześnie przez krajową bazę danych – jeśli takowa istnieje – i przez FIND, bazę Sekretariatu Generalnego Interpolu.

Kiedy Claire przetłumaczyła słowa Thomasa, rozległ się pomruk wyrażający aprobatę.

– Funkcjonariusz w kilka sekund otrzyma odpowiedzi z obu baz danych – ciągnął Thomas, kiedy ucichły komentarze. – Za pomocą elektronicznego systemu ostrzegania zainteresowane państwa członkowskie zostaną poinformowane o zbieżnościach. W naszym zglobalizowanym świecie mogą państwo uzyskać dostęp do wszystkich międzynarodowych danych.

– Przepraszam – przerwał mężczyzna w wojskowym mundurze z mnóstwem medali na piersi. – Co musimy zrobić, żeby to zainstalować?

– Pokażemy waszym pracownikom Interpolu, jak to zrobić.

Wojskowy podniósł rękę jako zainteresowany.

– Widzę, że wchodzi pan w skład zespołu, doskonale – powiedział Thomas z zadowoleniem. – Funkcjonariusze z Sekretariatu Generalnego Interpolu nauczą pana obsługi systemu. Pomogą przy jego instalacji, a w razie potrzeby także później. Serwis pomocy technicznej Sekretariatu Generalnego jest dostępny przez całą dobę, by służyć wsparciem na każdym etapie.

– Czego chcą państwo w zamian? – zapytała jedyna kobieta w grupie.

– Chcemy płynnej wymiany informacji między waszymi serwerami krajowymi a serwerami Sekretariatu Generalnego Interpolu za pośrednictwem systemu I-24/7. Chodzi o to, aby mieli państwo stale aktualizowane bazy danych dotyczące przestępców, na wypadek gdybyśmy potrzebowali informacji.

– Dostaniemy od państwa środki technologiczne? – chciał wiedzieć przedstawiciel rządu.

– Co by państwo powiedzieli na to, żebyśmy przedyskutowali szczegóły przy kawie lub herbacie? – zaproponował rozpromieniony Thomas.

Spotkanie trwało jeszcze dwie godziny. Thomas nie mógł zrozumieć, dlaczego do tego, co dla niego było detalami bez znaczenia, inni przywiązywali tak dużą wagę. Na pożegnanie uścisnął dłoń każdemu z członków delegacji. Przyszła kolej na Claire.

– Dlaczego udawałaś, że mnie nie znasz? Co to za różnica, czy się znamy, czy nie?

– Myślałam, że tak byś wolał – odpowiedziała niepewnie. – Tak naprawdę było tylko kwestią czasu, że przyjdzie mi dla ciebie pracować. Moja koleżanka miała dziś rano zajęcia w szkole językowej, więc zadzwonili do mnie.

Spojrzała kątem oka na czekającą na zewnątrz delegację.

– Muszę iść. Poproszono mnie, żebym zabrała ich na obiad, a potem oprowadziła po Lyonie i odstawiła zadowolonych do hotelu.

Sięgnęła po stojącą na krześle torebkę.

– Ale jeśli chcesz, mogę cię pocałować na pożegnanie – powiedziała z uśmiechem.

– Daj spokój. Idź, czekają na ciebie. Swoją drogą, bardzo ładny kok. Pozwól, żebym ci go rozplótł dziś w nocy.

– U ciebie?

– U mnie.

Thomas zauważył, że Claire, odprowadzając delegację do windy, stanęła przy biurku Rose i zamieniła z nią kilka słów. Chwilę później dołączyła do grupy. Rzucił jej pytające spojrzenie, na które odpowiedziała uśmiechem.

Kiedy skończył pisać sprawozdanie ze spotkania, postanowił pójść coś zjeść. Spojrzał na termometr za oknem – wskazywał dwadzieścia dwa stopnie. Był piękny wiosenny dzień. Thomas zdjął krawat, zostawił marynarkę i zadowolony wyszedł z gabinetu.

Ogródek restauracji Le Bouchon był pełen ludzi. Mieszkańcy Lyonu chętnie odwiedzali to miejsce. Nazwa lokalu pochodziła z czasów, kiedy w zajazdach, w których serwowano wino, kładziono wiązki słomy, *bouchons*, służące do zatykania butelek. Teraz nazywano tak wszystkie lokale w mieście, choć ten był pierwszy. Miała szklane rozsuwane drzwi, które zostawiano otwarte lub zamknięte w zależności od temperatury i pory roku. Thomas przywitał się z właścicielem, który skinął głową na znak, że go poznaje. Dziesięć minut później siedział w ogródku z kieliszkiem beaujolais i przeglądał prasę. Zamówił na obiad *quenelle* w sosie rakowym.

Zadzwonił telefon.

– Słucham? – odebrał.

– Przepraszam, że pana niepokoję, czy to pan Thomas Connors?

– Tak, to ja.

– Nazywam się Samuel Laurent, jestem dyrektorem ośrodka sportowego w Les Diablerets. Na wstępie chciałbym złożyć panu najszczersze kondolencje z powodu śmierci pani Uny Kowalenko.

– Dziękuję, to bardzo miłe z pana strony. Przepraszam, ale o co chodzi?

Pojawił się kelner z olbrzymią porcją, jakie zawsze serwowano w tej restauracji. Thomas odsunął się na bok i *garçon* niezwykle sprawnie położył przed nim serwetkę i sztućce, po czym postawił słynne lyońskie danie, a także talerzyk z pieczywem. Thomas skinął głową w geście podziękowania.

– Minęły dwa tygodnie od śmierci naszej sportsmenki, a nikt nie zjawił się jeszcze po jej rzeczy. Jak pan rozumie, nie możemy trzymać w nieskończoność jej miejsca w pokoju w oczekiwaniu, aż ktoś po nie przyjedzie. Wiele dziewcząt pragnie trenować w Les Diablerets. Nie chciałbym być nieuprzejmy, ale upłynęło już trochę czasu…

– Doskonale rozumiem, co próbuje mi pan powiedzieć – przerwał mu Thomas. – Proszę się nie martwić, zerknę do kalendarza i w wolnej chwili oddzwonię do pana, żeby się umówić na konkretny dzień.

– Dziękuję panu za wyrozumiałość. Musi pan wiedzieć, że współlokatorce Uny też nie jest przyjemnie patrzeć codziennie na jej rzeczy – wyjaśnił dyrektor.

– Jak już powiedziałem, proszę się nie martwić. Może pan liczyć na mój telefon jeszcze dziś.

– Dziękuję, panie Connors. Jeśli to panu nie sprawi kłopotu, proszę oddzwonić na ten numer.

Laurent pożegnał się, jeszcze raz podziękowawszy rozmówcy za uprzejmość.

Thomas jadł w zamyśleniu. Kiedy skończył, zadzwonił do Maire. Odebrała po drugim sygnale.

– Cześć, co słychać? Dziękuję za komputer, który mi wysłałeś. Zajęcia praktyczne mnie wykańczają, szczerze mówiąc, nigdy nie ciągnęło mnie do książek.

– Cieszę się, że laptop ci służy, to bardzo ważne, żebyś się z nim oswoiła, jeśli chcesz prowadzić agencję nieruchomości – powiedział, zakładając okulary przeciwsłoneczne.

– Uff! W miesiąc muszę się nauczyć wszystkiego tego, co przekładałam latami na później. Chociaż Una bardzo nalegała, nigdy jej nie posłuchałam, a przecież dzięki mailom mogłybyśmy się częściej kontaktować, ale ja… dumnie obstawałam przy tym, żeby być informatyczną analfabetką.

– Dzwonię do ciebie, bo muszę odebrać z ośrodka rzeczy osobiste Uny, a nie wiem, co z nimi zrobić – powiedział Thomas.

Kelner zabrał talerze, ustawiwszy je na jednym ramieniu. Kiedy skończył, drugą ręką położył na stole kartę deserów.

– Niczego nie chcę. Zachowaj je, proszę – odpowiedziała Maire z powagą.

– Co takiego?

Był zmęczony gierkami Maire. Nie znał Uny. Nie miał z nią nic wspólnego. Chciał powiedzieć, co o tym myśli, ale nie zdobył się na odwagę, przeszłość za bardzo mu ciążyła.

– Daj mi trochę czasu, Thomasie. Una przebywała dużo poza domem, przywykłam, że nie widuję jej całymi miesiącami. Czasami myślę, że żyje, że trenuje, zajęta swoimi sprawami… Wiem, że to szaleństwo, ale na razie działa. Muszę być silniejsza, żeby móc zmierzyć się z jej śmiercią, pozwól mi więc trochę pomarzyć, jeszcze tylko przez jakiś czas.

Nie mógł jej odmówić. W jakimś sensie Maire była jego słabością.

– W porządku, zajmę się wszystkim. Przechowam jej rzeczy do czasu, aż mnie o nie poprosisz.

– Dziękuję, Thomasie. Kończę, muszę iść na zajęcia. Do widzenia.

– Zadzwonię do ciebie, kiedy już to wszystko odbiorę.

– Lepiej nie. Na razie. – Maire przerwała połączenie.

Kelner podszedł, żeby przyjąć zamówienie. Thomas poprosił o *tarte tatin*, szarlotkę serwowaną spodem do góry, z kulką lodów waniliowych.

Nie musiał wracać do pracy, oficjalnie kończył o czternastej. Zapragnął przejść się brzegiem Rodanu i dotarł aż do Place de l'Opéra. Po spacerze wpadł do biura i przejrzał grafik na najbliższy tydzień. Zobaczył, że na czwartek nie ma zaplanowanego niczego, czego nie mógłby przełożyć na piątek. Zadzwonił do kierownika z Les Diablerets, żeby się z nim umówić.

Prowadził odprężony. Ochrypły głos Leonarda Cohena współgrał z jego stanem ducha. Był piękny dzień. W drodze do Les Diablerets minął Lozannę, okrążając Jezioro Genewskie. W wodzie odbijały się najwyższe szczyty, wyglądały, jakby się w nim zanurzały. Miasteczka w kantonie Vaud były spokojne, pełne drewnianych domków z kwiatami w oknach. Jechał powoli pośród winnic, które stopniowo wspinały się w górę i znikały wśród skał. Podziwiał majaczące na horyzoncie imponujące sylwetki szczytów Blanchard i Cornettes de Bise. Ich strome wierzchołki upstrzone plamami śniegu, popularne wśród narciarzy, wydały mu się nieprzyjazne. Przypomniał sobie góry w Irlandii, o zaokrąglonych szczytach zniszczonych wiatrem i deszczem, wystawionych na działanie żywiołów, bez tych ogromnych lasów, wśród których mogłyby się skryć. Thomas kochał Irlandię, każdą jej krętą ścieżkę, każdą senną wioskę z jej sympatycznymi, wesołymi mieszkańcami, każdą dziką, zapomnianą skałę...

Opuścił szybę samochodu i wystawił rękę, pozwalając, by wiosenny wietrzyk przelatywał mu między palcami. Dotarł do niego intensywny zapach z winnic pobliskiej Saint-Saphorin, gdzie produkowano najlepsze chasselas. Wspomniał fondue, które zrobiła Claire, kiedy zaczęli się spotykać, podlane właśnie tym znanym białym winem.

Kilka kilometrów za Montreux słynącym z pięciogwiazdkowych hoteli i luksusowych ośrodków spa zaczął się podjazd do Les Diablerets. W miarę jak samochód piął się w górę, krajobraz stopniowo wypełniał wszystkie zmysły Thomasa. Prowadził powoli, żeby nie przeoczyć żadnego drobiazgu. Mijał zielone łąki z pasącymi się krowami i jeziora w kolorze turkusu. Zostawił za sobą głębokie doliny z gęstymi lasami sosnowo-modrzewiowymi, wąskie wąwozy, którymi płynęły wartkie rzeki. Na horyzoncie wznosiły się zawsze obecne majestatyczne Alpy pokryte śniegiem.

Ośrodek sportów wyczynowych robił duże wrażenie. Wszystko było w nim niezwykłe. Odnowiono ruiny dawnego zamku obronnego i wkomponowano je w nowoczesne centrum treningowe. Efekt był zadziwiający. Olbrzymia budowla łączyła w sobie tradycję i nowoczesność. W oddali majaczyło stojące na wzniesieniu opactwo.

Dozorca zaprowadził go do pokoju Uny. Był to starszy mężczyzna, ubrany cały na czarno, utykający na prawą nogę. Thomas szedł za nim. Starzec zostawiał prawą stopę z tyłu, po czym powoli przeciągał ją do przodu, zataczając półokrąg. Chód ten wydał się Thomasowi hipnotyczny. Pomyślał, że ten człowiek nie pasuje do miejsca emanującego zdrowiem i energią. Minęli na korytarzu kilku młodych sportowców, którzy z ożywieniem rozmawiali w różnych językach. Wydawało się, że wszyscy mają coś pilnego do zrobienia, że gdzieś się spieszą. Pozazdrościł im ich młodości.

– Miał pan dobrą podróż? – zapytał starzec.

– Tak, dziękuję. Bardzo dobrą.

– Ma pan szczęście. Od kilku dni diabeł siedzi spokojnie i nie bruździ. Ale nie należy mu zbytnio ufać – powiedział, odwracając się do Thomasa. – Nawet gdy go nie ma, jego cień zawsze pilnuje tego miejsca.

Thomas uśmiechnął się w duchu. Osobliwy człowiek. Weszli do windy i wjechali na trzecie piętro. Po otwarciu drzwi znalazł się na wprost długiego, wypełnionego światłem korytarza.

– Urodziłem się niedaleko stąd. – Starzec wskazał palcem podłogę. – Część domu moich przodków została zrównana z ziemią przez złe duchy. Zrzuciły z gór kamienie, które pogrzebały wszystko, co napotkały na swojej drodze.

Thomas spojrzał na wytarte spodnie mężczyzny, przewiązane w pasie sznurkiem z esparto. Kilku chłopców przywitało się z dozorcą, używając imienia Blanc. Starzec odpowiedział im i zmierzwił jednemu z nich włosy. Wyjrzał przez wielkie okno korytarza.

– Niech no pan podejdzie, chłopcze – powiedział i poruszył swoimi artretycznymi dłońmi. – Pokażę panu, gdzie był mój dom. Zaciekawiony Thomas podszedł do okna.

– Widzi pan opactwo? To tam się urodziłem – wyjaśnił, wskazując powykręcanym palcem. – Cały ten teren należał do mnie, do moich przodków. Tam, gdzie pasły się owce, zrobili parking i poprowadzili linię kolei zębatej. Kiedy zjawili się bogacze, żeby zbudować to paskudztwo, kazali mi się wynosić. Pokazali mi masę papierów, żeby udowodnić, że ziemia jest ich, ale kłaaaamaaaliii – powiedział, przeciągając samogłoski.

Thomas spojrzał dyskretnie na zegarek.

– W zamian za milczenie rzucili mi okruchy. Musiałem sprzedać owce. Nie pozwolili mi zachować nawet zagrody. Powiedzieli, że psuje wizerunek, że nie jest nowoczesna.

Ruszył w stronę pokoju, a Thomas za nim. Mijali kolejne numery po lewej stronie korytarza, aż dotarli do 34. Dozorca wyciągnął kartę i po dłuższej chwili, która wydała się Thomasowi wiecznością, otworzył drzwi.

– Szkoda tej dziewczyny. – Pokręcił głową. – Nie była pierwsza i nie będzie ostatnia.

– Dlaczego pan tak mówi? – zapytał zaintrygowany Thomas.

– W tym przeklętym miejscu nie może się zdarzyć nic dobrego. Po tych słowach odszedł ze spuszczoną głową, powłócząc chorą nogą.

Pokój miał ogromne okno; stały w nim dwa łóżka rozdzielone dwiema szafkami nocnymi, a obok identyczne meble dla każdego z lokatorów: biurko przy ścianie z małą lampką i dwudrzwiowa szafa. Zorientował się, że do Uny należała prawa część pokoju. Na ścianie wisiało kilka jej zdjęć. Na łóżku stały kartonowe pudełka. Thomas dopiero teraz zdał sobie sprawę, że nie zabrał niczego, w co mógłby spakować jej rzeczy. Domyślił się, że pudełka zostawił dziwny stróż. Zaczął od szafy. Otworzył ją, bez zbytnich ceregieli pozbierał wszystko z półek i schował do jednego z kartonów. To samo zrobił z ubraniami wiszącymi na wieszakach i leżącymi w szufladach. Potem opróżnił szafkę na buty. Było mu gorąco, otworzył więc okno, żeby wpuścić trochę zimnego, suchego górskiego powietrza. Podszedł do ściany, zdjął wiszące na niej medale, a potem wyciągnął pinezki przytrzymujące dyplomy i zdjęcia. Na jednym zobaczył Maire przytulającą córkę, obie pokazywały język fotografowi. Inne przedstawiało uśmiechniętą Unę stojącą na podium z medalem na szyi. Było kilka zdjęć grupowych, na których Una wyróżniała się spośród ubranych identycznie lekkoatletek czerwonymi włosami. Na trzech rozpoznał mieszkańców Kilconnell, w tym rodziców Maire.

Kiedy ogołocił ścianę, włożył do kartonu to, co leżało na biurku: pojemnik z kredkami i długopisami, kołonotatnik, pluszowego misia, pudełko cukierków i odtwarzacz MP4. Usiadł na krześle i otworzył szuflady – były pełne. Wrzucił ich zawartość do pudła ze zdjęciami. To samo zrobił z szufladą szafki nocnej. Postanowił nie wchodzić do łazienki znajdującej się tuż przy drzwiach wejściowych. Rozejrzał się szybko, żeby sprawdzić, czy czegoś nie przeoczył, i jego wzrok padł na stojące na szafie kuferek i liczne trofea. Przysunął krzesło, wszedł na nie i sięgnął po drewnianą skrzynkę rzeźbioną w liście. Postawił ją na łóżku i otworzył wieko. Była pełna listów. Sprawdził nazwisko nadawcy na jednym z nich – Maire. Już miał zamknąć pokrywkę, kiedy zauważył, że spod pocztówek wystają wycinki z gazet. Wyciągnął je i rozłożył. Na niektórych zobaczył siebie samego w różnych momentach życia; inne zawierały wiadomości, w których go wymieniano. We wszystkich podkreślono jego nazwisko.

13

Janik śnił, że Irina nie żyje. Po przebudzeniu na wpół przytomny zapytał sam siebie, czy to możliwe, i wtedy uświadomił sobie z przerażeniem, że ten koszmar wydarzył się naprawdę. To odkrycie było tak brutalne, że miał wrażenie, jakby wykrwawiał się od środka. Zszedł ze schodów, licząc stopnie, żeby zająć umysł. Na dole stał Blanc. Przez cały czas obserwował go z oddali. Na korytarzu nie było nikogo innego. Kiedy Janik mijał dozorcę, ten zapytał go, czy kiedy znalazł Irinę, zauważył na jej ciele coś dziwnego.

– Nie, dlaczego miałbym zobaczyć na ciele Iriny coś dziwnego?

– Nie wiesz?

– Nie wiem? Co mam wiedzieć?

– Że odwiedził ją diabeł.

– Co za bzdura.

– To żadna bzdura. Kiedy byłem w twoim wieku, diabeł zrzucał z góry na miejscowych wielkie odłamki skał. Mieliśmy szczęście, że uszanował opactwo.

Janik pomyślał, że starzec mówi o jakimś osuwisku albo lawinie.

– Przez jakiś czas robił to w nocy, kiedy spaliśmy. Leżąc w łóżkach, słyszeliśmy, jak skały spadają i pękają na tysiące kawałków.

– Słynne osuwiska, o których mówią wszyscy – powiedział Janik z przekąsem.

– Pod ruinami opactwa znajdował się ołtarz, przy którym oddawano cześć Szatanowi. Augustinowi de Lestrange, opatowi zakonu trapistów, przyśniło się, że Bóg każe mu zniszczyć pogański ołtarz i wybudować klasztor. Nazwał go „Ostatnią Wolą Bożą".

– Powiedziałeś, że czcili diabła?

– Janiku! Nie przerywaj mi – przykazał Blanc. – Szukał lokatorek do nowego opactwa pośród szwajcarskich cysterek, ale zakonnice odmówiły. Augustin się nie poddał i wyruszył do Francji, aby sprowadzić mniszki, które nie słyszały o złej sławie tego miejsca. W tym samym roku rozpoczął budowę klasztoru. Przez trzy lata prac dochodziło do osuwisk, pożarów i wszelkich innych katastrof – ciągnął. – W dodatku podobno niektórym zakonnicom śniło się, że deprawuje je diabeł. Wystraszone opuściły to miejsce, gdy wzniesiono zaledwie część pomieszczeń. Do dziś mieszkańcy Les Diablerets opowiadają, że uciekając, krzyczały: „Diabeł, diabeł!".

– No nie, znowu diabeł – skwitował znużonym głosem Janik.

– Ale ostatnimi czasy jest gorzej, bo teraz przychodzi po młode sportsmenki. Odkąd wybudowano ośrodek, diabeł lubi przechadzać się jego korytarzami; umie wywęszyć udręczone dusze. Potrafię go poczuć.

– I nie da się niczego zrobić? Nie wiem, odprawić jakichś egzorcyzmów czy czegoś w tym rodzaju.

– Nie, nie należy niepokoić diabła – powiedział Blanc z determinacją – bo następnym razem przyjdzie po ciebie. On ma tylko jeden cel, ale wiele twarzy.

– Blanc, ty naprawdę wierzysz w takie rzeczy?

Starzec wybuchnął śmiechem, po czym odwrócił się i zniknął za drzwiami jednego z pomieszczeń służbowych. Janik przez moment stał jak skamieniały na środku korytarza. Jedyną prawdziwą rzeczą w tej rozmowie było to, że Blanc święcie wierzył w to, co mówił.

Po śmierci Iriny coś pękło w jakimś zakamarku ciała Janika. Rozdzierał go nieznany ból. Nie wypełniał go całego jak ten, który czuł, gdy zmarł ojciec. Nie wiedział, skąd się bierze to nowe cierpienie, nie było powierzchowne jak ból nóg, pochodziło z jakiejś głębszej części jego wnętrza.

Ruszył biegiem w stronę trasy przy rzece wezbranej z powodu odwilży. W powietrzu czuć było lato. Postać Iriny pojawiła się na jednym z zakrętów ścieżki, ale tym razem jej cień był szybszy. Janik przypomniał sobie, jak oddychała, miarowo i powoli; potem zmieniała tempo i jej oddech przyspieszał. Przypomniał sobie wyraz koncentracji na jej twarzy, wzrok wbity w jakiś daleki punkt na horyzoncie, kiedy poruszała rękami w tym samym tempie co nogami.

Prawa ręka przebywała trochę dłuższą drogę niż lewa. To było jedyne niedociągnięcie w jej niemal idealnym stylu. Lubił patrzeć na jej sylwetkę, kiedy go wyprzedzała. Na jej kucyk, długie nogi i małą pupę odznaczającą się przez legginsy. Zastanawiał się bez przerwy, na co umarła. Irina była młodą dziewczyną, której zależało na tym, żeby dobrze robić swoje. Nie opuszczała żadnego masażu, troszczyła się o zdrowe odżywianie do tego stopnia, że wyrzucała oliwki z sałatki w obawie, że dodadzą jej kilka kalorii. „Niewydolność serca", pomyślał. Próbował sobie przypomnieć, czy Irina skarżyła się kiedykolwiek na jakąś dolegliwość. Nigdy.

– Irino! – krzyknął głośno. – Żałuję, że nie powiedziałem ci, że cię kocham!

14

O 9:30 Frank Stone pożegnał się pocałunkiem w policzek z Jekateriną. Jego żona była zawodową rosyjską sportsmenką, do tego córką jednego z aparatczyków partii komunistycznej. Połączyła ich tak zwana miłość od pierwszego wejrzenia. Po kilku dniach podboju Frank zaproponował Jekaterinie, żeby dokończyła swoje studia na jednym z najbardziej renomowanych uniwersytetów Genewy; dzięki temu nie będą musieli się rozstawiać. Zgodziła się i rok później w Petersburgu wzięli ślub w obrządku prawosławnym. Kiedy schodził do garażu, poczuł lekkie ukłucie w łękotce prawego kolana. Przystanął na kilka sekund, a kiedy ból minął, ruszył dalej. Wsiadł do niebieskiego porsche 911 carrera, włączył silnik i wcisnął guzik pilota otwierającego bramę garażu. Mieszkał w nowoczesnym domu w kształcie litery „u" usytuowanym na lewym brzegu Jeziora Genewskiego, w Cologny, miasteczku liczącym niespełna pięć tysięcy mieszkańców. Wybrał to miejsce, bo znajdowało się zaledwie kilka kilometrów od międzynarodowego lotniska i niecałe półtorej godziny drogi samochodem od Les Diablerets, ale głównym powodem było, że miał stąd dziesięć minut piechotą do klubu golfowego.

Musiał się pospieszyć; umówił się na zagranie kilku dołków ze swoim najlepszym przyjacielem, a Hugo nie przywykł, żeby na kogokolwiek czekać.

Hugo miał tyle samo lat co Frank, choć jego bujne włosy, opalona skóra i wysportowane ciało sprawiały, że wyglądał młodziej. W świecie wielkiego biznesu był znany jako starszy syn prezesa koncernu farmaceutycznego Poche, a w towarzystwie jako wymarzona partia, której chętnie uczepiłaby się każda samotna kobieta. Pradziadek Hugona założył przedsiębiorstwo razem ze swoim wspólnikiem Carlem Maurerem, który na początku dwudziestego wieku dostał Nagrodę Nobla w dziedzinie chemii za badania nad łączeniem się atomów w molekuły. Od tamtej pory firma znacznie się rozwinęła, jeśli chodzi o rozmiary i zasięg interesów. Zaczęli handlować lekami na światową skalę. W końcu bojkot Niemiec w czasie drugiej wojny światowej sprawił, że poszli na dno. Jednak dzięki udanemu posunięciu jego dziadka, który zwiększył kapitał, i chemikom, którzy odkryli skuteczne leki, znów znaleźli się na szczycie. Teraz koncern liczył ponad pięćdziesiąt tysięcy pracowników i miał fabryki na czterech kontynentach.

Hugo odziedziczył po dziadku zdolności analityczne i niezłomność, dzięki której przez lata zdołał utrzymać wysoką pozycję w rywalizacji o fotel prezesa koncernu. Proces przekazywania władzy zamienił się w bieg długodystansowy. Z upływem czasu synowie właściciela zdali sobie sprawę, że starzec nie jest jeszcze skłonny do oddania sterów. Co prawda powierzał im coraz więcej obowiązków i pozwalał podejmować ważne decyzje, ale kiedy się z nimi nie zgadzał, traktował ich jak zwykłych pracowników. Hugo doskonale wiedział, co powinien robić: czekać na właściwy moment.

Ojciec Franka poznał ojca Hugona w Dodler Golf Club w Zurychu, gdzie ten pierwszy był zatrudniony jako pracownik obsługi. Jego uprzejmość nie umykała uwadze członków elitarnego klubu. Z czasem olbrzymia przepaść społeczna, jaka ich dzieliła, zaczęła się zmniejszać, aż w końcu niemal zupełnie zniknęła.

– Dlaczego nie przyprowadzisz tu swojego syna? – zapytał któregoś razu ojciec Hugona. – Organizowane są kursy golfa dla dzieci. Chcę zapisać mojego, a nie ma wystarczająco dużo chętnych. Wygląda na to, że niewielu ojców pragnie, żeby ich pociechy miały w przyszłości lepszy swing niż oni. Nie martw się o wpisowe, biorę to na siebie.

– Uważam, że to dobry pomysł, z wyjątkiem tego, żeby brał pan na siebie wpisowe – odparł z godnością ojciec Franka.

Kilka lat później to Frank Stone stał się obiecującym golfistą. Dopóki w dniu osiemnastych urodzin nie uszkodził sobie kręgosłupa podczas wypadku na motorze.

***

O 9:46 Frank zaparkował samochód na miejscu numer 73. Wyciągnął torbę z kijami golfowymi i zdecydowanym krokiem wszedł do klubu. Po wypadku myślał, że będzie mógł kontynuować swoją obiecującą karierę sportową, ale obrażenia sprawiły, że miał ograniczony zakres ruchu w stawach i jego swing już nie był taki sam jak wcześniej.

– Cześć – przywitał go Hugo.

– Przyniosłeś mi czekoladkę? – zapytał niecierpliwie Frank.

– Spokojnie, siadaj. Najpierw musimy porozmawiać o Korei. Zamówię ci kawę.

Frank zdjął białą kurtkę Lacoste'a i powiesił ją na oparciu krzesła. Miał na twarzy okulary przeciwsłoneczne – potrzebował ich tak samo jak tabletek, pomagały ukryć ból, kiedy był już tak silny, że wyciskał mu łzy. Odkąd lekarz pierwszy raz przepisał mu morfinę, nie mógł przestać jej brać. W rozmowach Hugo i Frank nazywali ją „czekoladką". Mogli wymyślić jakiekolwiek inne określenie, ale jak przystało na dwóch Szwajcarów, lepsze nie przyszło im do głowy.

– O czym chcesz rozmawiać? Mam wrażenie, że nieźle dziś oberwiesz – powiedział Frank zniecierpliwiony. Chciał jak najszybciej skończyć rozmowę i zacząć grać.

– Wiesz, że bardzo mi się podobała impreza, którą urządziłeś w Paryżu. Te dziewczyny były fantastyczne, ale następnym razem, jeśli to możliwe, niech będą młodsze. Po tylu latach znajomości nie muszę ci chyba przypominać o moich preferencjach – odpowiedział Hugo z sarkazmem.

Kelner przyniósł tacę z kawą i cukrem, a do tego cukierka i szklankę wody. Frank przez kilka sekund obserwował, jak kostka cukru rozpuszcza się w gorącym płynie, po czym podniósł głowę i powiedział z uśmiechem:

– Tak, tak, wiem, co cię kręci. Dziewczyny z Paryża, które tak ci się podobały, to sprawka Siergieja. Kiedy usłyszał, że tam będziemy, zaproponował, że się wszystkim zajmie.

– Bardzo kompetentne jak na modelki. Nie sądzisz? – zapytał Hugo podejrzliwie.

Frank upił kawy. Zastanowił się nad tym, co powiedział przyjaciel. Faktycznie to dziwne, żeby modelki były tak chętne, a tym bardziej żeby przejmowały inicjatywę w taki sposób, jak zrobiły to tamte.

– Dziewczyny Siergieja są dobrze wyszkolone. Widać, że sam je wybiera.

– Przygotowałeś coś na Daegu? – zapytał Hugo bez ogródek.

– Jasne, ale tym razem zorganizujemy to w naszym hotelu. Siergiej wszystkim się zajmie. Żadnego wychodzenia na miasto. Zarezerwowałem dwa apartamenty. Zaproszę Hernándeza i Emmanuela w podziękowaniu za przysługę, którą wyświadczyli naszym kandydującym przyjaciołom. Musimy zachowywać się jak dżentelmeni, prawda?

– Jesteś pewien? Po tym, jak BBC ujawniło aferę z łapówkami, to nie jest najlepszy moment, żeby zabierać ich na dziwki.

– Pozwól, że wezmę to na siebie. Nikt nie musi się dowiedzieć. Zresztą to nie dziwki, tylko usługa towarzyska, nie zapominaj o tym. A teraz daj mi wreszcie czekoladkę.

– Masz. Chodźmy się przebrać. Co powiesz na dziewięć dołków?

– W porządku, ale dziś daję ci tylko trzy uderzenia przewagi – powiedział Frank.

Wstał z krzesła, włożył kurtkę i schował morfinę do jednej z kieszeni.

– W takim razie na pewno mnie pokonasz. – Hugo się uśmiechnął.

– Niech będą cztery, ale jeśli wygram, wisisz mi przysługę.

15

Lekarz medycyny sądowej Laura Terraux była w dobrym humorze. Przywieźli jej nowy stół do sekcji zwłok, wykonany ze stali nierdzewnej, z zabudowaną podstawą i drzwiczkami rewizyjnymi, wyposażony w przyłącza wodne, kontakt i wodoszczelne gniazdko. W dodatku było w nim miejsce na hydroaspirator. Na blacie znajdowały się płaski oczkowy klucz, bateria prysznicowa z giętkim wężem, zlew i trzy perforowane wkłady pod ciało, dające się zdejmować i przesuwać. Istne cacko. Radość z przebywania w sali sekcyjnej wydała jej się nagle niedorzeczna. Rozejrzała się wokół. W pomieszczeniu nie było okien, sufit przecinały na całej długości świetlówki. Wyłożone białymi kafelkami ściany i pozostałe pięć stołów wgniecionych od częstego używania nie ożywiały tego miejsca pracy.

Jej pomocnik Julien pojawił się z pierwszymi zwłokami na ten dzień. Laura założyła gogle ochronne, zawiązała plastikowy fartuch, wcisnęła guzik nagrywania i wciągnęła rękawiczki. Zaczęła od zewnętrznych oględzin. Miała przed sobą starszego mężczyznę, który zginął potrącony przez samochód. Sprawdziła nazwisko i numer, pod jakim zarejestrowano go w kostnicy. Spostrzegła na jego ręku końcówkę wenflonu i wystającą z ust rurkę intubacyjną, pozostałości po próbie reanimacji. Przeczytała, że zmarł w szpitalu, musiało więc istnieć jakieś orzeczenie lekarskie. Przejrzała raport policyjny i znalazła to, co ją interesowało: doktor Renné opisała szczegółowo stan pacjenta po przywiezieniu go na ostry dyżur i jak on się zmieniał do momentu zgonu. Dołączyła zdjęcia rentgenowskie i tomogram klatki piersiowej. Laura oglądała je po kolei i przyczepiała do podświetlonych ekranów umieszczonych na ścianie przy stole sekcyjnym. Kiedy Julien etykietował pojemniki na próbki, sięgnęła po skalpel; mogła zaczynać.

Wyszła ze szpitala o szesnastej. Nie wiedziała, jakim cudem jej dzień pracy zawsze się przedłużał. Wsiadła do suzuki grand vitara z napędem na cztery koła. W drodze do domu zatrzymała się przy supermarkecie, żeby kupić kilka rzeczy. Pchała wózek, zastanawiając się, czego potrzebuje. Wzięła dwa kartony chudego mleka, torebkę z zupą w proszku, opakowanie szynki z indyka, banany, pomarańcze, pomidory i jajka. Zanim stanęła przy kasie, przeszła przez swój ulubiony dział; do wózka wpadły trzy tabliczki czekolady i paczka maślanych ciasteczek. Kilka osób czekało w kolejce. Sprawdziła godzinę. Niedługo miał się zacząć jej serial. Lubiła go oglądać przy jedzeniu. Zaczęła się niecierpliwić. Kopnięcie w kostkę sprawiło, że odwróciła głowę. Stojąca z tyłu dziewczyna przeprosiła ją nieśmiałym uśmiechem. W chuście zawiązanej na szyi miała niemowlę, które spokojnie ssało pierś matki. Laura przepuściła ją. Usłyszała odgłosy wydawane przez dziecko, poczuła jego zapach. W jej wnętrzu zaczęło się coś dziać. Czuła silny ucisk w piersiach, jakiś dyskomfort. Coraz częściej ją to ostatnio spotykało. Zmusiła się, żeby wolniej oddychać. Miała ochotę zapłakać, tak po prostu, nad samą sobą, bo nie znajdowała żadnego szczególnego powodu, który mógł wywołać u niej taki stan. Młoda matka głaskała niemowlę po główce, od czasu do czasu całowała je, zamykając oczy. Laura obserwowała tę scenę nieruchoma, jak zaczarowana. Wydawało jej się niesłychane, że pośród tych wszystkich przekarmionych paniuś, opryskliwych kasjerek oraz nastolatek żujących gumę i słuchających muzyki, która leciała na cały głos z ich słuchawek, można doświadczyć takiej chwili czułości i spokoju. Miała czterdzieści jeden lat. Chciała wiedzieć, co czuje ta matka. Zapragnęła nią być.

Wyszła z supermarketu, a po dotarciu do domu włączyła telewizor. Zdjęła żakiet i wlała wodę do miseczki, po czym wstawiła ją na półtorej minuty do mikrofalówki. Kiedy rozległ się dzwonek, otworzyła drzwiczki i wrzuciła do wrzątku zawartość torebki z rosołem z kury z makaronem. Pomieszała zupkę łyżką i postawiła miseczkę na tacy obok kanapki z tuńczykiem i pomidorem oraz szklanki z wodą. Usiadła na kanapie. Pomagając sobie stopą, zdjęła jeden but, potem powtórzyła tę samą czynność z drugim. Spróbowała zupy i westchnęła. Było jej dobrze, a serial dopiero się zaczynał.

Wyłączyła telewizor – znów nie będzie mogła się doczekać kolejnego odcinka. Umyła talerz i miskę, wyglądając z roztargnieniem przez okno w kuchni. Kiedy skończyła, wytarła ręce i wyszła tylnymi drzwiami na ganek. Zdziwiło ją, że jest tak ciepło. Stanęła boso na trawie. Popatrzyła na jedyne drzewo, ogromną wierzbę płaczącą. Położyła się pod gałęziami. Spojrzała w górę. Uznała, że nie ma lepszego cienia niż ten, jaki dają drzewa. W odróżnieniu od wszystkich innych jest jasny i pokrzepiający. Obserwowała, jak przed jej oczami tworzą się figury geometryczne, które zmieniają kształty niczym obrazy w kalejdoskopie. Wiosna, z jej młodymi listkami w kolorze fluorescencyjnej zieleni, miękkimi, przezroczystymi, przepuszczającymi nieśmiałe promienie światła, to najlepsza pora roku, żeby spędzać czas na zewnątrz. Zamknęła oczy, usłyszała bicie własnego serca. Czuła, że żyje, że jest silna. Wiele osiągnęła, więcej niż kiedykolwiek przypuszczała, że zdobędzie. Była naczelną lekarz medycyny sądowej, przed nią żadna kobieta nie zajmowała tego stanowiska. Otworzyła oczy i spojrzała na dom z białego drewna z czerwonymi oknami. Zobaczyła fotel bujany na ganku i wiszący na oparciu koc w żywych kolorach. Przypomniała sobie podróż do Meksyku, podczas której go kupiła. Poznała kraj, podróżując autostopem, bez pieniędzy. To było czyste szaleństwo. Uśmiechnęła się na wspomnienie tamtej wyprawy. Pomyślała o Mario, jego śmiechu, jego zawsze dobrym humorze; bardzo go kochała.

Wróciła do domu, przecięła salon i wyszła wyjąć pocztę ze skrzynki. Reklamy i wyciągi bankowe. Zamknęła żelazną furtkę i znów zanurzyła palce stóp w trawie ogrodu. Zostawiła listy na ganku, na stole z drewna tekowego. Stwierdziła, że nie brakuje jej towarzystwa mężczyzny, wiedziała, co to znaczy żyć z kimś, i szczerze mówiąc, lepiej jej było samej. Ale czuła ten ucisk w piersi. Dokuczał jej od jakiegoś czasu i nie znajdowała sposobu, żeby się go pozbyć. Nie oszukiwała się, słuchała swojego ciała, które krzyczało: „Musisz zostać matką”.

W poniedziałek o czternastej odebrali w kostnicy telefon z informacją o zgonie młodej dziewczyny. Konieczna była sekcja zwłok, by poznać przyczynę śmierci. Szpitalny dozorca przewiózł ciało z karetki i przekazał je Julienowi razem z dokumentami z sądu. Technik sprawdził, czy prawidłowo wpisano wszystkie dane. Przeczytał na opasce identyfikacyjnej: „Irina Pietrowa. Nr 73245. 28/02/1986".

Zobaczył notatkę lekarza o możliwej przyczynie zgonu, upewnił się, że nie ma mowy o szczególnych zagrożeniach jak żółtaczka czy HIV, i sprawdził, czy zezwolenie na pobranie próbek tkanek w celach terapeutycznych, edukacyjnych i naukowych zostało podpisane przez kogoś z rodziny zmarłej.

Po sprawdzeniu wszystkich dokumentów Julien wpisał do rejestru przyjęć kostnicy numer sekcji zwłok, dane osobowe, rodzaj autopsji i nazwisko lekarza, który miał ją przeprowadzić. W tym momencie się zawahał. Przejrzał grafik z dyżurami patomorfologów. Odszukał Laurę. Zobaczył, że ma już zaplanowane dwie inne sekcje. Pomyślał, żeby przydzielić ten przypadek Patrickowi, który zaczynał o piętnastej, ale natychmiast zrezygnował z tego pomysłu. Laura by go zabiła. Wiedział, że interesują ją tego rodzaju zgony; sam pomagał jej przy trzech takich sekcjach. Zdecydowanym krokiem przewiózł zwłoki z kostnicy do sali sekcyjnej.

Zaraz po wejściu zobaczył Laurę. Pracowała przy nowym stole. Zostawił wózek i powoli ruszył w jej stronę. Po drodze przywitał się z Henrym i z Honoré.

– Widziałeś wczorajszy mecz Lyon–Paris Saint-Germain? – zapytał go Henry.

Julien zatrzymał się przy stole u stóp mężczyzny w średnim wieku, bardzo chudego, o żółtawej skórze.

– Nie widziałem. Ale czytałem w gazecie o tym, co się stało.

– I co myślisz?

– Moim zdaniem powinien być karny i czerwona kartka. Sędzia się pomylił.

Honoré kończył zaszywać klatkę piersiową, Henry zaś wypełniał ligniną szyję nieboszczyka.

– Miałem rację – powiedział Honoré. – Żółta to za mało. Powinni go byli wyrzucić.

– Wy, kibice Lyonu, zawsze szukacie usprawiedliwień, kiedy przegrywacie – podsumował Henry i zaczął gwizdać; był w dobrym humorze.

Skończył z ligniną i zdjął rękawiczki. Julien patrzył, jak wściekły Honoré zaszywa szyję. Ze śmiechem zawiadomił przez interfon strażnika, że może zabrać ciało. Chciał pójść wcześnie do domu. Pożegnał się z kolegami i podszedł do Laury. W odróżnieniu od pozostałych przy jej stole zawsze panowała cisza. Przeprowadzała każdą sekcję w skupieniu, przez cały czas miała świadomość, jak ważne jest to, co robi, nie wspominając już o szacunku dla zmarłych. Julien lubił z nią pracować. Nie tylko motywowała go swoimi uwagami czy wnioskami, ale mógł się także dużo od niej nauczyć.

– Lauro, mogę z tobą chwilę porozmawiać? – zapytał cicho.

Nie usłyszała, była całkowicie pochłonięta pracą, musiał więc powtórzyć pytanie. Tym razem odwróciła głowę; jej twarz rozjaśniła się na jego widok.

– Co tu robisz? Nie miałeś masy papierów do uporządkowania?

– Są kolejne zwłoki. Młoda dziewczyna, sportsmenka, według wstępnego rozpoznania zmarła nagłą śmiercią.

Julien zobaczył, jak ciało lekarki sztywnieje. Jej uśmiech zniknął, a rysy się wyostrzyły.

– Nie oddawaj ich nikomu, są moje.

– Ale masz w grafiku kilka innych sekcji. Najrozsądniej byłoby zostawić je na popołudniowy dyżur.

– W żadnym razie – powiedziała Laura stanowczo. – Wpisz do grafiku, że ja się tym zajmę. Przesuń mniej pilne przypadki na popołudnie albo na jutro.

– Chcesz, żebym ci pomógł?

– Dziękuję, Julienie – odpowiedziała z ulgą. – Praktykant bardzo się stara, ale przydałby mi się technik z twoim doświadczeniem.

– W takim razie umyję ręce i zacznę przygotowywać zwłoki na stole numer pięć.

Praktykant Laury pojawił się ze słoikami z formaliną. Postawił je na sąsiednim stole i zabrał się za naklejanie etykietek. Kolejny raz przeprosił za wcześniejszy błąd. Julien zidentyfikował zwłoki i sprawdził, że odpowiadają opisowi. Ostrożnie ułożył ciało na stole w pozycji na wznak, rozebrał je i zakrył twarz oraz genitalia. Obok umieścił narzędzia, opisał słoiki z formaliną i probówki. Laura obserwowała go kątem oka. Kiedy zobaczyła, że zwłoki są gotowe, pospiesznie dokończyła sekcję, po czym zleciła praktykantowi, żeby włożył na miejsce żebra i zaszył ciało. Umyła ręce, wciągnęła nowe rękawiczki i przystąpiła do oględzin – jak przeczytała – Iriny Pietrowej. Obejrzała i obmacała całe zwłoki, od stóp do głów. Stojący po jej lewej stronie Julien przesuwał ciało i zapisywał dane w protokole.

– Jama nosowa wygląda normalnie, przegroda też. Pobierz próbki z nosa i z jamy ustnej. Obawiam się, że jeśli nie znajdziemy śladów narkotyków, to będzie szósta nagła śmierć w tym roku.

Julien spojrzał na nią zaniepokojony.

– Nadal uważasz, że to nie są naturalne zgony? – zapytał.

Laura przytaknęła, skoncentrowana.

– Za dużo zbiegów okoliczności. Coś nam umyka – powiedziała.

– Ale analiza próbek z poprzednich ciał dała negatywne wyniki.

Laura spojrzała na Juliena. Miał bujne jasne włosy, które teraz przykrywał czepek. Jego niebieskie oczy były ukryte za goglami. Patrząc na niego, często myślała o „Dawidzie" Michała Anioła. Chłopak odwrócił się, żeby wziąć strzykawki do pobrania i przechowania płynnych próbek. Laura zobaczyła fragment plemiennego tatuażu na jego karku; podobał jej się. „Za młody i za przystojny", pomyślała.

– Nie obchodzi mnie, co mówią w laboratorium. Jestem przekonana, że coś zabiło te dziewczyny – stwierdziła, wracając do rozmowy.

Wzięła skalpel i dokonała cięcia w kształcie litery „T", od lewego ramienia do prawego, poniżej obojczyków wzdłuż rękojeści mostka. Rozcięła ciało w połowie, prostopadle, omijając pępek, aż do spojenia łonowego. Potem uniosła trochę ścianę jamy brzusznej, żeby nie uszkodzić trzewi. Wreszcie wykonała poprzeczne cięcie w dolnej części brzucha. Julien zmierzył i zanotował grubość tkanki podskórnej na wysokości pępka, pobrał próbki mięśnia prostego przedniego i skóry, po czym włożył je do ponumerowanych słoików.

– A tak w ogóle to jak nowy? – zapytał, spoglądając na praktykanta, który zabierał do kostnicy zwłoki z poprzedniej sekcji.

– Strasznie zielony. Czasami wolę zrobić wszystko sama. Podczas porannej sekcji przeciął pierwsze żebro, destabilizując całą klatkę piersiową.

Julien wybuchnął śmiechem. Pomógł Laurze przesunąć przeponę od mostka w stronę żeber. Potem naciął skalpelem mięsień szyjny i wyjął obojczyk oraz pierwsze żebro.

– Na razie nic godnego uwagi. Nie ma zrostu opłucnej trzewnej i ściennej ani płynu w jamie osierdziowej.

Lekarka zbadała jamę brzuszną.

– Brak również zrostu w sieci otrzewnej.

Julien zanotował ilość płynu otrzewnowego i wysokość przepony. Laura z kolei zaczęła wyjmować organy z tułowia i brzucha. Pobrali próbki do analizy toksykologicznej. Lekarka wyciągnęła płuca i sprawdziła, czy arterie są czyste. Wyjęła serce, zważyła je i przecięła żyłę główną, szukając skrzepów, ale niczego nie znalazła.

– Nic – powiedziała rozczarowana. – Zbadam wnętrze serca, zobaczymy, co odkryję.

Julien przytaknął. Stał przy zlewie wmontowanym w stół i był skoncentrowany na dysekcji jelita grubego.

– Tu jesteś! – zawołała Laura.

Wewnątrz serca, w żyle głównej, był skrzep.

– No to mamy przyczynę – powiedział Julien.

– Taką samą jak u pozostałych dziewczyn. Wszystkie zmarły nagle i z tego samego powodu: masywny zator tętnicy płucnej, zawał mięśnia sercowego albo udar mózgu.

Młody pomocnik skinął głową i ponownie ułożył zwłoki na plecach. Sprawnie wykonał nacięcie skalpelem i zaczął ciąć czaszkę piłą tarczową. Rozdzielił palcami płaty czołowe obu półkul, delikatnie przyciągając je ku sobie. Wyciął rdzeń, żeby dotrzeć do szpiku i pobrać próbki. Laura zważyła mózg i sprawdziła tętnice szyjne.

– Wydaje się w porządku – stwierdziła.

W tym czasie Julien przeciągnął przez mózg nić, którą przymocował do krawędzi naczynia, tak że organ unosił się w formalinie.

– Uważaj – ostrzegła go Laura – praktykant zniekształcił wczoraj mózgowie, opierając je o ściankę słoika.

Julien przytaknął i schował mózg do hermetycznie zamykanego naczynia opatrzonego odpowiednią etykietką.

– Za piętnaście dni zobaczymy, co tu mamy – powiedział wesoło.

– Pomogę ci w rekonstrukcji zwłok – zaproponowała Laura.

– Nie trzeba, to moje zadanie.

– Nie ma mowy, wyświadczyłeś mi przysługę. Poza tym razem skończymy wcześniej.

Wysuszyli lub usunęli wszystkie płyny za pomocą czerpaka i hydroaspiratora. Wypchali ciało ligniną, żeby wyglądało jak najbardziej naturalnie, i przystąpili do rekonstrukcji zwłok. Włożyli żebra do klatki piersiowej i dodali więcej ligniny. Wypełnili czaszkę, dopasowali jej sklepienie do nacięć. Naciągnęli skórę na głowę, przyszyli ją, umyli włosy i uczesali je szczotką. Potem wpisali do rejestru próbki do badań histologicznych, Laura podała swoje dane i datę sekcji.

Gdy skończyli, zawiadomili strażnika, żeby zawiózł zwłoki do kostnicy, skąd miał je odebrać zakład pogrzebowy. Zdejmując rękawiczki i czepek, Laura obserwowała, jak dozorca dezynfekuje wszystkie narzędzia i stół. Z raportem z sekcji Iriny Pietrowej w dłoni ruszyła w stronę pryszniców. Wtedy przypomniała sobie o Thomasie Connorsie. Nie miała wątpliwości, że czas do niego zadzwonić.

16

Thomas patrzył na kocie ciało Claire zwinięte pośród białej pościeli. Zmęczony seksem, skierował wzrok na jej długie nogi. Była częściowo zasłonięta koszulą i koronkowym biustonoszem. Rozbierali się w pośpiechu, nagleni palącym, nienasyconym pożądaniem, łóżko przypominało więc teraz kłębowisko ubrań i pościeli. W tym momencie Claire poruszyła się leniwie, jakby w zwolnionym tempie. Wyglądało to na ćwiczoną tysiące razy choreografię, u niej jednak było czymś naturalnym: eleganckie ruchy dłoni, kiedy mówiła, ręce podnoszone w powietrze, jakby fruwała. Obróciła się w jego stronę i zmysłowo odsunęła kosmyk włosów ze swojej pięknej twarzy.

„Dlaczego jej nie kocham? Dlaczego mi jej nie brakuje, kiedy jestem daleko?", rozmyślał Thomas. Po pierwszych miesiącach fascynacji nowością i oczekiwania na seks jego uczucia się zablokowały, jakby uwięzione w żelaznej zbroi niepozwalającej im rosnąć. Claire była wesoła, tajemnicza, inteligentna, świetnie się z nią rozmawiało... Przypuszczał, że udany seks sprawiał, iż odkładali ostateczne rozstanie, i zastępował miłość, której nie potrafił poczuć.

– W sobotę są moje urodziny – powiedziała nagle, przekręcając się na brzuch.

– W takim razie będziemy musieli je uczcić. Masz jakiś pomysł?

– To raczej ty powinieneś coś wymyślić.

– Daj spokój, Claire, nie łączy nas tego rodzaju związek.

– Faktycznie, jak mogłam się nie zorientować? – zapytała, robiąc dołek w poduszce.

– Bez obietnic, bez zobowiązań, bez...

– Bez miłych gestów – przerwała.

– Jeśli chcesz to zdefiniować w ten sposób, w porządku – powiedział i ruszył w stronę łazienki.

– Chcę jechać do Barcelony.

– Słucham? – zawołał Thomas z niedowierzaniem, wychylając się z zza drzwi. – Do Barcelony w Hiszpanii, czy to jakiś nowy modny bar tutaj, w Lyonie?

Clare uśmiechnęła się z satysfakcją; zdołała przyciągnąć jego uwagę.

– Do miasta Barcelony. Mieszkałam tam przez kilka lat i mam wielką ochotę na weekendowy wypad. To tylko półtorej godziny samolotem. Poza tym są moje urodziny i to ja wybieram prezent.

– W porządku, ale mam bardzo ważny kongres w Genewie, więc będę musiał trochę popracować! Nie przeszkadza ci to? – zawołał Thomas spod prysznica.

– Bynajmniej, zorganizuję sobie jakieś atrakcje… – odpowiedziała zamyślona.

Barcelona powitała ich słonecznym, jasnym porankiem. Zostawili bagaże i ciepłe ubrania w hotelu, po czym Thomas zdał się na Claire i jej kaprysy.

– Żebyś nie narzekał, mam dla ciebie niespodziankę – oznajmiła z uśmiechem.

W Parku Cervantesa zwanym Ogrodem Zapachów dwa tysiące odmian róż rywalizowały pod względem urody i woni. Rosły w nim najmocniej pachnące okazy świata. Już od wejścia od alei La Diagonal zwiedzających witał ich aromat oraz posąg kobiety otoczony drzewami oliwnymi.

Thomas usiadł w cieniu lipy i z tego miejsca osłupiały oglądał klomby otoczone zadbanym trawnikiem, krzewy róż miniaturowych i zielonokwiatowych tworzące piękne kompozycje, niewielkie łuki pokryte pnączami…

Claire wiedziała o zamiłowaniu Thomasa do ogrodnictwa, jedynej miłości jego życia, pomyślała ze smutkiem. Spojrzała zafascynowana na jego twarz – siedział w milczeniu z szeroko otwartymi oczami, z uwagą kontemplując każdy łuk, każdy kwiat, każdy zakątek parku, jakby to miejsce kryło jakiś sekret. Miała wrażenie, że widzi w jego spojrzeniu coś dziecięcego, i to odkrycie, to oblicze Thomasa, którego do tej pory nie znała, sprawiło, że pociągał ją jeszcze bardziej.

– Nic nie powiesz? – zapytała, kiedy ruszyli w górę.

– Nie wiem, co powiedzieć, brak mi słów. Zamieszkam tutaj. Postawię dom przy azjatyckich różach, pod tym ogromnym ombu – powiedział, wskazując na drzewo.

– Chcesz, żebym cię zapytała, co to, do diabła, takiego.

– To olbrzymia trawa...

– Nie żartuj! – przerwała mu Claire. – Przecież ma pień i co najmniej dziesięć metrów wysokości.

– Tak, ale nie ma słojów, i jak widzisz, pień jest zielony i bardzo wilgotny. Jego drewno nie nadaje się na opał ani do wycinki, ale jak żadne inne drzewo chroni przed burzami i upałem.

– Zasadzę takie przy domu.

– Korzenie natychmiast by ci go zniszczyły. Bardzo szybko rośnie.

Zanim dotarli do ulicy Ronda de Dalt, usiedli na ławce pod dużą pergolą pełną pnących róż. Mogli stamtąd podziwiać ogród i mieli wspaniały widok na Barcelonę.

– Jak długo tu mieszkałaś? – zapytał nagle Thomas.

– Cztery lata. Mój ówczesny facet był bardzo przystojnym Portugalczykiem, pasjonatem historii i sztuki. Gdybym kazała mu wybierać między rozmową z Gaudim a szczęśliwym życiem ze mną, zapewniam cię, że wybrałby to pierwsze. Wytrzymałam z nim trzy lata. Jaka byłam głupia! To stracony czas – powiedziała z goryczą, zdrapując resztki czerwonego lakieru z paznokcia środkowego palca.

– Co robiłaś potem? – chciał wiedzieć Thomas.

– Myślałam, że nasz związek nie należy do tych, w których zdradza się swoje sekrety.

– *Touché* – przyznał z rozbawieniem.

– Chodźmy, pora na obiad. Pokażę ci dzielnicę, w której mieszkałam, El Poble Sec.

– Co znaczy...

– Sucha osada.

– Ciekawa nazwa.

– Zdaniem jednych wzięła się stąd, że do połowy dziewiętnastego wieku nie było tam studni; inni przypisują ją dużej ilości barów i winnic.

111

– Skrajnie odmienne teorie…

– Fakt. Na tym właśnie polega urok tej dzielnicy. Każdy zakątek ma swoją historię, a to miłosną, a to związaną z walką robotników – wyjaśniła Claire z entuzjazmem. – Wyobrażasz sobie to miejsce w latach czterdziestych? Spójrz, jak jest położone: u stóp wzgórza Montjuïc, gdzie się znajdował żydowski cmentarz, kończy się w porcie, a ta aleja, Paral·lel, stanowi granicę z Raval, dawniej dzielnicą domów publicznych, kabaretów, teatrów, kawiarni muzycznych… Coś jakby kataloński Broadway, a wszystko to wymieszane z klimatem portu i robotniczych ulic.

– Wygląda jak wzięte z *film noir*.

– Właśnie, ale bez snobizmu. To była dzielnica ubogich rodzin i anarchistów. Hiszpańska wojna domowa siała tu straszne spustoszenia. Wybudowano ponad tysiąc schronów, żeby ludność cywilna mogła się ukryć podczas bombardowań.

Thomas kiwnął głową, zachwycony. Poble Sec wydało mu się fascynujące, przekrzykujący się ludzie, starcy z papierosami w dłoni, którzy rozmawiali w małych grupkach albo siedzieli na ławkach, wygrzewając kości w południowym słońcu. Przeszli wąskimi, pnącymi się stromo uliczkami, pod zaimprowizowanymi dachami ze sznurków zbyt obciążonych praniem. Chwilami miał uczucie klaustrofobii, ale wtedy za zakrętem pojawiał się jakiś przestronny placyk pełen gołębi i dzieci na rowerach.

– Nie zgubimy się? Wiesz, którędy iść? – zapytał nieufnie.

Claire uśmiechnęła się i chwyciła go za rękę.

– To jak labirynt Minotaura. Ja jestem Tezeuszem i mam nić, dzięki której cię wyprowadzę.

Kontakt z dłonią Claire przeszkadzał mu, ograniczał jego ruchy. Thomas czuł się tak, jakby miał przyklejoną do ręki kartkę papieru; czekał na okazję, żeby się uwolnić. Claire natomiast nie wyglądała na skrępowaną, zachowywała się w naturalny sposób; chwyciła go nawet mocniej, korzystając z tego, że akurat skręcali.

– Już dotarliśmy. Restauracja Can Margarit jest tu od zawsze.

Lokal był pełen ludzi, którzy głośno rozmawiali. Pospolita, stara tawerna. Thomas czuł się w niej niezręcznie.

– Będziemy tu jedli?

Claire nie odpowiedziała na to pytanie. Kiedy czekali na stolik, podała mu kieliszek wina, który napełniła wprost z kranika jednej z wiszących na ścianie beczek. Thomas przyjął go szczęśliwy, że wreszcie puściła jego rękę.

– Pij i baw się dobrze. To rozkaz! – zawołała Claire, podnosząc głos. – Pamiętaj, że to moje urodziny.

Obiad był przepyszny, jedli ślimaki, olbrzymie porcje królika z przyprawami i czosnkiem oraz szaszłyki cielęce. Kiedy skończyli, Thomas postanowił wrócić do hotelu, chciał trochę popracować przed zaplanowanym na wieczór spektaklem w El Molino. Złapał taksówkę, Claire zaś wybrała plażę, zdecydowana w pełni wykorzystać ładną pogodę.

– Zadzwoń do mnie, kiedy będziesz miał ochotę – powiedziała na pożegnanie i pocałowała go w policzek.

W hotelu Thomas wziął prysznic i położył się w szlafroku na łóżku. Włączył laptopa i usiadł, opierając plecy o zagłówek. Jednak nie był w stanie się skupić. Najpierw pomyślał, że to z powodu złej pozycji, podłożył więc sobie pod plecy dwie miękkie poduszki; potem usiadł na krześle przy biurku, ale nadal było mu niewygodnie. Wrócił na łóżko – poduszki wylądowały na podłodze, a on wpatrywał się w smugi wpadającego przez okno światła. Nagle wydało mu się śmieszne, że siedzi zamknięty w hotelowym pokoju, podczas gdy po drugiej stronie ściany aleja Paral·lel kusiła gwarem.

Włożył dżinsy i białą koszulę, na wypadek gdyby się ochłodziło, zabrał ze sobą ciemną marynarkę. Zadzwonił do Claire, ale było zajęte. Wysłał jej SMS-a i wyszedł na ulicę z planem miasta; miał ochotę pozwiedzać Barcelonę na własną rękę. Wyminął tłum, który czekał przed Teatrem Apolo na pierwsze przedstawienie. Przeciął ulicę i w mgnieniu oka znalazł się w innym świecie. Jakiś chłopak w słuchawkach na uszach wręczył mu ulotkę reklamującą szeroki wybór orientalnych masaży. W oddali dostrzegł stare kominy fabryk, które przetrwały bombardowania wojny domowej. Odwiedził Mercat de les Flors, budynek z okresu *novecentisme* powiększony o kopułę, dzieło Miquela Barceló, zszedł schodami prowadzącymi do opuszczonych ruin pokrytych bluszczem, wspiął się po stromym zboczu, aż wreszcie wpadł na drzewo na końcu ślepej uliczki.

Niedaleko od tego miejsca zobaczył wystawę sklepu jubilerskiego. Jego uwagę zwróciły ładne kolczyki w kolorze niebieskim, przypominającym oczy Claire. Bez zastanowienia wcisnął dzwonek, żeby mu otworzono.

– *Bon días* – powiedział, mieszając hiszpański z katalońskim.

– *Puc ajudar-lo amb alguna cosa? Ha visto algo que le guste? English?* – zapytała elegancka kobieta w średnim wieku, zorientowawszy się, że Thomas nie rozumie ani katalońskiego, ani hiszpańskiego.

– Chciałbym, żeby pokazała mi pani te kolczyki z niebieskim kamieniem, które są na wystawie – powiedział Thomas po angielsku.

– Ach, szafiry, bardzo dobry wybór. Proszę zaczekać, aż wyjmę je i pokażę panu w pełnym świetle.

Były to długie kolczyki w kształcie łzy wykończonej w górnej części szafirem i przytwierdzonej do małego diamentu.

– Są przepiękne. Szafir dodaje barwy biżuterii. Idealne do noszenia na co dzień albo na specjalne okazje – wyjaśniała z uśmiechem jubilerka. – Szafir symbolizuje prawdę, szczerość i wierność w związkach.

Thomas zaśmiał się w duchu. Co za ironia, może lepiej było porzucić ten pomysł i kupić ozdobę z innym kamieniem?

Kiedy wkładał pudełeczko do kieszeni marynarki, zadzwoniła jego komórka. Claire. Była w pokoju, nie zauważyła SMS-a. Tak czy inaczej musiała wziąć prysznic i wyszykować się na barcelońską noc. Thomas z ociąganiem poszukał taksówki, która odwiozła go do hotelu.

W drodze czuł w kieszeni pudełko. Nie wiedział, czy dobrze zrobił, czy też dał się ponieść emocjom, nie myśląc zbytnio o konsekwencjach. Nie wiedział, jak Claire zinterpretuje ten prezent. Może był zbyt formalny, może zasugeruje coś, co w żadnym wypadku nie było prawdą. Czyżby nieświadomie starał się zrobić krok naprzód w ich związku? A może czuł się winny, że jej nie kocha? Patrzył przez szybę na obejmujące się pary, inne, które szły za rękę, na matki pchające wózki z niemowlętami... Czy chciał tego w swoim życiu? A jeśli tak, czy Claire była częścią tego pragnienia? Nagle przypomniał sobie Unę, medale wiszące na ścianie jej pokoju, zdjęcia, na których zawsze się uśmiechała. To on zabrał jej rzeczy podczas krótkiego pobytu w Les Diablerets, on oglądał jej najbardziej osobiste przedmioty. Teraz leżały schowane w kilku anonimowych kartonach w piwnicy jego domu. Jedno życie przerwane, a drugie zrujnowane – życie Maire. „Dlaczego taka myśl zaświtała mi w głowie w ten słoneczny dzień, ot tak, bez uprzedzenia?", zapytał sam siebie ze złością. Co miał zrobić, żeby o nich zapomnieć? Ostatnio, choć próbował myśleć o czymś innym, ich kłopotliwe wspomnienie czyhało, żeby pojawić się w najmniej odpowiednim momencie. „Jak teraz", westchnął. Wydało mu się śmieszne, że nie potrafi kontrolować tych doznań, czegoś zbliżonego do... poczucia winy. Słowo to rozbłysło w jego głowie niczym neonowa reklama. Ale jakiej winy?

Z ulgą zobaczył, że taksówka dojeżdża do celu, i zły na siebie wyrzucił do śmieci tę ostatnią myśl, gotów cieszyć się słońcem, pięknem i barcelońską nocą.

Kiedy wszedł do pokoju, Claire suszyła włosy. Słysząc odgłos otwieranych drzwi, podbiegła, żeby się do niego przytulić.

– Spędziłam fantastyczne popołudnie. Morska bryza, promienie słońca, szczęśliwi ludzie. Wcale za tobą nie tęskniłam.

– To dobrze, bo ja za tobą też nie. Chociaż teraz, kiedy widzę cię nagą, muszę przyznać, że nie można ci się oprzeć.

Rzucił ją na łóżko i zaczął całować jej piersi.

– Posłuchaj, dlaczego zgodziłeś się przyjechać ze mną do Barcelony?

– Z powodu seksu. Nie wyobrażałem sobie całego weekendu bez ciebie.

– To mi pochlebia. Mogę powiedzieć to samo, ale może jest jakiś inny powód, powiedzmy, trochę bardziej romantyczny? – zapytała Claire urażona, uwalniając się z jego objęć.

– Mówisz poważnie? Co z tobą?

– Nie wiem. Może chcę romantycznych kolacji ze świecami, muzyką, pocałunkami i tak dalej.

Thomas wstał, Claire patrzyła na niego, siedząc na łóżku.

– Co masz na myśli, mówiąc „może"? Że o tym myślałaś, że tego pragniesz, czy że nie chcesz tego tak dalej ciągnąć?

Claire spojrzała na niego uważnie i nie spodobało jej się to, co zobaczyła. Było oczywiste, że Thomas nie chce związku innego rodzaju. Nagle przestraszyła się, że go straci.

– Nic, nie zwracaj na mnie uwagi, przechodzę akurat owulację i trochę mi odbija, ale jestem też strasznie napalona – szepnęła zmysłowo. Podeszła do niego i rozpięła mu guzik spodni.

Thomas chciał ją powstrzymać i zapytać, czy jest pewna, że jej nagłe pragnienia są przypadkowe, czy też chodzi o coś przemyślanego. Ale sam nie był do końca przekonany, czy chce znać odpowiedź, wiedzieć, jak daleko sięgają tak naprawdę jej uczucia. Jak zawsze seks przesłonił niewygodny problem. Teraz Thomas wiedział już, że kolczyki pozostaną w kieszeni jego marynarki.

17

Boeing 777 linii lotniczych Korean Air lecący do Daegu wystartował z międzynarodowego lotniska w Zurychu o 21:35. Frank i Hugo siedzieli w pierwszej klasie i rozmawiali o swoich sprawach, kiedy zapaliło się światełko sygnalizujące, że manewr startu został zakończony. Hugo od jakiegoś czasu nie spuszczał wzroku z jednej ze stewardes. Za każdym razem, kiedy widział atrakcyjną dziewczynę, nie potrafił się powstrzymać, żeby nie wyobrazić jej sobie, jak stoi przed nim w bieliźnie i szpilkach. Kobieta miała góra dwadzieścia pięć lat. Od razu zauważył jej zgrabne nogi, w szczególności kształtne łydki. Lubił nogi kobiet tak samo jak ich piersi. Podeszła, żeby zaproponować im coś do picia. Hugo zamówił whisky. Mógł zobaczyć z bliska jej twarz, na której uwagę przyciągały zwłaszcza niebieskie oczy podkreślone makijażem. Miała śliczny nos i bardzo ładny uśmiech. Chętnie zaprosiłby ją na kolację, ale miał inne plany, które z pewnością by się jej nie spodobały.

Dotarli do hotelu Inter Burgo po dziesiątej w nocy. Podróż była długa, z międzylądowaniem w Seulu, czuli się więc zmęczeni. Podzielili między siebie apartamenty na ostatnim piętrze. Zaraz po wejściu do pokoju Frank podszedł do wielkiego okna zajmującego całą ścianę. Białe punkty latarni ulicznych widziane z tej wysokości wiły się niczym wąż, oświetlając koryto rzeki.

Mistrzostwa zaczynały się nazajutrz. Ceremonia zamknięcia była przewidziana na 4 września. Dziewięć dni oglądania jednego z najlepszych widowisk na świecie. Frank zorganizował sobie czas w taki sposób, żeby popołudniami nie mieć żadnych zobowiązań, chyba że któraś z jego czołowych lekkoatletek poprosiłaby go o pomoc, wtedy pora byłaby bez znaczenia. Wyrobił sobie szósty zmysł, jeśli chodzi o obchodzenie się ze sportsmenkami z najwyższej półki. Widział, jak zdobywały sławę dzięki prasie i fanom, jak zmieniała się wtedy ich osobowość, jak upadały pod naporem nowych wartości. On musiał przygotować je na ten moment. Wiele z jego lekkoatletek było wzorem dla sportowców z całego świata. Cieszyły się poparciem głów państw i wpływowych ludzi. Podpisywały wielomilionowe kontrakty albo pojawiały się w telewizji obok gwiazd z innych dyscyplin, reklamując marki strojów sportowych czy samochodów. Ich zdjęcia trafiały na okładki magazynów o modzie i plotkarskich czasopism. To dawało im sławę i pieniądze, ale też rozdymało ich ego. Najbardziej oczywistą konsekwencją tego stanu rzeczy była niezdolność do zaakceptowania porażki i obarczanie wszystkich innych winą za swoją niemoc. To był teren, po którym poruszał się Frank. Widział, jak jego ojciec radził sobie z wpływowymi członkami klubu golfowego, z których wielu przywykło do traktowania innych z pogardą, i nauczył się od niego tej sztuki. Dlatego był jednym z najlepszych menedżerów, wiedział, co ma robić i mówić, kiedy którejś z jego lekkoatletek puszczały nerwy.

Nazajutrz, po ceremonii otwarcia, w VIP-owskiej części parkingu na niego i na Hugona czekał samochód. Kiedy Frank wsiadł do niego, zobaczył, że kierowcą jest jeden z zaufanych ludzi Siergieja. Rosjanin zarobił dużo pieniędzy na Costa del Sol; najpierw dzięki nocnym klubom, potem w branży nieruchomości. W momencie gdy interesy szły mu jak nigdy wcześniej, do Malagi przybył młody sędzia, który nie zamierzał brać łapówek. Siergiej musiał szybko zostawić nielegalne inwestycje i wrócić do swojego kraju. To tam poznał Franka, który opowiedział mu o pomyśle Hugona na wprowadzenie jego firmy na rosyjski rynek. Już wkrótce mieli osiągnąć cel. Ojciec Hugona próbował zrobić to od ponad dwudziestu lat, bez powodzenia. Hugo wiedział, że jeśli jemu się uda, ostatecznie zdobędzie zaufanie ojca. Ekscytowała go już sama myśl o tym sukcesie.

Kierowca dojechał do części mieszkalnej miasta Daegu. Zatrzymał auto przed jednopiętrowym domem. Otworzyła się duża brama. Na ganku czekał na nich Siergiej.

– Jak ceremonia? – zapytał.

Hugo uścisnął mu rękę i pozwolił, by odpowiedział Frank.

– Wspaniała. Tutejsza kultura zawsze zaskakuje mieszanką tradycji i nowoczesności. Widowisko pełne ludzi i…

– Widowiskiem jest to, co sprowadziłem dla was ze wschodu Rosji – przerwał Siergiej. – Wejdźmy do środka, sami się przekonacie.

– Na co czekasz? – krzyknął do kierowcy. – Jedź po tych z komitetu!

Siergiej wprowadził ich do domu. Dotarli korytarzem do dużego salonu. Większość dziewczyn siedziała albo opierała się o fotele, ubrana w niesamowite suknie wieczorowe podkreślające zaprojektowane skalpelem piersi. Frankowi skojarzyły się z aktorkami, które pozują dla prasy w dniu premiery filmu. Hugo stanął wpatrzony w to, co miał przed oczami – dziewczyny były piękne i bardzo młode. Zwrócił uwagę na dwie Rosjanki z białymi bransoletkami zarezerwowane dla Hernándeza i Emmanuela.

– Podobają wam się? – zapytał Siergiej.

Podszedł do jednej z dziewczyn i chwycił ją za pupę.

– Sprawdźcie, jaka jest twarda. Choć muszę przyznać, że nie tak jak u twoich lekkoatletek, co nie, Frank?

Frank nie odpowiedział. Nie podobały mu się maniery Siergieja. Uważał go za okrutnika. Traktował swoich pracowników tak samo jak swoich wrogów. Wiedział, że nie miał łatwego życia, ale to nie usprawiedliwiało jego metod.

Siergiej urodził się w biednej rodzinie. Matka zmarła, kiedy przyszedł na świat. Ojciec pracował w rafinerii daleko od wsi, więc dzieckiem zaopiekowała się babka. Z czasem przestał przysyłać im pieniądze. Jeśli pojawiał się w domu w czasie urlopu, to wyłącznie dlatego, że został bez kasy i nie miał dokąd pójść. Chodził pijany i przeklinał godzinę, w której urodził się jego syn. Siergiej rzucił szkołę i zaczął kraść części do motocykli, które potem sprzedawał. Po jakimś czasie razem z innymi chłopcami z wioski zastąpili kradzież części ograbianiem domów z biżuterii i pieniędzy. Którejś nocy zatrzymała go policja zaalarmowana przez sąsiadów. Kiedy sędzia zapytał, kto się nim opiekuje, Siergiej odpowiedział, że nie ma bliskich. Wysłali go do zakładu wychowawczego oddalonego o ponad dwa tysiące kilometrów od rodzinnej wsi. Spędził pięć lat w jego murach. Obowiązująca tam dyscyplina była godna pułku rosyjskiej armii. Wstawali o szóstej rano, ścielili łóżka i wychodzili na apel w samej bieliźnie, zimą przy ujemnych temperaturach. Potem przystępowali do codziennych zajęć: mycia podłóg w pawilonach, przygotowywania posiłków, pracy na polu czy składania części wyposażenia wojskowego. Tam nauczył się, że należy sobie zapewnić respekt.

– Moje lekkoatletki to nie dziwki – odpowiedział Frank urażony.

– Jasne, jasne! To, że nie idą do łóżka z tobą, nie znaczy, że nie robią tego z innymi.

– Przypominam ci, że moja żona jest Rosjanką i że była lekkoatletką – odparł ze złością.

– Coś mi o tym wiadomo, ale to teraz bez znaczenia. Pochodzisz z innej kultury, w której obowiązują inne zasady, a ludzie nie chodzą głodni. Nie bierz tego do siebie.

– Tak, wiem – odpowiedział Frank zakłopotany.

– No co ty, stary, nie obrażaj się. Spójrz, co za dziewczyny. Przywiozłem je z Władywostoku. Dziewięć na dziesięć.

Hugo, który przysłuchiwał się rozmowie, chwycił Franka za ramię i podprowadził go do fotela.

– Popatrz na tę, tę, która ma białą bransoletkę. Nie powiesz mi, że nie jest śliczna.

– Tak, tak, widzę – powiedział Frank, spoglądając w przeciwną stronę.

– Wszystko w porządku? Znowu masz bóle? – zapytał Hugo.

– Nie, to nic takiego. To moja sprawa.

– Wziąłeś swoją dawkę morfiny?

Frank wstał, nie patrząc na przyjaciela, i poszedł po coś do jedzenia. Hugo zawołał dziewczynę z bransoletką. Przybliżyła się i usiadła przy nim na kanapie.

– Dla mnie Manhattan – zawołał do kelnera z drugiego końca sali. – A ty, ślicznotko, napijesz się czegoś?

– Mocna Bloody Mary.

– Lubisz wódkę?

– Nie, sok pomidorowy – odpowiedziała dziewczyna słabą angielszczyzną.

– Nie przesadzaj z alkoholem, tej nocy będziesz ze mną, chcę cię w dobrej formie.

Wyraz twarzy dziewczyny uległ zmianie. Siergiej wybrał ją dla Hernándeza i Emmanuela. Nie mogła się sprzeciwić szefowi.

– Nie rób takiej miny, ślicznotko. Jak się nazywasz? – zapytał Hugo.

– Teresa.

Hugo podejrzewał, że to nie jest jej prawdziwe imię, ale było mu wszystko jedno. Zamierzał spędzić z nią całą noc.

– Jest jedna sprawa: kiedy będziemy razem, nie opowiadaj mi swojego życia, bo nic mnie ono nie obchodzi. Nie zamierzam cię ratować ani dawać ci pieniędzy.

Hugo był zimny i wyrachowany wobec kobiet. Mówił im, że jest żonaty, ma dzieci i że oczywiście kocha do szaleństwa swoją rodzinę. To wystarczało, żeby dziewczyny zostawiały go w spokoju. Wiedział, że wielu z nich pilnują mafie i że jedynym sposobem wyplątania się z ich sieci jest spłata długów dzięki pieniądzom bogatego klienta, ale jemu zależało wyłącznie na seksie. Pragnienie, żeby je posiąść, było silniejsze niż wszelkie zasady moralne.

Wszystko zaczęło się w liceum. Kiedy dojrzał, odkrył przyjemność chodzenia do łóżka z kilkoma dziewczynami w tygodniu. Wiedział na pewno, że nie chce spędzić reszty życia u boku jednej kobiety. W wieku dwudziestu lat zaczął umawiać się z młodziutkimi studentkami, które płaciły za studia, sprzedając swoje ciała. Przysporzyło mu to niemało kłopotów. Studentki szybko się w nim zadurzały. Rozwiązał ten problem, zastępując je bardziej profesjonalnymi prostytutkami.

– Porozmawiam z Siergiejem i damy tę bransoletkę innej.

– A pieniądze? – zapytała zmartwiona.

– Pieniędzmi się nie przejmuj – odpowiedział Hugo. – Spędzisz tę noc ze mną i będziesz zadowolona z zamiany. Sama zobaczysz, kiedy ci dwaj pojawią się w drzwiach. Teraz daj mi bransoletkę, wszystkim się zajmę.

Hugo postawił szklankę na fotelu, zdjął jej z ręki opaskę i poszedł porozmawiać z Siergiejem. Kilka minut później Rosjanin założył ją innej dziewczynie. Hugo wrócił do Teresy.

– Załatwione. A teraz powiedz mi, ile masz lat.

W tym momencie kierowca przyprowadził Hernándeza i Emmanuela. Frank wstał z kanapy i wyszedł im na spotkanie.

– Witam!

– Dlaczego nie pojechaliśmy prosto do hotelu, tak jak było uzgodnione? – zapytał Hernández.

– Zmiana planów.

Członkowie komitetu wymienili spojrzenia, zaskoczeni. Hugo stanowczo położył dłoń na udzie Teresy. Miał ochotę zaszyć się z nią w jednym z pokoi i posłać resztę towarzystwa do diabła. Dziewczyny zostały w salonie, rozmawiały, podjadając zimne przekąski, podczas gdy mężczyźni spożywali kolację w sąsiednim pomieszczeniu. Siergiej zamówił ją w restauracji, nie lubił, kiedy ktokolwiek obcy był świadkiem organizowanych przez niego imprez.

– A teraz czas na desery – ogłosił gospodarz z uśmiechem.

Otworzyły się przesuwane drzwi oddzielające salon od jadalni. Dziewczyny paradowały jedna za drugą, zrzucając po drodze ubrania. Zmysłowym krokiem podchodziły do mężczyzn. Hugo nie spuszczał oczu z Teresy, jej ciało błyszczało niczym u syreny właśnie wyciągniętej z wody.

18

Thomas oglądał zdjęcie, które znalazł wśród listów i gazetowych wycinków Uny. Przypomniał sobie moment, w którym mu je zrobiono. Zanosiło się na dobrą pogodę, najbliżsi sąsiedzi przyszli więc na łąkę, żeby skosić trawę, która urosła przez wiosnę. Thomas dobrze radził sobie z kosą. Była to ciężka robota, ale ją lubił. Nigdy nie myślał o innym sposobie zarabiania na życie niż praca w polu. Widział wokół siebie wielkie połacie pastwisk i ogrom tego, co zostało jeszcze do zrobienia. Słońce, ciepło, a u jego boku Maire roztrząsająca widłami trawę, którą on skosił. W porze posiłku Albert zrobił im zdjęcie. Siedzieli na ziemi, pod drzewem. Maire opierała się plecami o jego piersi, a Thomas obejmował ją ramionami i trzymał brodę na jej prawym ramieniu. Oboje się uśmiechali.

Schował zdjęcie do pudła i zniósł je do piwnicy. Liczył na to, że któregoś dnia Maire poprosi go o rzeczy Uny. Zamknął drzwi na klucz i pokonał schodami cztery piętra prowadzące na poddasze. Zdjął buty i przeszedł się po mieszkaniu boso. Sprawdził godzinę, była dopiero osiemnasta; postanowił trochę popracować. Nalał sobie kieliszek wina, ukroił kawałek sera i usiadł na zewnątrz, na tarasie. Postawił komputer na stole i na chwilę zamknął oczy. Doleciał go zapach geranium, goździków, niecierpków i krzewów różanych, które pięły się po ścianie z lewej strony. Po prawej, w cieniu, zasadził cyklameny, fuksje, begonie i hortensje. Zauważył, że zaczynają kwitnąć stokrotki. Spojrzał na słońce, dopiero za dwie godziny będzie mógł zacząć podlewanie. To był jego ulubiony moment dnia, kiedy woń kwiatów mieszała się z zapachem mokrej ziemi; przypominał mu dzieciństwo w Irlandii.

Po ósmej wysłał ostatniego maila i wyłączył komputer. Sprawdził, że cały taras jest w cieniu, i stwierdził, że może wreszcie podlać swój bujny miejski ogród. Poobrywał uschnięte liście i ściął zwiędłe kwiaty. Wszedł boso do salonu. Dopiero wtedy zdał sobie sprawę, że ma zabłocone stopy – zostawił ślady na parkiecie. Lupe zabije go wzrokiem, kiedy przyjdzie. Wolał je sam wyczyścić, niż znosić jej pełne wyrzutu spojrzenie. Wziął szybki prysznic, włożył spodnie od garnituru i białą koszulę. Claire czekała na niego w Bang, elitarnym klubie niedaleko Dijon.

Od pobytu w Barcelonie postanowił być bardziej ostrożny w relacjach z Claire. Była dla niego doskonałą partnerką pod warunkiem, że nic się między nimi nie zmieni. Podróż do Irlandii wstrząsnęła nim bardziej, niż przypuszczał, nie potrzebował dodatkowo komplikować sobie życia. Jednak wciąż myślał o kolczykach, które kupił w Barcelonie. Wydawało mu się, że byłoby nie w porządku, gdyby je zachował albo podarował innej osobie; należały do Claire. Zaryzykuje i da je tej nocy. Miał nadzieję, że ona nie przywiąże zbytniej wagi do tego prezentu. Prowadził powoli, rozkoszując się ostatnimi promieniami słońca. W radiu leciała piosenka Niny Simone, jej ciepły głos otulał go jak uścisk.

Kiedy dotarł na miejsce, było już ciemno. Pokazał strażnikowi przy bramie dokument tożsamości. Mężczyzna sprawdził w komputerze, czy Thomas figuruje na liście gości, a co najważniejsze, czy ktoś mu towarzyszy. Zainkasował siedemdziesiąt euro za wstęp (w cenę wliczono cztery drinki) i otworzył szlaban. Thomas zobaczył na parkingu kilka ferrari i astonów martinów. Na tarasie stały z kieliszkami kobiety obwieszone biżuterią, w mini, spod których wystawała im połowa pośladków. Większość miała na sobie stroje z przezroczystego szyfonu albo jedynie wyszukaną bieliznę. Zobaczył kilka w samych stringach i naszyjnikach. Ciepła noc zachęcała, by cieszyć się życiem i seksem. Kobiety wyglądały na zachwycone swoją rolą przedmiotów pożądania. Lubiły, by mężowie albo partnerzy obnosili się z nimi, jakby wyprowadzali na spacer drogiego pieska. Tego wieczoru przyszło sporo panów po pięćdziesiątce w towarzystwie oszałamiających blondynek. Przechadzając się po tarasach, Thomas naliczył kilkanaście takich par. Wiedział z doświadczenia, że w nocy wszystkie te Marilyn zostaną pożarte przez młode lwy.

Wyciągnął komórkę i zadzwonił do Claire.

– Cześć. Gdzie jesteś?

– Fatalnie cię słyszę. Gdzie ty jesteś?

– Przed głównym tarasem.

– Ja w salonie. Idę do ciebie.

W drodze do głównego budynku minął kobietę ubraną w czarny skórzany kombinezon odsłaniający piersi i pośladki; prowadziła na smyczy mężczyznę. Thomas nie mógł powstrzymać uśmiechu. Nigdy nie przypuszczał, że istnieje taki świat, a tym bardziej że kiedyś on będzie stanowił jego część. Gdy rok wcześniej Claire wprowadziła go do środowiska swingersów w Cap d'Adge, wydawało mu się, że to science fiction. Wiedział, że jedną z rzeczy, które łączą go z Claire, jest seks i dobra zabawa, jaką zapewniało jej towarzystwo.

Czekała na niego na szczycie schodów. Miała na sobie sandałki na szpilkach i krótką sukienkę z niebieskiego szyfonu, a jedyną ozdobą był kwiat w takim samym kolorze wpięty we włosy po prawej stronie głowy. Żadnej biżuterii ani błyskotek. Piękna jak zawsze. Kiedy Thomas wchodził po schodach, odwróciła się i pochyliła, udając, że podnosi coś z ziemi. Zobaczył, że nie ma bielizny. Uśmiechnęła się do niego zaczepnie. Spoważniała, kiedy podszedł.

– Spóźniłeś się! – zawołała i objęła go za szyję. – Najlepsza impreza w roku, a ty nie przyjeżdżasz na czas.

– Bez przesady, Claire. Jest dziesiąta w nocy, byliśmy umówieni za piętnaście. Wczuwałem się trochę w atmosferę. Jak dla mnie za bardzo tu elitarnie.

– Kiedyś ci się to podobało – powiedziała, odsuwając się od niego.

– Kiedyś.

– Chcesz zepsuć mi tę noc?

– Nie mam takiego zamiaru.

– A jaki masz?

– Pić, patrzeć i dobrze się bawić.

– Usiądziesz w kącie na zasadzie jestem-tylko-*un-voyeur*-zostawcie-mnie-w-spokoju?

– Bynajmniej – odpowiedział Thomas i złapał ją za pupę. – Wiedz, że nie podoba mi się twoja sukienka. Nie zostawia miejsca dla wyobraźni.

Uśmiechnęła się z zadowoleniem i chciała go pocałować w usta. Thomas odwrócił głowę. Przejął inicjatywę i pocałował ją w szyję. Claire ze złością zacisnęła pięści.

– Zerżnę cię teraz, tu, przy ścianie – szepnął jej na ucho.

– To niemożliwe, mam inne plany – odpowiedziała, wymknęła mu się i ruszyła w stronę drzwi.

– Zaczekaj – powiedział nagle Thomas. – Mam coś dla ciebie. Włożył dłoń do bocznej kieszeni marynarki i wyjął małe pudełeczko obciągnięte ciemnym zamszem. Claire rozchyliła usta, ale nie zdołała wypowiedzieć ani słowa; była zbyt zaskoczona. Irytująco powoli otwierała etui, a na widok kolczyków z szafirami wydała cichy okrzyk.

– Z jakiej to okazji? – zapytała, kiedy minęło pierwsze zaskoczenie.

– Nieważne. Zobaczyłem je na wystawie i wydały mi się idealne do twoich uszu leśnego duszka.

– Nie wiem, co powiedzieć, oprócz dziękuję.

– Nie ma za co. Jakie masz plany? – zapytał, zmieniając temat.

– Zaczekaj, aż je założę, wtedy zaprowadzę cię za rączkę do pałacu rozpusty i rozkoszy.

Thomas niechętnie poszedł za nią.

Sala przypominała jeden z salonów Wersalu. Była ozdobiona złotymi gzymsami w barokowym stylu, na ścianach między dużymi oknami znajdowały się ogromne lustra. Z wysokich sufitów, na których namalowano sceny mitologiczne, zwisały gigantyczne żyrandole.

– Nie dziwi mnie, że ten klub uchodzi za jeden z trzech najbardziej znanych na świecie – stwierdził Thomas z podziwem. – Nigdy nie widziałem czegoś takiego.

– Wstęp mają tu tylko bogacze, przyjaciele albo osoby polecone – wyjaśniła Claire.

– Do której grupy należysz ty?

– Do czwartej.

Thomas rzucił jej pytające spojrzenie. W odpowiedzi Claire udała, że zamyka usta na suwak. Zrozumiał, że nie powie mu, jak zapewniła im dostęp do klubu zarezerwowanego dla olimpijskich bogów. Lubiła sprawiać, by jej życie było owiane tajemnicą, często udzielała niepełnych wyjaśnień, pytania pozostawiała bez odpowiedzi, przez co zwykłe rzeczy wydawały się dwuznacznymi doświadczeniami. Thomas nie wiedział, czy tak wyglądały wszystkie jej związki, czy też była to strategia, żeby go przy sobie zatrzymać. Szczerze mówiąc, bawiło go, że zadaje sobie tyle trudu, by przypominać femme fatale z lat pięćdziesiątych, i wolał nie zastanawiać się za bardzo nad jej pobudkami. Podeszli do baru umieszczonego po lewej stronie dużej sali. Thomas zamówił mojito, a Claire kieliszek szampana. Utworzyły się już trójkąty i czworokąty, trwały orgie gang bang. Leciała piosenka Madonny. Eleganckie blondynki w naszyjnikach z pereł robiły mężczyznom fellatio. Pośrodku stała pochylona do przodu jakaś dama z towarzystwa – przynajmniej na taką wyglądała według Thomasa. Za nią czekał na swoją kolej rządek mężczyzn, każdy z prezerwatywą w dłoni, obserwowany przez pobłażliwego męża. Kiedy kończyli, żegnała się z nimi słowem *merci*. W każdym z czterech rogów poruszały się w klatkach tancerki go-go. Wypili swoje drinki i zamówili kolejne. Claire chwyciła Thomasa za rękę i ruszyli w głąb sali. Minęli uczestniczkę gang bangu z twarzą umazaną spermą. Zeszli szerokimi schodami do podziemi pałacu. Claire przeprowadziła Thomasa przez labirynt cel ze splecionymi ciałami, z których dobiegała symfonia jęków. Natknęli się na podziurawione pomieszczenie pozwalające na uprawianie seksu przez ściany. Wszędzie było pełno wyboistych przejść i wnęk, w których łatwo mogli się zgubić. W końcu dotarli na miejsce. W salce panowały kompletne ciemności; nikt nie wiedział, kogo dotyka ani kto dotyka jego.

– Niespecjalnie mnie to bawi – powiedział Thomas. – Nie lubię niespodzianek, chcę wiedzieć, z kim to robię.

– Spokojnie, zaufaj mi, będziemy tu tylko ja i inna kobieta. Nikogo więcej.

Thomas zgodził się i pozwolił, by rozebrały go dwie pary rąk. Na podłodze leżały dywany i miękkie poduszki. Czuł jakąś egzotyczną woń, skojarzyła mu się z Wielkim Bazarem w Stambule. Rozpoznał po zapachu Claire, po omacku przesunął dłońmi po ciele nieznajomej. Spodobało mu się, było drobne, o zaokrąglonych kształtach, dużych piersiach, naturalnych, bez silikonu. Trzy ciała przywarły do siebie, wymieniając się śliną, jękami i ugryzieniami.

Kiedy skończyli, Thomas opuścił pomieszczenie z ubraniem w dłoni. Było mu gorąco. Claire wolała jeszcze zostać. Udał się do łazienki, gdzie ktoś z obsługi wręczył mu ręcznik i klapki. Wziął długi prysznic.

Odprężony i wyczerpany seksem wyszedł na zewnątrz i położył się na szezlongu z kieliszkiem w dłoni. Oparł mokrą głowę o zagłówek i spojrzał na gwiazdy. Wyodrębnił gwiazdozbiór Orła z gwiazdą Altair, obok niego gwiazdozbiór Delfina, nieco niżej – Strzelca, a po prawej – Skorpiona z gwiazdą Antares. Nagle ogarnęło go zmęczenie. Następnego dnia musiał iść do pracy, chciał wrócić do domu. Zadzwonił do Claire, żeby ją uprzedzić. W pobliżu zabrzmiał dzwonek identyczny jak jej melodyjka w telefonie. Wstał i z zaciekawieniem poszedł za dźwiękiem. Zobaczył Claire w zamyśleniu spoglądającą na swoją komórkę. Odrzuciła połączenie. Telefon Thomasa zamilkł, a on sam zdecydowanym krokiem ruszył w jej stronę. Siedziała w towarzystwie innej kobiety. Od razu ją rozpoznał. Obie zauważyły jego obecność i przerwały rozmowę. Claire chciała coś powiedzieć, ale Thomas podniósł rękę, nakazując jej milczenie.

– Proszę cię, Claire, nic nie mów.

Spojrzał na Rose, która zawstydzona zakrywała dłońmi twarz.

– Zapewniam cię, że jestem tak wściekły, że nawet nie wiem, co ci powiedzieć. Miałaś wiele kobiet do wyboru, ale uważasz się za boginię i wybrałaś tę jedyną zakazaną. Ostrzegałem cię.

Claire patrzyła na niego z lekkim uśmiechem na ustach.

– Nie zdajesz sobie sprawy z tego, co zrobiłaś. Spieprzyłaś wszystko, co było między nami. – Przerwał, by dobrze przemyśleć to, co zamierzał powiedzieć. – Na razie nie chcę cię widzieć. W wolnej chwili zostaw klucze do mieszkania w skrzynce na listy. Okłamałaś mnie.

– To tylko seks, Thomasie, i było ci dobrze – powiedziała Claire wyniośle. – Nie udawaj teraz, że jesteś oburzony. Tam w środku nie wyglądałeś na niezadowolonego.

– Przestań, Claire. Nie wszystko jest dla mnie do przyjęcia – odparł cicho. – Powiedziałem ci, że nie sypiam z moimi podwładnymi, ale ty masz w nosie moje zasady. Zmanipulowałaś mnie i jestem pewien, że Rose też – dodał, wskazując na swoją sekretarkę.

Zrobił krok w tył i powtórzył:

– Zostaw klucze w skrzynce.

Odsunął czubkiem stopy krzesło, które stało mu na drodze, i ruszył w stronę samochodu.

19

Stadion znajdował się na obrzeżach miasta, przy drodze do Gyeongsan. Janik obserwował przez szybę w autobusie przypominające hieroglify szyldy i przechodniów; dla niego wszyscy wyglądali tak samo. Odkąd wyruszył w podróż, odczuwał radość. Należał do klubu wybranych. Wyobrażał sobie ten moment podczas bezsennych nocy, a teraz, kiedy nadszedł, ogarnął go trudny do wytłumaczenia wewnętrzny spokój.

Autobus eskortowany przez dwa policyjne motocykle zatrzymał się w strefie bezpieczeństwa. Janik zobaczył przez szybę kilkuset lekkoatletów czekających przy bocznej ścianie stadionu. Kiedy wysiedli, wolontariusz poprowadził ich do miejsca, gdzie stała dziewczyna z flagą Szwajcarii. Kilka minut później duża kolumna ruszyła.

– Spójrz na tego w niebieskiej czapce, to Tyson Gay. A tam z przodu, o tam z ekipą Jamajki, idzie Usain Bolt – powiedział Peter.

Kolumna dotarła do łuku prowadzącego na stadion. Ludzie na trybunach klaskali. Upał i radość kilkudziesięciu tysięcy osób emanowały z każdego zakątka. Na dwóch dużych telebimach umieszczonych po bokach stadionu można było śledzić wielobarwny tłum sportowców idących bieżnią. Bez przerwy błyskały flesze aparatów fotograficznych lekkoatletów, którzy już przemaszerowali. Najszybsi, najodporniejsi, najsilniejsi mężczyźni i kobiety na świecie zgromadzili się na powierzchni dziesięciu tysięcy metrów kwadratowych. Zaledwie 1945 lekkoatletów z 202 krajów sprostało minimalnym wymogom umożliwiającym udział w zawodach. A Janik był wśród nich. Spełnił jedno ze swoich marzeń. „Opłaciły się wysiłek i poświęcenia tych wszystkich lat", pomyślał. Spojrzał na trybuny. Wyobraził sobie, że z jakiegoś miejsca patrzy na niego ojciec.

Kilka metrów przed sobą zobaczył reprezentantów Rosji. Nie było wśród nich Iriny.

Okno zostawił uchylone, w pokoju panował mrok. Słyszał z łóżka bzyczenie komara. Czekał, aż wyląduje na jego skórze, ale od jakiegoś czasu przelatywał obok, jakby coś wyczuwał. Postanowił usiąść i spróbować upolować go w locie. Kiedy usłyszał w pobliżu charakterystyczny dźwięk, zamknął dłonie. Poczuł, że powietrze, które poruszyły, wypchnęło owada poza ich zasięg. Wstał i z trudem śledził jego lot, aż w końcu komar usiadł na oknie. Podszedł powoli, tak blisko, jak mógł. Podniósł rękę, a kiedy już miał go zmiażdżyć, zobaczył, że po drugiej stronie szyby coś się porusza. Owad zniknął z jego pola widzenia. Otworzył okno. Na dole coś leżało, ukryte między dużymi donicami. Jakiś owinięty kocem kształt. Ubrał się szybko, wyszedł z pokoju i pokonał piętra dzielące go od tarasu.

Słyszał dobiegające gdzieś z bliska szczekanie psów. Przekręcił gałkę w drzwiach i znalazł się na zewnątrz. Spojrzał w stronę dwóch doniczek – tłumok wciąż tam leżał, lekko przesunięty na bok. Spod koca wystawały jasne włosy. Janik podszedł bliżej i nagle jego oczom ukazała się twarz dziewczyny. To była Irina. Patrzyła na niego w ten sam sposób jak wtedy, kiedy mówił, a ona słuchała. Wstała. Koc spadł na ziemię. Była naga. Szczekanie psów rozlegało się coraz bliżej. Twarz Iriny rozjaśnił uśmiech. Janik usłyszał warczenie przy bramie i odwrócił głowę. Jakiś mężczyzna trzymał na smyczach dwa brytany. Janik nie widział jego twarzy, ale strój i chód wydały mu się znajome. Zdenerwowane psy stawały na tylnych łapach, czekając, aż pan wyda im rozkaz. Irina wybiegła mu na spotkanie. Psy nie zwróciły na nią uwagi, znały ją. Pocałowała namiętnie mężczyznę, a on położył dłonie na jej nagich biodrach. Dwa spuszczone ze smyczy brytany ruszyły szukać zdobyczy.

Janik wstał przerażony. Przez kilka sekund nie wiedział, gdzie się znajduje, i czuł w środku strach. Na sąsiednim łóżku spał spokojnie Wiktor, obiecujący biegacz na 800 metrów. Janik spojrzał na komórkę, była szósta rano. Za kilka godzin miał eliminacje na 1500 metrów.

20

Następnego dnia rano nie chciało mu się iść do biura. Postanowił pracować z domu. Musiał nanieść ostatnie poprawki do swojej prezentacji. Kongres w Genewie miał być poświęcony ważnej roli, jaką odgrywa w śledztwie pobieranie próbek z miejsc przestępstw, i konieczności ujednolicenia kryteriów. Zadzwonił telefon; sprawdził na wyświetlaczu, czy to nie Claire, ale zobaczył nieznany numer. Odebrał.

– Dzień dobry. Czy rozmawiam z panem Connorsem? Mówi doktor Laura Terraux. Poznaliśmy się w szpitalu w Monthey.

– Tak, dzień dobry, pani doktor.

– Proszę wybaczyć, że przeszkadzam, ale czy pamięta pan naszą ostatnią rozmowę?

– Niepokoiły panią liczne przypadki nagłych zgonów.

– Tak, a pan powiedział, żebym do pana zadzwoniła, jeśli dojdzie do kolejnego. Otóż doszło. Wczoraj przeprowadziłam sekcję zwłok młodej dziewczyny z taką samą diagnozą.

Ciało Thomasa zesztywniało.

– Była sportsmenką?

– Tak.

– Zawodową czy amatorką?

– Zawodową. Przywieźli ją z ośrodka sportowego w Les Diablerets.

Thomas zaniemówił, niedawno odwiedził to miejsce.

– Halo… Panie Connors?

– Tak, jestem. Myślałem o tym, że dopiero co tam byłem.

Nie wiedząc dlaczego, bo ledwo go znała, Laura poczuła ukłucie gniewu. Był w okolicach Monthey i do niej nie zadzwonił.

– Kiedy znaleziono ciało? – zapytał Thomas.

– Rano. Odkrył je kolega dziewczyny.

– Zmarła jak pozostałe? Nocą?

– Właśnie. Pierwsze analizy wskazują, że zgon nastąpił we śnie – potwierdziła lekarka. – Śmierć ją zaskoczyła, nastąpiła błyskawicznie.

– Rozumiem. Jak mogę pani pomóc?

– Rozmawiałam dziś rano z policją. Z góry wiedziałam, jaka będzie odpowiedź. Ta sama co wcześniej, żadnego śledztwa. To naturalne zgony. Myślę, że trzeba by zbadać... – Lekarka zamilkła na chwilę. – Pan ma niezbędne doświadczenie i środki.

Thomas usiadł na krześle i dotykając wolną dłonią skroni, oznajmił:

– Dobrze, myślę, że ma pani rację. Skonsultuję się z którymś z kolegów, zobaczymy, co powie.

– Dziękuję, panie Connors.

– Proszę wybaczyć, doktor Terraux, jeśli nie ma pani nic przeciwko temu, to ponieważ już zostaliśmy sobie przedstawieni, moglibyśmy przejść na ty; nawet po francusku trudno mi mówić do ludzi per pan. Proszę pamiętać, że jestem Irlandczykiem.

Laura się roześmiała.

– Wzięłam cię raczej za Amerykanina. Kto widział Irlandczyka bez akcentu?

– *Mea culpa*. Potrzeba każe nam zostawiać po drodze pewne rzeczy.

– Fakt... – odpowiedziała Laura zamyślona. – W porządku, Thomasie, zobaczymy, czego uda ci się dowiedzieć. Jeśli o mnie chodzi, przejrzę jeszcze raz raporty z sekcji zwłok, żeby sprawdzić, czy nie umknęło mi coś ważnego.

– W przyszłym tygodniu mam kongres w Genewie. Chyba we wtorek, nie jestem pewien. Będę musiał zapytać sekretarki, ale znajdę wolną chwilę. Ponieważ do Monthey są stamtąd niecałe dwie godziny, moglibyśmy się spotkać i porównać to, co ustalimy.

– Uprzedź mnie wcześniej, żebym wiedziała, czy mam wtedy dyżur.

– Nie przejmuj się, jutro potwierdzę spotkanie.

– Okay... W takim razie dziękuję, Thomasie. Czekam na twój telefon.

– W porządku, do widzenia.

Thomas wyszedł z laptopem na taras. Dziesięć minut później wyłączył komputer. Nie mógł się skoncentrować, był myślami gdzie indziej. Przed oczami miał twarz Uny-Maire w kostnicy. Przypomniał sobie wycinki prasowe Uny, swoje zdjęcia z młodości. Dlaczego je przechowywała? Kim dla niej był? On, nieznajomy. Przez głowę przemknęła mu pewna myśl, która sprawiła, że wstrzymał oddech. Wstał, wszedł do domu. Zaczął krążyć po salonie. Tak nie mogło być. To niemożliwe. Niemożliwe? Wrócił na taras, włączył laptop i poszukał w dokumentach folderu od Maire. Otworzył go. Przeczytał akt urodzenia Uny.

„Una Kowalenko Gallagher, urodzona w Kilconnell, Hrabstwo Galway, 2 maja 1987 roku".

Thomas odliczył w myślach dziewięć miesięcy.

Od kilku nocy źle sypiał. Wszedł do budynku Interpolu z malującym się na twarzy zmęczeniem. Kiedy winda wjechała na jego piętro, wziął głęboki oddech i szybkim krokiem ruszył w stronę swojego gabinetu, nie patrząc na mijających go ludzi. Musiał porozmawiać z Rose, wiedział, że nie może dłużej tego odwlekać, ale to go przerastało. W dodatku w jego głowie zagnieździła się na dobre wątpliwość dotycząca Uny. Świadomie próbował wymazać słowo, które raz po raz przychodziło mu do głowy. Nie chciał dzwonić do Maire, żeby to wyjaśnić, wydawało mu się śmieszne, by po tak długim czasie sugerować jej coś podobnego.

„Nie posunę się do tego – pomyślał – nie ma mowy. Dwadzieścia cztery lata to wystarczająco długo, w którymś momencie Maire znalazłaby okazję, żeby ze mną porozmawiać. Poza tym wyjechałem na początku września, to byłby zbyt duży zbieg okoliczności, żeby akurat w ciągu tych kilku dni zaszła w ciążę. Una była córką Rosjanina, na pewno, a może kogoś innego, kto to wie". Natychmiast pożałował tej myśli. Był niesprawiedliwy wobec Maire. Przemawiała przez niego uraza. Zabolało go odkrycie, że tuż po tym, jak wyjechał do Stanów Zjednoczonych, ona zaczęła się spotykać z innym i nie tylko miała z nim córkę, ale nawet wyszła za niego za mąż. „Teraz to już bez znaczenia, minęło dwadzieścia pięć lat, a Una nie żyje", pomyślał. Przypomniał sobie pozostałe sportsmenki, które zmarły przed nią. Jeśli na spokojnie przeanalizować fakty, nie było w tym niczego dziwnego, tylko odbiegająca od normy statystyka i nadgorliwa lekarka.

Thomas rozparł się na krześle i zaczął rozmyślać nad całą tą sprawą. Jego biurko było nieskazitelne, wydawało się, że nikt przy nim nie pracuje. Podzielone według tematycznego klucza książki stały w olbrzymiej bibliotece z drzewa orzechowego; długopisy tkwiły w pojemniku; kartki ułożone w prawym rogu blatu tworzyły idealny prostokątny stosik, a komputer stał dokładnie na środku. Pokój wyglądał jak zahibernowany. Thomas kilkakrotnie przeanalizował fakty. Był zdezorientowany. Nie znajdował dowodów ani powodów, by wszcząć śledztwo. Zakręcał i odkręcał skuwkę pióra. Ten tik pomagał mu w myśleniu, kiedy nie potrafił czegoś zrozumieć, a jego umysł odmawiał dalszej współpracy. Przejrzał informacje, które przesłała mu doktor Terraux, poszukał w Internecie wiadomości z gazet z tamtych dni. „Poddaję się – powiedział sobie. – Na dziś wystarczy".

Spojrzał na zegarek, była pierwsza. Pomyślał, że najlepiej zrobi, jeśli pójdzie do jakiejś restauracji i zje porządny kawałek polędwicy podlany czerwonym winem. Nie pamiętał, kiedy ostatnio jadł coś bez pośpiechu. Instynktownie spojrzał na swój brzuch, nie wyglądał źle jak na czterdziestotrzyletniego mężczyznę. Był w formie, choć nie miał pojęcia dlaczego, bo nie uprawiał żadnego sportu ani nie dbał o dietę. Przypuszczał, że to geny i ciężka praca w gospodarstwie rodziców. Chyba gdzieś czytał, że mięśnie mają pamięć.

Z nostalgią spojrzał na pióro, które trzymał w dłoniach. Pierwotny złoty kolor się wytarł, pozostał nagi metal. Kupiła mu je matka, kiedy zatrudnili go jako profilera w FBI. Była taka dumna... Ale nie rozumiała, że na stanowisku, na którym ocierał się o grube ryby, można było używać jedynie złotego pióra wykonanego z prawdziwego złota. Schował je więc nieużywane i kupił sobie parkera 105. Wyciągnął go z szuflady. Był piękny. Solidny korpus wykończono żółtym złotem, miał wyjątkową fakturę przypominającą korę drzewa i wygodnie się go trzymało. Stalówka, częściowo pokryta czarną żywicą, wykonana była z masywnego czternastokaratowego złota. Używał go tylko do składania podpisów na oficjalnych uroczystościach.

Ktoś cicho zapukał do jego gabinetu.

– Mogę wejść? – zapytał głos po drugiej stronie, a jego właścicielka otworzyła drzwi, nie czekając na odpowiedź.

To była Rose. Trzymała w obu dłoniach czerwoną teczkę, którą przyciskała do piersi. Wyglądała, jakby się nią zasłaniała. Weszła i zamknęła drzwi.

– Ja... przepraszam, panie Connors, ale muszę z panem porozmawiać o tym, co się wtedy stało – powiedziała bardzo cicho.

– Nie ma takiej potrzeby – odparł zakłopotany. – Jestem bardzo zajęty.

– Ale... chodzi o to, że ta sytuacja mnie przerasta i nie jestem w stanie tak pracować. Za każdym razem, kiedy pan wchodzi do gabinetu albo wychodzi, ja... strasznie się męczę, czekając, że pan coś do mnie powie, poprosi o jakieś wyjaśnienie odnośnie do tego, co wydarzyło się tamtej nocy.

Rose zamilkła zawstydzona. Przypomniała sobie jęki Thomasa w tamtym ciemnym pokoju. Jego zapach. Przygryzła dolną wargę i spuściła głowę. Mocniej przycisnęła do siebie teczkę.

Thomas przestał udawać, że jest zajęty, schował pióro do szuflady i spojrzał na sekretarkę.

– Nie mam ochoty o tym rozmawiać. Myślę, że to nie była pani wina, a jeśli o mnie chodzi, zamierzam zachowywać się tak, jakby nigdy do tego nie doszło. Jutro jadę do biura w Genewie, żeby przygotować Światową Konferencję DNA, wrócę dopiero za tydzień. To pomoże pani zapomnieć o całej sprawie. Odpowiada to pani?

– Tak, panie Connors, chociaż ja... chciałam przeprosić...

Thomas przerwał jej stanowczo:

– Sprawa jest zamknięta. Czegoś jeszcze pani ode mnie potrzebuje? – zapytał oschle.

– Nie, to wszystko, do widzenia – odpowiedziała zmieszana.

Thomas zaklął w duchu. Chciał jak najszybciej wyjechać do Genewy.

Wieczorem, kiedy wrócił do domu, spakował do walizki rzeczy potrzebne na tydzień. Zostawił Lupe wiadomość, żeby zajęła się

ogrodem, i zapisał jej ilość płynnego nawozu, jaką powinna doda-
wać do wody do podlewania kwiatów. Wysłał Claire SMS-a z przy-
pomnieniem, żeby zostawiła w skrzynce jego klucze. Dni mijały,
a ona nadal mu ich nie zwróciła. Zadzwonił do doktor Terraux, by
potwierdzić spotkanie.

– Cześć, Lauro, tu Thomas. Jesteś zajęta?

– Cześć. Mam mało czasu. Przygotowuję się do sekcji, zaczekaj, włączę głośnik, będziemy mogli porozmawiać.

Thomas usłyszał jakiś hałas, a potem znowu głos lekarki.

– Przepraszam, moja komórka to gruchot – wyjaśniła. – W tej
norze fatalnie słychać.

– Nie przejmuj się, zajmę ci tylko chwilę. Dzwonię, żeby ustalić
szczegóły jutrzejszego spotkania. Pomyślałem, że możemy porozmawiać w moim gabinecie w genewskiej siedzibie Interpolu, w ten
sposób nie będziemy się musieli umawiać na konkretną godzinę.

– Dla mnie to idealne rozwiązanie – odpowiedziała, namydla-
jąc sobie dłonie i przedramiona. – Dzięki temu będę mogła swo-
bodniej dysponować czasem.

Thomas podał jej adres, numer gabinetu i pożegnali się słowami „do jutra”.

Była 18:10, kiedy ochrona zawiadomiła go, że ma gościa – Laurę
Terraux. Thomas potwierdził, że na nią czeka.

Lekarka zjawiła się w gabinecie, przynosząc ze sobą rześkie powietrze popołudnia. Jej rozpuszczone włosy były w nieładzie, miała
zaczerwienione policzki.

– Co za zimne miasto! – powiedziała po wejściu.

Thomas nie wiedział, czy powinien podać jej rękę, czy też zgodnie ze szwajcarskim zwyczajem pocałować ją trzykrotnie w policzki. Wstał i obszedł biurko, żeby wyjść jej na spotkanie. Wykonali
niezdarnie obydwa gesty. Uścisnęli sobie dłonie i dali po szybkim
całusie, niemal się nie dotykając. Laura zdjęła żakiet z dzianiny
i powiesiła go na wieszaku. Miała czarne wysokie buty do kolan
i sukienkę z długim rękawem w małe czarne kwiatki na zielonym
tle; czarny pasek podkreślał jej talię.

– Jak tam podróż? – zapytał Thomas.

137

– W porządku, uwielbiam prowadzić, chociaż zgubiłam się przy wjeździe do miasta. GPS wysłał mnie ulicą zamkniętą dla ruchu z powodu robót drogowych, a znalezienie innej drogi zajęło mi trochę czasu – odpowiedziała, wyciągając z torebki teczkę. – A twój kongres?

– Na razie wszystko idzie zgodnie z planem. Konferencja zaczyna się jutro, więc całe zamieszanie związane z organizacją, rezerwacją hoteli i tak dalej mamy już za sobą.

Thomas podszedł do dużego okna za biurkiem i podniósł żaluzje, żeby wpuścić naturalne światło.

– Jaki ponury dzień – powiedział, wyglądając na ulicę. – Chyba będzie padać.

Laura bez ceregieli rzuciła na biurko teczkę, a ta przejechała po blacie z cichym świstem. Thomas odwrócił się i spojrzał na lekarkę.

– Przejrzałam uważnie jeden po drugim raporty z sekcji. Nie da się z nich dużo wywnioskować – naturalne zgony spowodowane zakrzepem. Koniec i kropka – powiedziała zaskakująco spokojnie.

– Nic więcej?

– Nic. Były czyste. Badania toksykologiczne wykluczają spożycie narkotyków czy innych substancji. Zmarły śmiercią naturalną.

– Wobec tego sugerujesz, że wszystkie te zgony to przypadek? – zapytał rozczarowany. – Ja także przejrzałem raporty. Im więcej wiem, tym dziwniejsza wydaje mi się ta sprawa. Węch podpowiada mi, że coś tu nie gra. Pomyśl, wszystkie były z Europy Wschodniej, same kobiety, młode, sportsmenki. I wszystkie umarły w ten sam sposób.

Na twarzy lekarki zagościł szeroki uśmiech. Thomas pomyślał, że jest bardzo atrakcyjna; podobała mu się jej twarz upstrzona maleńkimi piegami i wpatrzone w niego zielone oczy.

– Doping z użyciem erytropoetyny – oznajmiła z satysfakcją.

Zaintrygowany Thomas usiadł na krześle i wskazał jej, żeby zrobiła to samo. Laura wolała stać.

– W tysiąc dziewięćset dziewięćdziesiątym siódmym roku wybuchł wielki skandal po opublikowaniu raportu Donatiego. Ten włoski lekarz stwierdził, że osiemdziesiąt procent zawodowych kolarzy stosuje środek dopingujący EPO. – Zrobiła krótką przerwę, po czym ciągnęła dalej: – Erytropoetyna to hormon, który ludzki organizm produkuje w naturalny sposób w nerkach. Jej wytwarzanie jest stymulowane na przykład w takich przypadkach jak hipoksja, kiedy trzeba zwiększyć poziom erytrocytów we krwi.

– Pani doktor, przypominam, że nie znam się na medycynie – powiedział Thomas.

– Hipoksja to choroba, w której ciało zostaje pozbawione dopływu odpowiedniej ilości tlenu. W ciężkich przypadkach odtlenione komórki krwi tracą czerwony kolor i stają się niebieskie – wyjaśniła, odsuwając z twarzy ciemne włosy. – Na przykład komórki mózgowe, które są niebywale wrażliwe, zaczynają umierać w niespełna pięć minut po odcięciu dostępu tlenu.

Wyjęła z torebki zeszyt i zaczęła przerzucać notatki.

– Zapisałam sobie kilka rzeczy, żeby nic mi nie umknęło – wytłumaczyła. – Synteza erytropoetyny w laboratoriach, którą udało się przeprowadzić w latach osiemdziesiątych, natychmiast dała szeroki wachlarz możliwości niewłaściwego wykorzystania tej substancji w sportach wytrzymałościowych.

Thomas spojrzał na nią z ogromnym zainteresowaniem.

– Jaką przewagę zyskuje sportowiec? – zapytał, opierając się o poręcz krzesła.

– Sportowcowi uprawiającemu jedną z dyscyplin wytrzymałościowych zażywanie EPO przynosi duże korzyści. Po wstrzyknięciu tej substancji stymulowane jest wytwarzanie erytrocytów, czerwonych krwinek, przez co podwyższa się poziom hemoglobiny. W rezultacie mięśnie, nawet jeśli otrzymują tę samą ilość krwi, wyłapują więcej tlenu, wydajniej pracują i później się męczą – wyjaśniała, coraz bardziej podekscytowana. – Szwedzki naukowiec Björn Ekblom wskazał w jednym z opracowań, że syntetyczna erytropoetyna może sprawić, iż podczas trwającej dwadzieścia minut próby sportowiec poprawi swój osobisty rekord o pół minuty. Mówimy tu o prawie trzyprocentowym zysku.

– Ile to oznacza dla lekkoatlety? – dopytywał się niecierpliwie Thomas.

– Podczas biegu na dziesięć tysięcy metrów sportowiec poprawiłby swój osobisty rekord z dwudziestu ośmiu do dwudziestu siedmiu minut. Różnica podobna do tej pomiędzy rekordem jego kraju a olimpijskim.

Z ust Thomasa wyrwał się gwizd. Wydawało mu się to nieprawdopodobne.

– Teraz będzie najlepsze – powiedziała Laura tajemniczym tonem.

– Mów, umieram z niecierpliwości – odparł Thomas, a jego słowom towarzyszył ruch ręki mający zachęcić ją do dalszych wyjaśnień.

– U sportowców, którzy wstrzykują sobie tę substancję, wskaźnik hematokrytowy, czyli stosunek objętości czerwonych krwinek do objętości całej krwi, zwiększa się do niebywale wysokich wartości, nawet do sześćdziesięciu procent.

– Kiedy stanowi to zagrożenie dla organizmu? – zapytał coraz bardziej zaciekawiony Thomas.

– Zdaniem hematologów po przekroczeniu pięćdziesięciu pięciu procent krew zaczyna nadmiernie gęstnieć. Wstrzykiwana w dużych ilościach EPO podnosi poziom hemoglobiny o jakieś dwadzieścia procent. – Laura przerwała. – Krew sportowca o poziomie hemoglobiny dużo wyższym niż normalny staje się niebezpiecznie lepka i nie krąży w naczyniach z właściwą płynnością. Łatwo krzepnie.

– Ale to przecież szaleństwo… – szepnął Thomas.

– Właśnie, i na tym polega największe ryzyko dla sportowca, nie tylko ze względu na zwiększoną gęstość strumienia krwi, ale także dlatego, że wskutek działania erytropoetyny rośnie liczba trombocytów. Jeśli zakrzepica wystąpi w istotnych częściach organizmu, jak tętnice mózgowe czy wieńcowe, mamy najgorszą z możliwych konsekwencji: nagłą śmierć.

– Widzę, do czego zmierzasz – stwierdził Thomas z ożywieniem.

– Zaczekaj, to jeszcze nie wszystko. Śmierć w dziwnych okolicznościach w latach od tysiąc dziewięćset osiemdziesiąt siedem do tysiąc dziewięćset dziewięćdziesiąt szesnastu holenderskich kolarzy, w tym mistrza świata Berta Oosterboscha, została później powiązana ze stosowaniem erytropoetyny. Wszystkie zgony nastąpiły w ten sam sposób: zatrzymanie pracy serca podczas snu.

– Jak to możliwe, że o tym nie słyszałem? – zapytał Thomas ze zdziwieniem. – Wiadomość o takiej liczbie zgonów musiała zostać nagłośniona, zwłaszcza że doszło do nich w Europie.

– Nie wiem. Faktem jest, że w ciągu trzech lat zmarło szesnastu kolarzy, wszyscy w Holandii. Zdaniem różnych ekspertów w dziedzinie medycyny sportowej przyczyną był wzrost lepkości krwi w połączeniu ze spowolnieniem akcji serca podczas snu.

Laura spojrzała na Thomasa, oczekując na reakcję. Widać było, że jego neurony pracują na pełnych obrotach, wyciągają wnioski, nakreślają teorie.

– Krew zamienia się w błoto – szepnął z nutą satysfakcji w głosie. – Zaczynamy śledztwo, pani doktor.

21

Po omówieniu innych przypadków nagłych zgonów i ich związku z dopingiem, Thomas zaproponował Laurze wspólną kolację. Chętnie się zgodziła. Zamierzała skorzystać z tego, że w Genewie mieszka jej przyjaciółka ze studiów, żeby u niej przenocować i spędzić z nią następny dzień.

– Próbujemy się widywać – wyjaśniła – ale prawdą jest, że zwykle między kolejnymi spotkaniami mija kilka miesięcy.

Thomas spojrzał na nią zdziwiony.

– Przecież mieszkacie bardzo blisko siebie... W Stanach, jeśli jakiś kolega mieszka półtorej godziny drogi od ciebie, jest niemal sąsiadem.

– Wiem. Problem w tym, że obie oddajemy się z pasją naszej pracy – usprawiedliwiła się – i zajmuje nam ona większość czasu.

– Tak, właśnie widzę.

Dla Laury słowa Thomasa zabrzmiały drwiąco. Zazwyczaj emocje wyraźnie odbijały się na jej twarzy, nie potrafiła ukryć niezadowolenia. Chwyciła żakiet i odwróciła się na pięcie.

Thomas wyczuł jej zdenerwowanie i zapytał:

– Przepraszam, coś się stało?

– Nie, masz rację – powiedziała. – Moja praca to mój aktualny ukochany. Idziemy jeść? Umieram z głodu.

Otworzyła drzwi gabinetu i wyszła na korytarz. Zareagowała jak dziecko. Co się z nią działo? Od kiedy tak jej przeszkadzało, że ktoś uważa pracę za jej jedyną pasję? Usłyszała odgłos zamykanych drzwi. Potem wyczuła obok obecność Thomasa, który wkładał płaszcz.

– Nie przejmuj się mną, ostatnio jestem trochę przewrażliwiona.

– Okay – powiedział i się uśmiechnął.

Z Place Bel-Air wspięli się Rue de la Cité do starej części Genewy, *vieille ville*. Północny wiatr ustał i noc zapowiadała się ciepła. Minęli katedrę. Przy jednej z pobliskich uliczek znajdował się hotel-restauracja Les Armures. Parter zajmowała główna sala, znana jako La Salle des Artistes. Sufit przecinały potężne drewniane belki, a ściany zdobiły średniowieczne zbroje, zdawały się ich strzec. Thomas zdjął krawat i schował go do kieszeni marynarki, po czym zostawił ją w szatni razem z płaszczem.

– Zapewniam cię, pani doktor, że w tym miejscu zapomnisz o stresie. Lubisz sery?

– Uwielbiam.

– No to jest nas dwoje.

Usiedli przy oknie. Laura zdjęła żakiet. Thomas z podziwem spojrzał na jej długie, dobrze zbudowane ręce pokryte piegami. Próbował skoncentrować się na czymś innym, otworzył więc kartę dań i zamówił słynne serowe fondue i raclette. Do picia wybrał białe wino – Simon Bize Savigny. Laura poprosiła o to samo. Kiedy czekali na jedzenie, wrócili do tematu śmierci lekkoatletek.

– Wszystkie zmarły nagle. Irina Pietrowa, ostatnia z dziewczyn, przeszła zawał serca.

– Ale dlaczego w tak młodym wieku?

– Znaczna część serca otrzymuje potrzebną krew z dwóch tętnic wieńcowych. Jeśli jedna z nich zostanie zablokowana, strona serca, którą zaopatruje, przestaje funkcjonować z powodu niedoboru tlenu.

– Tak po prostu?

Laura przytaknęła.

– I tak było w przypadku tej sportsmenki?

– Dokładnie tak – odpowiedziała, odgryzając kawałek bułki.

– A Una Kowalenko?

– Zmarła na zator tętnicy płucnej. Dzieje się tak, kiedy zakrzep utworzony w żyle odrywa się i dociera do płuca, gdzie blokuje przepływ krwi tętnicą.

– Ale jak tworzy się taki zakrzep?

– No cóż, zazwyczaj skrzeplina powstaje w nogach, w mięśniach albo w żyłach biodrowych. Kiedy się oderwie i utknie w jednej z tętnic płucnych, jeśli jest mała, nie musi mieć to żadnych następstw, ale jeżeli jest większa, może uszkodzić płuco albo spowodować śmierć.

Thomas w zamyśleniu kroił bułkę na małe kawałeczki. Laura spojrzała na jego dłonie, potem na jego twarz. Był jakby nieobecny. Chciała wiedzieć, o czym myśli, ale wybrała milczenie. Z ulgą przyjęła pojawienie się fondue. Kelner ustawił na środku stołu żelazne naczynie; pod kociołkiem trzaskał niebieski płomyk. Thomas przerwał rozmyślania i podzielił się pieczywem z Laurą. W naczyniu powstawały bąbelki z topiącego się sera. Nadziali kawałki bułki na długie widelce i zanurzyli w fondue. Podmuchali, zanim włożyli jedzenie do ust.

– Mniam, mniam, przepyszne – powiedziała Laura, zamykając oczy. – Kiedy wyciągniesz z kociołka kolejny kawałek bułki, spróbuj posypać go odrobiną pieprzu, będzie miał wyrazistszy smak.

– Masz rację, jakie dobre. Brak mi słów – powiedział Thomas po spróbowaniu.

Jakby się zmówili, zjedli w milczeniu, rozkoszując się fondue. Raclette i kilka kieliszków białego wina zachęciły ich do wznowienia rozmowy.

– Uwielbiam te gotowane ziemniaki ze stopionym serem – powiedział Thomas.

– Ja też – zgodziła się rozanielona Laura.

– Na co umarły pozostałe dziewczyny? – zapytał nagle.

Kiedy kelner sprzątał ze stołu, Laura wyciągnęła swój notes z zapiskami dotyczącymi sprawy. Thomas zamówił deser.

– Wiera Antonowa i Natasza Stiepanowa zmarły w styczniu z powodu zatrzymania akcji serca. W marcu Jelena Ustinowa na udar mózgu, a w maju Arisza Wołkowa na zator tętnicy płucnej.

– Na to samo co Una… – powiedział Thomas sam do siebie.

– Właśnie, ta sama przyczyna śmierci i ten sam miesiąc. Jak widzisz, wszystkie zgony zostały spowodowane zatorami.

– Wiadomo, że były ze Wschodu, ale z jakiego kraju?

– Same Rosjanki – odpowiedziała Laura, patrząc mu w oczy. – Nie wydaje ci się, że coś za dużo tych zbiegów okoliczności?

Thomas przytaknął, próbując lodów czekoladowych.

– Z jaką częstotliwością występuje wśród sportowców taki rodzaj śmierci?

– Według badań przeprowadzonych w Stanach Zjednoczonych przypadki nagłej śmierci są cztery na milion.

– Naprawdę? Dziewczyny znacznie zawyżyły statystyki – zdziwił się Thomas.

– W badaniu kwalifikowano jako nagłą śmierć zgon, do którego doszło w czasie pierwszej godziny od pojawienia się objawów, albo nieoczekiwaną śmierć osoby na pierwszy rzut oka zdrowej, która czuła się dobrze podczas ostatnich dwudziestu czterech godzin.

– Nie chcesz deseru? – zapytał Thomas, kiedy skończył lody.

– Nie dam rady, niczego już nie zmieszczę. Chętnie poszłabym teraz na spacer, żeby spalić kilka kalorii z co najmniej pięciu tysięcy, jakie miała ta kolacja.

– W porządku, zapłacę i idziemy.

– Nie ma takiej potrzeby, już zapłaciłam, kiedy szłam do łazienki.

– Zapłaciłaś za kolację?

– Tak, to jakiś problem?

– Żaden.

Wyszli na Place Neuve i pomaszerowali Rue de la Croix Rouge w stronę Promenade des Bastions. Potem ruszyli nad jezioro. Bulwarem Gustave'a Adora podeszli do fontanny Jet d'Eau i usiedli na końcu mostu Mont-Blanc. Z ławki na molo patrzyli, jak od brzegu odbijają statki pływające po Jeziorze Genewskim. Thomas wpatrywał się w wodę, wyglądał na zmęczonego.

– Jaka jest nagła śmierć? To znaczy, co się wtedy dzieje z człowiekiem? – zapytał, nie odwracając głowy.

– Ofiary nagłej śmierci gwałtownie tracą świadomość i nie reagują na żadne bodźce. Mogą mieć otwarte albo zamknięte oczy i od razu przestają oddychać. Kolor skóry traci szybko swój zwykły różowawy odcień i staje się fioletowoniebieski.

Laura założyła nogę na nogę i zawiązała żakiet wełnianym paskiem od kompletu.

– Można zatrzymać ten proces?

– Zależy od czasu, jaki upłynie między ustaniem pracy serca a defibrylacją. Szacuje się, że każda minuta zwłoki to o dziesięć procent mniej szans na uratowanie pacjenta. Jeśli nie mamy pod ręką defibrylatora, drugą opcją jest masaż serca, ale to pozwala jedynie zyskać na czasie.

– W takim razie jeśli dojdzie do tego nocą, podczas snu, jak u tych wszystkich dziewczyn…

– Nie ma żadnej nadziei – przerwała mu Laura. – Już po pięciu minutach dochodzi do uszkodzenia mózgu.

– Spróbuję w tym tygodniu wykonać kilka telefonów, zobaczymy, czego się dowiem. Nie mam zielonego pojęcia o dopingu. Nie wiem, jak się do tego zabrać – przyznał Thomas.

– Należy zacząć od otoczenia dziewczyn. Ktoś dostarcza im substancji dopingujących, prawdopodobnie jakiś lekarz – powiedziała, wykrzywiając z niesmakiem usta. – A ten lekarz gdzieś je kupuje.

– Może w Internecie.

– Niewykluczone. Trzeba sprawdzić, w jakich kręgach się obracały, bo na pewno są inne dziewczyny, które teraz stosują doping.

– Ale te sportsmenki muszą wiedzieć o zgonach, domyślą się, na jakie niebezpieczeństwo są narażone.

W odpowiedzi Laura wzruszyła ramionami.

– Myślisz, że EPO zawierała jakieś domieszki albo była złej jakości?

– Nie wiem – przyznała Laura. – Z tego co wyczytałam, poza EPO bierze się też hormon wzrostu i sterydy anaboliczne. Nazywają to koktajlem.

– Mówisz poważnie?

– Wszystko dla wygranej.

Thomas ziewnął i zakrył usta dłonią.

– Jesteś zmęczony. Wracajmy.

Poszli na postój taksówek. Thomas wolał się przespacerować do hotelu. Przed wejściem do samochodu Laura podała mu rękę. Uścisk był chłodny i mocny. Wyraźnie czuła się skrępowana, tak samo jak on. Nie znosiła pożegnań. Wydawały jej się wymuszonym, obłudnym gestem, czystym ozdobnikiem. Ich spojrzenia spotkały się na kilka sekund. Laura obdarzyła Thomasa krótkim uśmiechem, który przypadł mu do gustu. Ustalili, że zdzwonią się w następnym tygodniu.

Pół godziny później Thomas wchodził do hotelowego pokoju. Zdjął ubranie, wziął prysznic i położył się do łóżka z mokrymi włosami. Po chwili zapalił lampkę na szafce nocnej – spacer go rozbudził. Spojrzał na zegarek i uznał, że to dobra pora, żeby zadzwonić do Waszyngtonu, do George'a. Wybrał numer jego prywatnej komórki.

– Co słychać, przyjacielu? Kopę lat! – zawołał George po drugiej stronie linii.

– Mój Boże, George, ależ ty masz jankeski akcent. Dopiero teraz to sobie uświadomiłem.

– Przypominam ci, że jestem Jankesem. To znaczy panem całego wszechświata, tego znanego...

– I tego, który jest do poznania – dokończył Thomas.

– Co u ciebie, Francuziku?

– *Touché.*

– Wszystko w porządku? Nadal jesteś z tą francuską ślicznotką?

– Nie.

– Nie?

– To już przeszłość.

– Jesteś moim bohaterem. Ale musieliście zerwać niedawno. Kiedy widzieliśmy się dwa miesiące temu, jeszcze byliście razem – powiedział George ze zdziwieniem.

– W zeszłym tygodniu.

Thomas usiadł, złożył poduszkę i wsadził ją pod głowę.

– Co się stało?

– Nic takiego. Wykręciła mi numer z *ménage à trois.*

– Z facetem? – zapytał George. Wydawał się zachwycony tą rozmową.

– Nie przeginaj, z inną kobietą, która – tak się składa – dla mnie pracuje. Jedna z moich zasad to nie mieszać pracy i seksu.

– Znam ją?

– Chyba tak. To Rose, moja sekretarka.

Po drugiej stronie słuchawki rozległ się gwizd.

– I jak było?

– Niczego ci nie opowiem. Nie zamierzam podsycać twoich fantazji.

– Zły z ciebie przyjaciel...

– Oczywiście – odpowiedział Thomas z uśmiechem.

– Jest jakaś nowa na horyzoncie?

– Żadna. A co u ciebie? – zapytał, zmieniając temat.

– W porządku, nic nowego. Przytyłem dwa funty, a Catherine za karę zabroniła mi jeść słodycze, hamburgery i tak dalej. Jednym słowem zabroniła mi wszystkiego, co lubię. Mówi, że kiedy postanowi zostać wdową, pozwoli mi wrócić do złych nawyków. Od trzech dni przeżuwam paszę dla krów.

– Paszę dla krów?

– No wiesz, wszystkie te świństwa typu warzywa, pomidory, sałata.

– Jasne… Posłuchaj, George, dzwonię do ciebie, bo chcę poznać twoje zdanie w sprawie, która być może da początek śledztwu.

– Myślałem, że już się tym nie zajmujesz. Wal, zamieniam się w słuch – odparł przyjaciel.

– W ostatnim roku na terenie kantonów Vaud i Valais w Szwajcarii sześć dziewczyn zmarło nagłą śmiercią. Wszystkie były zawodowymi sportsmenkami z Rosji. Dwie ostatnie umarły w tym samym ośrodku sportowym.

– O jakiej populacji mówimy? – zapytał George poważnym tonem.

– Nie wiem, na pewno mniejszej niż milion mieszkańców.

– Okay. Nie ulega wątpliwości, że sprawa jest dziwna. Stawiałbym na doping.

– Co o tym wiesz?

– Za dużo. Pracuję w DEA, przyjacielu, trafia do mnie wszystko, co pachnie narkotykami. Środki dopingujące są stosowane coraz częściej. Na wielu siłowniach to już wymyka się spod kontroli. Raport AMA…

– Czyj? – przerwał mu Thomas.

– Światowej Agencji Antydopingowej – wyjaśnił George. – Jedno z ich opracowań wskazuje, że początki udziału amerykańskiej mafii w handlu środkami dopingującymi sięgają lat siedemdziesiątych. Wtedy rodzina Gambino, właściciele sieci siłowni Gold's Gym w Kalifornii, sfinansowała nakręcenie filmu dokumentalnego „Pumping iron" z Arnoldem Schwarzeneggerem w roli głównej.

– Tym aktorem?

– Tak, facet, który potem został gubernatorem Kalifornii, był wcześniej uzależniony od siłowni i siedmiokrotnie zdobył tytuł

Mr. Olympia. Film zapoczątkował modę na muskularne, napompowane ciała, która wkrótce osiągnęła apogeum w osobie samego Schwarzeneggera. Nigdy nie zaprzeczał, że zażywał sterydy, kiedy grał w „Conanie Barbarzyńcy".

– Faktycznie, pamiętam ten film i późniejsze, z umięśnionymi bohaterami...

– Właśnie. Otóż ta moda przełożyła się na wzrost zapotrzebowania na hormony i sterydy anaboliczne. Mafia zaczęła zalewać nimi czarny rynek. Wielu drugorzędnych aktorów, którzy pompowali swoje ciała na siłowniach, trafiło do gejowskich filmów porno, zresztą ten przemysł też był kontrolowany przez mafię. Jeśli mnie pamięć nie zawodzi – George zrobił krótką przerwę – w połowie lat dziewięćdziesiątych nowojorska mafia straciła kontrolę nad sterydami. W większości biznes ten przeszedł w ręce rosyjskich organizacji przestępczych, zlepka siedemdziesięciu rodzin.

– W porządku, ale mnie interesuje inny rodzaj dopingu. Nazywa się EPO.

– Wydaje mi się, że istnieje dobry raport Interpolu poświęcony tej substancji. Ty będziesz miał do niego łatwy dostęp.

– Ciekawi mnie to, co powiedziałeś o rosyjskiej mafii. Może mieć jakiś związek ze zmarłymi dziewczynami. Nie wiem... nie mam zielonego pojęcia, od czego zacząć.

Thomas wyjął spod głowy poduszkę i położył się na łóżku.

– Przepraszam, George, ale chyba pójdę już spać. Nie jestem w stanie jasno myśleć. – Nacisnął dwoma palcami lewej dłoni nasadę nosa na wysokości oczu. – Czeka mnie straszny tydzień, mam masę konferencji. Kiedy skończę, zacznę szukać informacji o tym światku.

– Czytałem o kongresie DNA. Mam nadzieję, że wbijecie do głowy niektórym krajom, jak ważne jest zabezpieczenie miejsca zbrodni i pobranie wiarygodnych próbek, zanim przetoczy się przez nie stado bawołów.

– Bawołów?

– To pierwsze, co przyszło mi do głowy. Wszystko jedno, mogą być kury, słonie...

– Rzeczywiście, są bardzo podobne.

– Okay, kończę. Śpij, porozmawiamy później. Zobaczę, czego się dowiem, na pewno znajdę jakieś informacje w archiwach DEA.

Thomas przytaknął.

– Aha, i wrócimy jeszcze do tematu trójkąta, chcę szczegółów – dodał.

– *Bye*, George – pożegnał się Thomas z uśmiechem i przerwał połączenie.

22

Był początek listopada. Zbocza gór pokrywała biaława warstwa. Zainaugurowano sezon narciarski. Dolina zamieniła się w wielką autostradę wiodącą ku rozrywce. Hotele i kwatery prywatne pękały w szwach, a kolejka zębata bez przerwy wypluwała narciarzy. Wielu mijało ośrodek sportowy i zatrzymywało się, by obejrzeć zamek obronny. Ze względu na lokalizację Monthey na niewielkiej wysokości i fakt, że miasteczko znajdowało się u stóp góry, rzadko widywano tu śnieg. Jednak akurat tego ranka padał deszcz ze śniegiem. Cienkie legginsy Janika przepuszczały zimno, które przenikało go do kości. Wiktor przyłączył się do jego treningu. Aż do zakończenia serii biegów nie wyglądało na to, by oddech Wiktora przyspieszył. Janik, który nie spuszczał z niego oczu, nie dostrzegł u kolegi żadnych przejawów zmęczenia.

– Jak ci idzie? – zapytał Wiktor, wyprzedzając Janika.

– Dobrze, dobrze – skłamał.

– Dalej! Zostały już tylko trzy serie.

Kiedy skończyli, Janik uważnie przyjrzał się Wiktorowi. Szukał oznak osłabienia, ale odkrył wyłącznie minę wyrażającą satysfakcję. W pierwszym biegu na krytej bieżni Wiktor nie tylko go pokonał, ale też pobił szwajcarski rekord na 1500 metrów. Janik czuł się przegrany, choć tak naprawdę uzyskał dobry wynik. Opuścił stadion, żeby zaczerpnąć trochę świeżego powietrza i rozluźnić zesztywniałe mięśnie. Nagle poczuł ukłucie w lewej łydce. Po powrocie do ośrodka od razu poszedł do fizjoterapeuty.

– Nie wygląda dobrze – powiedział lekarz.

– Co to może być?

– Będziesz musiał zrobić USG, ale wydaje mi się, że doszło do zerwania włókien mięśniowych.

– Jak długo potrwa leczenie?

– Jeśli diagnoza się potwierdzi, mniej więcej miesiąc.

– Kurde! Co za pech! – wykrzyknął Janik. Miał poczucie klęski. – Muszę zakwalifikować się na olimpiadę.

Fizjoterapeuta zalecił mu ćwiczenia na wzmocnienie górnej części tułowia. Po jakimś czasie chłopak zaczął treningi na specjalnym rowerze. Robił je przez półtora tygodnia, ale któregoś dnia nie wstał z łóżka. Nie wiedział, co mu jest, czuł głęboki smutek. Spędził ranek na leżąco, obserwując krzątaninę swojego współlokatora. Wiktor zauważył jego zły stan i tego dnia pierwszy raz nie włączył konsoli.

– Coś ci jest. Chcesz, żebym wezwał lekarza? – zapytał.

– To nic takiego, jutro poczuję się lepiej – odpowiedział Janik na odczepnego.

Wiktor wziął swoją sportową torbę, włożył do niej kolce, a przed wyjściem zapytał, czy przynieść mu coś do jedzenia.

– Nie, dziękuję.

Ale nazajutrz Janik czuł się gorzej. Mimo że przez cały dzień niczego nie jadł, nie miał apetytu. Żywił się słodyczami, które Wiktor trzymał w szufladzie swojej szafki nocnej. Przez większość czasu patrzył na przedmioty w pokoju, ucząc się na pamięć ich rozmieszczenia i kształtów. W miarę jak postępował dzień i natężenie światła ulegało zmianie, przedmioty zdawały się oddalać, aż zupełnie znikały w ciemnościach. To przeobrażanie go bawiło. Czas po prostu sobie płynął. Panująca w sypialni cisza zakłócana była jedynie strzępami rozmów sportowców, którzy przechodzili korytarzem. Wiktor znikał wcześnie, wracał, żeby położyć się spać. Nie rozmawiali dużo. Janik nie miał na to ochoty, a jego kolega był zajęty własnymi sprawami.

Trzeciego dnia myśli zawiodły go w ślepą uliczkę. Gdyby jego nogi postanowiły zastrajkować i już nie ruszyły z miejsca, co mu pozostanie? W jego głowie pojawił się niczym błysk w ciemnościach pewien obraz. Zobaczył siebie jako dziecko, kiedy po pogrzebie ojca uciekał przed swoim cierpieniem. Spadła na niego wtedy samotność biegacza, samotność, która towarzyszyła mu przez całe życie. Poczuł się pusty, porzucony, zdany na łaskę stopera. Potrzebował czyjegoś ciepła. Odwrócił się i przytulił do poduszki. Był przyzwyczajony do cierpienia, ale coraz bardziej ciążył mu brak czułości. Jego łzy zaczęły moczyć poszewkę; wcisnął w nią twarz, żeby je powstrzymać. Następnego ranka wstał, wziął laptopa, komórkę, portfel i kluczyki do samochodu. Powiew zimnego powietrza uderzył go, gdy tylko opuścił bezpieczne mury ośrodka. Przypomniał sobie czas, kiedy mieszkał z rodzicami, gdy życie było prostsze. Uruchomił silnik samochodu i zatrzymał się dopiero wtedy, gdy zobaczył zapalone światło w kuchni swojego domu.

Obudziły go kroki krzątającej się matki. Zniknęła panika, którą czuł wcześniej, ale nadal towarzyszył mu smutek. Jakby ktoś pozbawił go złudzeń. Wstanie z łóżka i ubranie się kosztowało go sporo wysiłku.

– Co tu robisz? – zapytała matka.

– Jeśli ci przeszkadzam, wyjdę – odparł Janik urażony.

– Coś ci się stało? – chciała wiedzieć.

– Nic, co mogłoby cię zainteresować – powiedział i od razu pożałował swojej odpowiedzi.

– Widzę przecież, że coś się stało, powiesz mi, kiedy będziesz chciał – odparła, wychodząc z pokoju. – Jeśli zgłodniejesz, jedzenie jest w lodówce.

Jego pokój wyglądał dokładnie tak jak w dniu, kiedy go opuścił. Dużą część pomieszczenia zajmowało ogromne łóżko. Przy nim stała szafka nocna z dwiema szufladami, którą ojciec zrobił specjalnie dla niego. Za każdym razem, kiedy kładł się na łóżku, przesuwał dłońmi po jej nóżkach – dotykał każdego słoja, każdego zagłębienia. To dodawało mu otuchy. Naprzeciwko znajdował się trzyczęściowy regał z pucharami i medalami, które zdobył w swojej sportowej karierze.

Ubrał się i zszedł do kuchni. Otworzył jedną z szafek i lodówkę. Zdziwiło go, że są pełne jedzenia. Zazwyczaj kiedy wracał do domu, spiżarnia była pusta.

– Mogłeś uprzedzić, że przyjedziesz, posprzątałabym trochę! – krzyknęła matka ze swojego pokoju.

– W porządku, jestem przyzwyczajony – odpowiedział Janik.

– Ktoś ci pomaga w zakupach?

– Tak, przynoszą mi je raz w tygodniu. Nie będę przecież czekała, aż ty mi pomożesz! – zawołała.

Janik przygotował sobie śniadanie; żałował, że wyjechał z ośrodka. Wrócił do swojego pokoju i wybrał numer kobiety z opieki społecznej. Powiedziała mu, że jego matka odmówiła leczenia, że nie chce iść do szpitala, a kiedy przyszła z nią porozmawiać, nie wpuściła jej do domu.

– Zdołałam ją przynajmniej przekonać, żeby pozwoliła sąsiadkom przynosić sobie coś do jedzenia – powiedziała z rezygnacją w głosie.

– Co mogę dla niej zrobić? – zapytał Janik.

– Najlepiej byłoby ją umieścić w specjalistycznej placówce, ale są bardzo drogie, a ubezpieczenie pokrywa tylko niewielką część kosztów.

– Ile na to potrzeba pieniędzy?

Dziewczyna podała mu przybliżoną kwotę. Nie miał takiej sumy. Zabrakło mu powietrza, rozłączył się, musiał wyjść z domu. Na ulicy przypomniał sobie, jak będąc nastolatkiem, łaził po miasteczku z kolegami. Jego życie zdawało się wtedy nierozerwalnie związane z tymi domami, z tymi ścianami, o które tyle razy się opierał, dyskutując o tym, kto jest najlepszym narciarzem czy tenisistą świata. Kiedy wrócił do domu, miał ochotę wyłącznie pójść do łóżka. Zaciągnął zasłony i położył się na kołdrze. Poczuł dreszcz, który przebiegł mu po plecach i dotarł aż do karku. Zwinął się w kłębek i objął rękami kolana.

Musiał coś zrobić ze swoim życiem. Mógł wrócić do szkoły, chociaż odkąd matka zaczęła pić, nie otworzył żadnej książki. Uczucie paniki znów się spotęgowało. Objął mocniej kolana i wydał z siebie gardłowy dźwięk. W ośrodku zapisał się na specjalne zajęcia jogi dla lekkoatletów, nauczył się tam relaksować, powtarzając na głos „om". Miało to rzekomo dobroczynne skutki – odprężało mięśnie, dotleniało mózg, a co najważniejsze, zatrzymywało na kilka minut myśli. Zamknął oczy.

– Ooooommmmm.

Twarz Iriny pojawiała się w jego głowie jak na przeskakujących szybko i bez ładu klatkach filmu. Odetchnął głęboko.

– Ooooommmmm.

Szafa w głębi, kolce zawieszone na drążku za sznurówki.

– Ooooommmmm.

Matka siedząca na krześle w kuchni z butelką wina. Obudził się kilka godzin później i zszedł na dół. Matka spoglądała przez kuchenne okno nieobecnym wzrokiem.

– Możemy zjeść razem kolację. Chcesz, żebym ci coś przygotował? – zapytał, próbując się do niej zbliżyć.

– Nie, zjem kawałek szarlotki i napiję się kawy z mlekiem. Nie musisz udawać, że jesteś dobrym synem.

– Nie zaczynaj, mamo. Choć raz zachowujmy się tak jak wtedy, kiedy żył tata.

Wyraz twarzy matki uległ zmianie.

– Jesteś złym człowiekiem – powiedziała.

– Nie jestem złym człowiekiem. Jeśli już to złym synem.

Kobieta zdała sobie sprawę, że była dla niego okrutna, i spuściła głowę.

– Co będziesz tu robił przez te dni? – zapytała.

– Oglądał telewizję, czytał gazety, nie wiem…

– Coś będziesz musiał robić. Życie w miasteczku jest nudne, nie ma zbyt wielu rozrywek.

– Jakoś sobie poradzę.

– Nie przyjechałeś, żeby ze mną pobyć, coś ci jest – powiedziała. Jej głos i spojrzenie wskazywały, że piła. – Wyrzucili cię z ośrodka?

– Znikąd mnie nie wyrzucili.

– Synu, dlaczego nie powiesz matce, co się dzieje? – nalegała.

– Nic się nie dzieje, po prostu chciałem pobyć w domu.

– Naprawdę przyjechałeś, żeby się mną zaopiekować?

– Chciałem o tym z tobą porozmawiać. Pomyślałem, że lepiej byłoby ci w miejscu, gdzie…

– Nie pójdę do przytułku – uprzedziła jego propozycję. – Nie pozwalają tam palić ani napić się od czasu do czasu i zawsze ktoś cię pilnuje.

– A co będzie, jeśli się przewrócisz i zrobisz sobie krzywdę?

– Nikogo nie potrzebuję. Umiem sama o siebie zadbać, zrozumiano? Nie jesteś odpowiednią osobą, żeby udzielać mi rad, nie spędzasz w domu nawet miesiąca w ciągu roku.

– Mamo, przestań. Jesteś chora i potrzebujesz opieki. Nie możesz dalej zachowywać się tak, jakbyś była sama na świecie.

– Odkąd umarł twój ojciec, a ty wyjechałeś, jestem sama.

Janik wstał od stołu. Kiedy wchodził na piętro, dobiegły go narzekania matki. Nie miał na nic ochoty, poza tym bolała go głowa, a ucisk w żołądku stał się jeszcze silniejszy.

W Rote Fabrik, usytuowanej na brzegu jeziora w Seestrasse, dawniej produkowano jedwab. Teraz miejsce to uchodziło za świątynię muzyki alternatywnej, ściany budynku z czerwonej cegły pokrywały przeróżne graffiti. W czterech salach organizowano koncerty i wszelkiego rodzaju widowiska. Tej nocy w sali Atkion miał się odbyć koncert muzyki elektronicznej. Janik pomyślał, że może to będzie dobrym lekarstwem na jego przygnębienie. Włożył golf, wziął portfel i zszedł do holu. Zamienił kapcie na buty i zdjął z wieszaka zimową kurtkę. Natknął się na matkę.

– Dokąd idziesz?

Trzasnął drzwiami, nie oglądając się za siebie. Nigdy nie wychodził w nocy sam. Zastanawiał się, czy to początek jakiejś podróży donikąd.

Sala pękała w szwach. Stanął przy ścianie, z dala od baru. Pierwszy didżej przedstawił się, a publiczność powtórzyła chórem jego imię. W dyskotece zgasły światła i rozległy się brawa. Nagle salę zalał kolorowy blask. Po kilku sekundach ciszy rozbrzmiała muzyka. Ludzie zaczęli się kołysać w jednym rytmie, jak wprawieni w ruch niewidzialną dźwignią. Przypominali stado flamingów. Janik uświadomił sobie, że tu nie pasuje. Dookoła niego wszyscy tańczyli i krzyczeli w takt muzyki. Popychali go, był jak statek zdany na łaskę nurtu. Wreszcie wylądował na drugim krańcu sali, przy barze. Zobaczył, że wszyscy zamawiają jakiś niebieski napój, więc zrobił to samo. Poruszał się wraz z tłumem, aż znalazł puste miejsce przy ścianie. Płyn w szklance wyglądał jak lekarstwo. Zamieszał go słomką i pociągnął łyk. Ku jego zaskoczeniu był słodki, ledwo smakował alkoholem. Wypił go i zamówił kolejny. Jego mózg zaczął odczuwać skutki napoju. Ból głowy zniknął. Pierwszy raz Janik zapomniał o ucisku w żołądku i o tym, dlaczego się pojawił.

Poprosił o następnego drinka i już nie wrócił do swojej kryjówki. Czuł się częścią tej grupy flamingów. Podniósł ręce, napój chlusnął ze szklanki na podłogę. Jego wzrok napotykał spojrzenia innych gości, którzy patrzyli na niego uśmiechnięci. Janik nie mógł przestać się śmiać. Od dawna nie czuł się tak dobrze.

23

Thomas spotkał swojego szefa na korytarzu.
– Gratuluję. Konferencja okazała się sukcesem. Z tego, co słyszałem, delegacje są bardzo zadowolone. Thomas z wdzięcznością spojrzał na Alaina Neuilly'ego. Był ciekawym facetem. W ogóle nie wyglądał na szefa. Niski, z wystającym brzuchem, kilka miesięcy temu zrezygnował z paska, stanął bowiem przed dylematem, jak go nosić: powyżej czy poniżej talii. Teraz miał na sobie ekstrawaganckie szelki pasujące do spodni. Jego okrągła twarz szeroko się uśmiechała; pucołowate policzki, jak dwa błyszczące jabłka, odbijały światła z sufitu. Był w trakcie przeszczepu włosów, na jego łysinie krzyżowało się kilka kosmyków. Wyglądały jak włosy lalki.
– Dziękuję panu – odparł Thomas, ściskając mu mocno rękę.
– Wraca pan jutro do Lyonu? – zapytał Neuilly, składając dłonie pod brzuchem.
– Właśnie o tym chciałem z panem porozmawiać. Jeśli ma pan chwilę…
– Oczywiście. Wygląda na to, że to coś poważnego – powiedział szef na widok posępnej miny Thomasa. – Może przejdziemy do kawiarni?
– Tak, może być kawiarnia.
Doszli do wind i wcisnęli guzik. Kawiarnię urządzono na ostatnim, ósmym piętrze. Roztaczał się z niej wspaniały widok na Jezioro Genewskie. Weszli do środka. Taras był miejscem dla odważnych, którzy chcieli pooddychać czystym, zimnym powietrzem.
– Kiedy wreszcie zacznie się lato? – zapytał Neuilly. – Ani razu nie mogłem skorzystać z mojego basenu. Jak tak dalej pójdzie, zamienię go na jacuzzi z ciepłą wodą.

– Myślę, że to dobry pomysł – odparł Thomas, żeby cokolwiek powiedzieć; w rzeczywistości niewiele obchodziły go fanaberie szefostwa.

Zamówił czarną kawę z lodem, a Neuilly coca-colę light, tłumacząc, że musi schudnąć.

– Dotarłem do punktu, z którego nie ma powrotu: ani kilograma więcej. Najgorsze jest to, że na razie również ani kilograma mniej. Jakże nudne są te wszystkie niedole! – zawołał i usiadł przy stoliku ze swoim napojem.

Thomas postanowił pokierować rozmową. Neuilly był dobrym szefem, skutecznym i pracowitym, ale słuchanie innych nie należało do jego zalet. Słynął z monologów, zwłaszcza tych na osobiste tematy; po jakimś czasie rozmówca zdawał sobie sprawę, że nawet nie otworzył ust.

– Chciałem przybliżyć panu pewną sprawę, o której dowiedziałem się w zeszłym miesiącu, żeby poznać pańskie zdanie.

– Proszę powiedzieć, o co chodzi.

– Będę się streszczał. Zadzwoniła do mnie przyjaciółka; chciała, żebym zajął się transportem zwłok jej córki do mojego kraju. Jak pan wie, jestem Irlandczykiem…

Neuilly przytaknął.

– Dobrzy ludzie, ci…

Zanim zdążył dokończyć, Thomas ciągnął dalej:

– Patomorfolog, która przeprowadziła sekcję zwłok, powiedziała, że ta osoba zmarła nagłą śmiercią, tak samo jak pięć innych młodych dziewczyn. Ostatnia dziesięć dni temu. We wtorek spotkałem się z tą lekarką i doszliśmy do wniosku, że warto wszcząć śledztwo w tej sprawie. We wszystkich przypadkach powielony został ten sam schemat: młode dziewczyny, lekkoatletki, zmarły w tym samym regionie, w kantonach Vaud i Valais, i są tej samej narodowości – rosyjskiej. Co pan o tym sądzi?

– A policja?

– Dla nich sprawa nie istnieje. To naturalne zgony.

– Nie ma pan nawet pojęcia, od ilu lat Interpol walczy z dopingiem, bo zakładam, że o to chodzi. Według raportu Światowej Agencji Antydopingowej stosuje go trzydzieści jeden milionów osób.

Interpol, który przeprowadził dokładne śledztwo, oszacował, że w handlu środkami dopingującymi obraca się większymi pieniędzmi niż w handlu kokainą. Przemysł dopingowy to globalne przedsięwzięcie, które generuje dziesiątki miliardów euro zysku. – Neuilly przerwał i pociągnął łyk coca-coli. – Spożywanych jest siedemset ton sterydów anabolicznych... Biorą je aktorzy, bo w branży porno istnieje duże zapotrzebowanie na doping, ludzie show-biznesu, sportowcy amatorzy, mięśniaki z siłowni, ochroniarze, policjanci i wojskowi.

– Przepraszam, że przerywam, ale o ilu dawkach mówimy?

– O jakichś czternastu miliardach. Co pan na to?

– Jestem zaskoczony.

– Proszę zaczekać, to nie wszystko – powiedział Neuilly, wykonując dłońmi teatralny gest. – Rocznie spożywa się siedemdziesiąt ton syntetycznego testosteronu i trzydzieści cztery miliony fiolek EPO oraz hormonu wzrostu, co oznacza około trzech i pół miliona konsumentów.

– A co z zawodowymi sportowcami?

– Nie przykładamy do nich dużej wagi, stanowią minimalny odsetek osób stosujących doping. Tyle że jeśli zostaną przyłapani, robi się o tym głośno.

– Skąd pan tyle wie na ten temat?

Neuilly dopił colę i wyjaśnił:

– Kilka lat temu odpowiadałem za organizację międzynarodowej konferencji poświęconej dopingowi. Już wtedy sytuacja była alarmująca. Szczyt okazał się porażką. Kraje, które uważaliśmy za kluczowe, jak Hiszpania, nie wzięły w nim udziału, odrzuciły nasze zaproszenie – westchnął teatralnie.

– Rozumiem. Proszę wybaczyć moją ignorancję, ale po co doping stosuje na przykład wojsko?

– Synu, w Iraku i Afganistanie standardem są sterydy, które żołnierze kupują przez Internet, swoją drogą korzystając z braku opłat pocztowych, albo od lokalnych dilerów, którzy kręcą się w okolicach koszar. W sierpniu dwa tysiące piątego roku włoska policja skonfiskowała ponad dwieście tysięcy dawek sterydów, kiedy rozbiła w Trieście szajkę, która sprzedawała przez Internet zakazane substancje amerykańskim żołnierzom stacjonującym w Iraku.

– Ale co im to daje? – zapytał Thomas z zaciekawieniem.

– Pociąg żołnierzy do substancji takich jak amfetamina, które stymulują organizm oraz wywołują stan euforii i optymizmu, albo jak sterydy anaboliczne, które rozbudowują mięśnie i pobudzają do agresji, to żadna nowość. – Neuilly przerwał na moment, po czym dodał: – Sterydy anaboliczne były produkowane już przez nazistowskich naukowców i podawane na froncie razem z amfetaminą niemieckim żołnierzom, którzy pełnili rolę królików doświadczalnych.

– Czym są sterydy anaboliczne?

– To laboratoryjnie zsyntetyzowany testosteron, hormon męski.

Thomas skinieniem głowy podziękował za wyjaśnienie.

– Proszę posłuchać, panie Thomasie, kiedy trochę pan w tym pogrzebie, zda pan sobie sprawę, przed jak ogromnym problemem stoimy. Pamiętam, że na lotnisku w Sydney jeden z celników zatrzymał Sylvestra Stallone'a, kiedy ten poleciał do Australii na promocję „Rocky'ego Balboa". Miał w walizce czterdzieści osiem ampułek jintropinu, chińskiego hormonu wzrostu sprzedawanego przez Internet. To zakazany produkt. Używa się go do zwiększania masy mięśniowej i spalania tłuszczów.

Mina Thomasa wyrażała zdziwienie.

– Nie słyszałem o tym. Co zrobili ze Stallone'em?

– Niewiele, wymierzono mu czysto administracyjną karę, kosztowało go to jakieś parę tysięcy dolarów. Twierdził, że lekarze przepisali mu hormony wzrostu i testosteron na jakąś dolegliwość, której wolał nie ujawniać, więc brał je jako leki, a nie narkotyki, jako że w Stanach Zjednoczonych są legalne.

Neuilly pochylił się i zbliżył twarz do Thomasa.

– Ten biznes jest praktycznie legalny, ma katastrofalne skutki dla systemu opieki zdrowotnej w krajach uprzemysłowionych i dla zdrowia ich mieszkańców, zwłaszcza tych najmłodszych, coraz bardziej skłonnych do budowania sobie sztucznego ciała za pomocą chemii hormonów.

Ponownie rozparł się w wiklinowym fotelu i ciągnął dalej:

– Warto przeczytać raport włoskiego specjalisty Sandra Donatiego przygotowany na bazie naszych danych. Prześlę go panu.

– Słyszałem o nim. Dziękuję, bardzo ciekawi mnie jego treść. A tak przy okazji, chciałbym przeprowadzić śledztwo w sprawie tych zgonów. Gdybym mógł wziąć tydzień wolnego, żeby zobaczyć, co uda mi się ustalić, byłbym panu wdzięczny.

Neuilly wstał nagle od stolika, wciągnął brzuch i zapiął marynarkę. Następnie powiedział:

– Od dziś, panie Thomasie, ma pan wolną rękę, niech pan zbada przypadki, o których rozmawialiśmy. Jeśli będzie pan potrzebował kogoś do pomocy, proszę mi dać znać. Otrzyma pan wewnętrznego prywatnego maila ze wszystkimi kodami zabezpieczającymi, które umożliwią panu dostęp do tajnych raportów. Wiem o pańskiej pracy w FBI, poradzi pan sobie. Mam nadzieję, że uda się panu coś zdziałać. Dla mnie ten temat to łamigłówka. I muszę z żalem stwierdzić, że Interpol nie uzyskał satysfakcjonujących rezultatów.

Podał mu rękę po żołniersku.

– Dziękuję panu, jeśli coś jest na rzeczy, dowiem się tego – powiedział Thomas z przekonaniem.

Neuilly ruszył w stronę schodów. Thomas pomyślał, że pewnie chce zrzucić kolejny zbędny kilogram. Uderzyło go podobieństwo szefa do Alfreda Hitchcocka.

W ciągu dwóch dni Thomas prawie wszystko załatwił. Wpadł do swojego biura i poinformował Rose o całej sprawie. Ani przez moment nie spojrzeli sobie w oczy. Poprosił Charles'a, żeby go zastąpił. Był młody i ambitny, Thomas nie wątpił, że postara się dobrze wykonywać swoją pracę, by dalej piąć się w górę. Odpowiedział na maile i wykonał kilka telefonów. Trzeciego dnia zabrał komputer oraz trochę osobistych dokumentów i przedmiotów. Kiedy skończył, zamknął gabinet na klucz. Postanowił zamieszkać na czas śledztwa w Monthey. Po powrocie do domu spakował dwie walizki i polecił Lupe, żeby zajęła się roślinami. Zarezerwował przez Internet pokój w hotelu. Przypomniał sobie, że Claire miała zostawić klucze. Zszedł, żeby to sprawdzić, i z ulgą odkrył, że leżą w skrzynce. Były przyczepione do oryginalnego breloczka – do podwiązki.

Dotarł do hotelu w Monthey późnym popołudniem. Pokój był duży i słoneczny. Obok sypialni znajdował się salon, gdzie naprzeciwko plazmy o sporej liczbie cali stała miękka kanapa, a po prawej stronie, pod szerokim oknem, duży stół. Thomas zdjął koszulę i włożył zwykły szary bawełniany T-shirt. Ściągnął buty. Przyjemnie było stąpać po drewnianej podłodze. Kiedy rezerwował apartament, poprosił, żeby usunęli z niego wszystkie dywany. Położył na stole laptopa i dokumentację, którą przekazał mu Neuilly. Podłączył skaner do drukarki i faksu. Zawiesił na ścianie korkową tablicę, którą przywiózł z domu, i przyczepił do niej mapę kantonów Vaud i Valais. Przypiął pinezkami zdjęcia dziewczyn w miejscach, gdzie umarły. Poprosił w recepcji o wygodniejsze krzesło biurowe. Zebrał wszystkie informacje o zmarłych, jakimi dysponował. Odkrył, że nie ma tego dużo. Większość przekazała mu Laura. To nie wystarczało. Zadzwonił na policję w Monthey.

Odebrał jakiś usłużny funkcjonariusz z centralki telefonicznej.

– Dzień dobry. Nazywam się Thomas Connors i pracuję dla Interpolu. Muszę porozmawiać z osobą, która dokonała wstępnych oględzin zwłok Iriny Pietrowej.

– Proszę chwilę zaczekać.

Po krótkiej przerwie i kilku sekundach straszliwej jarmarcznej muzyczki rozległ się męski głos:

– Słucham, jak mogę panu pomóc?

– Dzień dobry. Nazywam się Thomas Connors i pracuję dla Interpolu...

– I bada pan okoliczności śmierci sportsmenek – przerwał mu policjant.

– Właśnie.

– Dziś rano otrzymaliśmy z góry telefon z informacją o pańskim przyjeździe do Monthey i o celu pańskiej wizyty. Polecono nam, żebyśmy we wszystkim z panem współpracowali, pozostajemy zatem do pańskiej dyspozycji. Nazywam się Fontaine, jestem sierżantem i będę łącznikiem między panem a naszym wydziałem. Czego pan sobie życzy?

– Chciałbym otrzymać wszelkie informacje, jakimi dysponujecie na temat tej sprawy – odpowiedział Thomas zwięźle. – Proszę przesłać je na tego maila.

Przeliterował sierżantowi specjalny adres mailowy Interpolu.

– Kiedy tylko zbiorę wszystkie informacje, zaraz je panu wyślę – powiedział policjant, uznając rozmowę za zakończoną.

– Przepraszam, sierżancie Fontaine, ale kiedy moglibyśmy się spotkać? – zapytał Thomas. – Interesuje mnie pański pogląd na tę sprawę.

– Nie ma żadnej sprawy – zapewnił policjant. Jego głos zdradzał zniecierpliwienie. Po krótkiej przerwie dodał: – Kończę dyżur o dziesiątej. Jeśli chce się pan ze mną zobaczyć, proszę wpaść przed tą godziną, będę na komisariacie.

– Dziękuję, sierżancie. Przyjadę około siódmej.

– W porządku – powiedział Fontaine i się rozłączył.

Sierżant Fontaine był dużym facetem. Nosił zadbane wąsy i hiszpańską bródkę, jakby liczył, że dodadzą jego wyglądowi wytworności. Próżny trud. Chodził jak bryła, praktycznie nie poruszając ramionami. Kiedy odwracał głowę, przekręcał cały tułów. Byli tego samego wzrostu, ale gdyby szerokość Thomasa porównać do pojedynczych drzwi szafy, to wymiary policjanta odpowiadałyby podwójnym. Szybko się zorientował, że Fontaine niechętnie rozmawia o zgonach sportsmenek. Uważał to za stratę czasu. Weszli do małego gabinetu wyposażonego jedynie w szafę na dokumenty i stół z dwoma krzesłami. Nie było obrazów, roślin ani żadnego innego elementu dekoracyjnego. Kiedy usiedli, sierżant od razu przeszedł do rzeczy:

– Wszystkie zgony nastąpiły z przyczyn naturalnych. Niektóre protokoły sekcji zwłok podpisała główna patomorfolog Laura Terraux. To profesjonalistka z wieloletnim doświadczeniem. Jej podpis stanowi najlepszą gwarancję.

– Ale to ona przedstawiła wam swoje wątpliwości co do końcowych wniosków z sekcji.

– To prawda, była zaniepokojona, bo wydawało jej się, że mamy do czynienia ze zbyt dużą liczbą podobnych zgonów w bardzo krótkim czasie.

– I co zrobiliście?

– Sprawdziliśmy, czy mogło chodzić o jakieś zagrożenie natury żywnościowej lub też o nowy narkotyk czy podróbkę. Wie pan, z tymi młodymi nigdy nic nie wiadomo. Ale kiedy badania toksykologiczne dały negatywne rezultaty, skromny materiał, który zebraliśmy, trafił do archiwów.

Thomas przetrawiał słowa sierżanta. Wydawał mu się rozsądnym człowiekiem. Sam też by tak postąpił.

– Było coś, co pana zdziwiło?

– Co ma pan na myśli? – zapytał Fontaine, bębniąc ogromnymi palcami w stół.

– Nie wiem, coś, co pana uderzyło, coś odbiegającego od normy – odpowiedział Thomas, starając się nie dać po sobie poznać, jak bardzo przeszkadza mu to stukanie.

– No cóż, ta przedostatnia dziewczyna nazywała się chyba... Proszę wybaczyć, nie mogę sobie przypomnieć... Chwileczkę, sprawdzę...

– Una Kowalenko Gallagher – pomógł mu Thomas.

– Ależ się pan przygotował! – wykrzyknął z podziwem. – No więc kiedy znaleźliśmy tę dziewczynę, trzymała w dłoniach kartkę. W pierwszej chwili pomyśleliśmy, że to może list pożegnalny. Stężenie pośmiertne utrudniało wyjęcie papieru, mógł się porwać. Musieliśmy bardzo uważać. Zanim zabrano zwłoki, sędzia dał nam zielone światło, żeby otworzyć dłoń...

– I to nie był list pożegnalny – przerwał mu Thomas.

– Nie, nie był. Okazało się, że to wiersz.

– I co w tym dziwnego?

Sierżant przestał uderzać palcami. Thomas był mu za to wdzięczny.

– Kiedy umarła Irina Pietrowa – to nazwisko owszem, pamiętam – poszperaliśmy trochę w jej rzeczach, głównie po to, żeby wyrobić sobie jakiś pogląd na temat przyczyny zgonu i odrzucić samobójstwo. Wie pan, te dzieciaki mogą działać pod wpływem tego, co robią inni. Na jej biurku leżał zeszyt, taki zwykły szkolny kołonotatnik. Gdy go odwróciliśmy i trochę nim potrzęśliśmy, na podłogę wypadła luźna kartka. To był wiersz.

Thomas zaczął się denerwować.

– Mogła go napisać ta sama osoba?

– Nie ma co do tego wątpliwości. Ten sam charakter pisma. Ten sam autor albo ta sama autorka.

– Był pan obecny w obu miejscach?

165

– Tak.

– Wykonano badania grafologiczne?

– Po co? Nie prowadziliśmy żadnego śledztwa. Pomyśleliśmy, że adorował je ten sam chłopak. Szczeniackie zabawy. Moim zdaniem oni się tam nudzą, zamknięci przez tyle czasu w ośrodku... I przypominam panu, że to nie były samobójstwa, ale zgony naturalne.

– Kto ma te wiersze?

– A kto ma je mieć? Rodziny! – wykrzyknął w odpowiedzi na pytanie, które wydało mu się śmieszne.

– Posiada pan kopie?

– Nie.

Thomas zrozumiał, że nie wyciągnie z sierżanta niczego więcej. Obaj zaczynali się niecierpliwić. Poprosił go o adres bliskich Iriny, podziękował i wyszedł. Musiał też znaleźć drugi wiersz, Uny. Miał pewność, że nie było go wśród rzeczy, które schował w piwnicy. Tak czy inaczej jeszcze to sprawdzi. Postanowił zadzwonić do Laury. Nie odebrała. Spojrzał na zegarek, był kwadrans po siódmej. Pomyślał, że mógłby się przejść do szpitala i zapytać o rzeczy zmarłych dziewczyn. Młoda recepcjonistka powiedziała mu, że doktor Terraux ma wolne popołudnie. Poczuł rozczarowanie, chciał jej zrobić niespodziankę. Jeśli chodzi o przedmioty osobiste, procedura nakazywała włożyć wszystko do plastikowych worków; gdy sekcja nie wykazała niczego podejrzanego, przekazywano je zakładowi pogrzebowemu, a ten oddawał je rodzinom. Thomas podziękował i wrócił do hotelu.

W tym czasie doktor Laura Terraux znajdowała się w prywatnej klinice wspomagania rozrodu. Po przemyśleniu sprawy podjęła świadomą decyzję o zostaniu samotną matką. Była zmęczona zbyt wieloma rzeczami, na przykład czekaniem na księcia z bajki, horroru czy jakiegokolwiek innego filmu, z którym założyłaby rodzinę. Gabinet pielęgniarski ozdabiały setki zdjęć zdrowych, szczęśliwych noworodków i karteczki z podziękowaniami od rodziców.

– Kiedy miała pani ostatni okres? – zapytała pielęgniarka.

– Wczoraj.

– Miesiączkuje pani regularnie?

– Tak.

– W takim razie nie jest jeszcze za późno, żeby przygotować cykl w tym miesiącu. Jutro zaczniemy terapię.

– Tak szybko? – zapytała Laura zaskoczona.

– Rano zrobiła pani badania, zadaliśmy pani wszystkie niezbędne pytania i wykonaliśmy testy, pozostaje nam tylko zacząć. Zawołam lekarza, żeby wyjaśnił pani procedurę. Proszę w tym czasie przeczytać tę ulotkę i spróbować się uspokoić. Jeśli chce pani, żebyśmy zaczekali na kolejny cykl, wystarczy powiedzieć.

– Dziękuję, jest pani bardzo miła. Nie trzeba. Mam ogromną ochotę zacząć jak najszybciej.

Pielęgniarka wyszła, a po chwili znowu się pojawiła.

– Lekarz jest teraz zajęty. Jeśli nie ma pani nic przeciwko temu, pójdziemy najpierw załatwić formalności. W ten sposób nie będziemy tracić czasu – powiedziała.

Laura wzięła torebkę i ruszyła za pielęgniarką do sekretariatu. Tam jakaś kobieta w średnim wieku poinformowała ją słodkim głosem, co ma zrobić:

– Proszę wypełnić formularze A i B. Niech pani nie zapomni o wszystkich cyfrach numeru konta i podpisie. Na tej białej kartce musi pani poświadczyć, że zgadza się na terapię i zna konsekwencje, jakie może za sobą pociągnąć.

Laura zrobiła to, o co ją poproszono. Zauważyła, że przy pisaniu trochę drży jej ręka. Czuła się szczęśliwa.

Był przepiękny poranek. Thomas zdecydował się na lekki letni garnitur, białą koszulę i odwieczne ray-bany; zrezygnował z krawata. Z samego rana rozmawiał z dyrektorem ośrodka w Les Diablerets. Samuel Laurent był wielce oburzony jego telefonem. W końcu jednak zgodził się na współpracę. Miał go oczekiwać o szesnastej. Thomas uparł się, żeby porozmawiać z chłopakiem, który znalazł zwłoki Iriny, i z koleżanką z pokoju Uny, a ponadto z najbliższymi znajomymi wszystkich zmarłych dziewczyn. Wcześniej pojechał do Montreux. Na dziewiątą umówił się z wujkiem Iriny Pietrowej.

Apteka o nazwie Vasil znajdowała się przy wąskiej uliczce z wyłożonym kostką brukową chodnikiem i ukwieconymi balkonami. Thomas zaparkował na jej końcu, w miejscu, gdzie się rozszerzała, przechodząc w mały placyk. Zadzwonił do drzwi. Otworzył mu starszy mężczyzna. Miał sympatyczną twarz o gęstych brwiach, białych jak jego włosy. Skinął głową na powitanie i wskazał ręką wnętrze apteki. Thomas ruszył za nim. Zauważył, że mężczyzna idzie zgarbiony, powłócząc nogami. Gospodarz zaprosił go na zaplecze, które było jednocześnie jego mieszkaniem. Usiedli po dwóch stronach stolika, przykrytego obrusem w kwiaty wykończonym koronką, pod którym stał piecyk.

– Zrobię kawę, napije się pan? – zapytał mężczyzna po francusku z wyraźnym rosyjskim akcentem.

– Tak, poproszę.

Pietrow odsunął ciężką zasłonę w ten sam deseń co obrus i wszedł do małej kuchni. Z miejsca, w którym siedział, Thomas mógł obserwować, jak krząta się przy parzeniu kawy.

– Przygotowuję ją na rosyjski sposób, czyli bardzo mocną. Lubi pan taką, czy rozcieńczyć panu mlekiem?

– Lubię mocną, wypiję taką jak pan – odpowiedział. Czuł się swobodnie.

Ze starego radioodbiornika na półce dobiegały jakieś wschodnie melodie. Były smutne i melancholijne. Kredens w pokoju wypełniały figurki, zdjęcia w ramkach i łyżeczki z różnych krajów; najwyraźniej mężczyzna je zbierał. Thomas wstał, żeby je obejrzeć. Odczytał nazwy: Irlandia, Nepal, a nawet Antarktyda.

– Ma pan imponującą kolekcję łyżeczek.

– Zacząłem w młodości i od tamtej pory wciąż się powiększa. Ludzie przywożą mi je zwykle jako pamiątkę ze swoich podróży. Z czasem wyjąłem z półek książki i zastąpiłem je łyżeczkami. W moim wieku i tak już nie czytam…

Rozległ się syk kafetierki i Pietrow zdjął ją z ognia. Wrócił do saloniku, niosąc w jednej dłoni kawiarkę, a w drugiej podstawkę. Umieścił je na środku stolika.

– Niektóre z nich to prawdziwe dzieła sztuki. Proszę spojrzeć na tę z Petersburga – powiedział i otworzył przeszklone drzwi, żeby wyjąć łyżeczkę. – Jest zrobiona ze złota, zdobią ją herby miasta i cara Piotra. Niech pan popatrzy z tej strony, jak artysta odtworzył pałac letni Peterhof. Widać nawet okna.

Thomas obejrzał miniaturowe dzieło sztuki.

– Ma pan rację, jest bardzo ładna.

Wujek Iriny odłożył łyżeczkę na miejsce i poszedł do kuchni po dwie szklaneczki. Usiedli przy stole. Pietrow nalał kawy.

– To pańska bratanica? – zapytał Thomas, wskazując na ustawiony na parapecie ołtarzyk ze zdjęciem.

– Tak, była bardzo ładna. Wyjątkowa sportsmenka. Bardzo waleczna. Mój Boże, co za strata! – biadolił, spuściwszy głowę. – Nie powinna była przyjeżdżać do Szwajcarii.

– Dlaczego pan tak mówi?

– Nie wiem, czuję się odpowiedzialny za jej odejście. Po śmierci mojego brata bratowa poprosiła mnie, żebym jej pomógł, nie chciała, żeby Irina wychowywała się w Rosji. Po olimpiadzie w Pekinie wiele rosyjskich środków przekazu nie rozumiało, jak Irina mogła nie zdobyć medalu. Pokładano w niej wielkie nadzieje i uznano to za porażkę. Ja jestem starszym bratem Karla, nie mam rodziny, byłem w dobrej sytuacji materialnej… Poczułem się w obowiązku pomóc.

– Jak długo Irina przebywała w Szwajcarii?

– Przyjechała w zeszłym roku, we wrześniu. Bardzo słabo mówiła po francusku, ot tyle, żeby się dogadać. Pojechała prosto do Les Diablerets. Cieszyła się, że ją tam przyjęli.

Wypił łyk kawy; Thomas poszedł w jego ślady. Była tak mocna, że pomyślał, iż tej nocy trudno mu będzie zasnąć.

– Zauważył pan, czy może ostatnio czymś się martwiła?

– Bardzo poruszyła ją śmierć koleżanki, Uny. Ja to zbagatelizowałem. Ludzie umierają. My, którzy wiele przeszliśmy, jesteśmy do tego przyzwyczajeni, ale młodzi nie znają niedoli, jakie niesie życie, a śmierć jest jedną z nich.

– Wie pan, czy się przyjaźniły?

– Myślę, że były po prostu koleżankami z ośrodka.

– Przyprowadzała do domu znajomych?

– Z tego, co pamiętam, nie. Wie pan, wiek sprawia, że zapominamy o niektórych rzeczach, akurat to moim zdaniem jest korzystne.

Thomas się uśmiechnął. Na ścianie za plecami mężczyzny wisiało oprawione zdjęcie rosyjskiej reprezentacji lekkoatletycznej. Rozpoznał na nim Unę i Irinę.

– Czy mógłby mi pan pożyczyć to zdjęcie? Niedługo je oddam.

– Chciałbym, żeby mi pan wcześniej powiedział, po co tu przyjechał – odparł uprzejmie Rosjanin.

– Jak już wyjaśniłem przez telefon, to zwykła formalność przed zamknięciem sprawy.

– Nie wierzę – powiedział Pietrow poważnym tonem. – Niech pan spróbuje jeszcze raz.

Thomas zastanowił się, jakiej powinien udzielić mu odpowiedzi, żeby za dużo nie zdradzać.

– Otrzymaliśmy zgłoszenie od osoby – nie mogę ujawnić jej nazwiska – która utrzymuje, że dziewczyny nie zmarły śmiercią naturalną.

Starzec zmienił się na twarzy. Jego ciało jakby się zapadło. Thomas nie potrafił odgadnąć uczuć tego człowieka.

– To, co mi pan właśnie powiedział, to potworność. Sugeruje pan, że ktoś zabił moją bratanicę?

– Nie wiemy tego. Musimy przeprowadzić śledztwo.

– Przecież... Sekcja niczego nie wykazała, dostaliśmy pozwolenia... Została skremowana i pochowana w Rosji. Opowiada pan bzdury.

– A jej rzeczy osobiste? – zapytał Thomas z obawą w głosie.
– Przypomina pan sobie kartkę z napisanym odręcznie wierszem?

– Ale co zamierza pan sprawdzać? – Mężczyzna wyglądał na zdezorientowanego. – To nie amerykański film. Iriny już nie ma, a... cała reszta jest bez znaczenia.

– Proszę wybaczyć, że nalegam. Wiem, że to dziwnie brzmi, ale chodzi o zwykłą biurokratyczną procedurę. Ma pan jakieś przedmioty osobiste bratanicy?

– Nie wiem... Ubrania i inne rzeczy oddałem do kościoła. Myślę, że w jej szafie zostały jeszcze jakieś stroje sportowe. Jeśli pan chce, przyniosę pudełko z kilkoma drobiazgami, które zachowałem. I – dodał, wskazując z przygnębieniem ścianę – może pan zabrać fotografię.

Mężczyzna wstał powoli i zniknął w prawej części kuchni. Thomas zdjął ramkę i wyciągnął zdjęcie. Zostało zrobione aparatem cyfrowym. W rogu miało zaznaczoną godzinę i datę: 13:40, 5.04.2011.

Pietrow postawił pudełko na stoliku. W milczeniu odsunął szklanki i kafetierkę. Thomas położył fotografię na krześle.

– Może mi pan powiedzieć, gdzie zostało zrobione to zdjęcie?

– Nie wiem. Dostała je w Les Diablerets.

Thomas przez chwilę nad czymś rozmyślał.

– Panie Pietrow, pan studiował farmację, prawda?

– Dokładnie tak. Również chemię. Czternaście lat temu dostałem stypendium, żeby prowadzić tu badania. Przepraszam, ale nie sądzę, żebym mógł panu jeszcze w czymkolwiek pomóc. Moja bratanica była bardzo skryta i tak naprawdę rzadko się widywaliśmy. Żyła wyłącznie dla sportu. To była jej obsesja – stwierdził w zadumie. – Jeśli mi pan wybaczy, pójdę otworzyć aptekę. Proszę zabrać pudełko. Odda mi pan przy okazji.

– Oczywiście, to bardzo miło z pańskiej strony. Dziękuję za kawę.

Pietrow odprowadził go aż na ulicę, pożegnali się uściskiem dłoni.

Po powrocie do hotelu Thomas zdjął garnitur i włożył dżinsy oraz czarną koszulkę z krótkim rękawem. Wyciągnął z lodówki butelkę, wypił trochę wody, postawił pudełko na biurku i zabrał się za opróżnianie go. Pierwszą rzeczą, którą zobaczył, był kosmyk jasnych włosów; wolał go nie dotykać. Wyjął kilka pocztówek i jakieś listy, wszystkie napisane po rosyjsku, koszulkę rosyjskiej reprezentacji, parę medali i zeszyt. Jego serce zaczęło bić szybciej. Otworzył go. Jedna z kartek wystawała, była pognieciona. Wsadził ją do plastikowej torebki i położył na stole. Przeczytał napisany ołówkiem wiersz. Obejrzał papier w kratkę, lewy brzeg był nierówny, jakby ktoś pisał w pośpiechu i wyrwał kartkę, nie dbając o to, jak będzie wyglądała. Charakter pisma potwierdzał jego teorię: nerwowe pociągnięcia ołówka, cienka kreska, słowa różnej wielkości, litery pochylone w prawo. Wygładził torebkę na dowody. Kartka w środku trochę się rozprostowała. Ponownie przeczytał wiersz.

Szukałem cię, nie wiedząc, czego szukam
Śniłem o tobie, niczego nie pamiętając
Pisałem do ciebie wiersze, nie nazywając cię po imieniu

Kochałem się z tobą, nie dotykając cię
Dwie minuty, żeby cię kochać
I całe życie, żeby cię spotkać.
Ale co robić, jeśli twoje życie jest zniekształcone?
Co robić, jeśli nie jesteś z tych odważnych, którzy krzyczą?
Teraz, kiedy na ciebie patrzę, wierzę
Teraz, kiedy cię słucham, rozumiem
Teraz, kiedy jesteś martwa, czuję.

Thomas kilka razy przejechał dłonią po włosach, po czym położył ją na karku; to wszystko nie miało sensu. Właśnie ta bezsensowność była powodem jego przygnębienia. Zadzwonił do Maire, ale nie odebrała. Postanowił, że w przyszłym tygodniu poleci do Irlandii. Musiał zobaczyć wiersz Uny i zadać Maire kilka pytań.

Zadźwięczał telefon.

– Cześć, mamo.

– Cześć, kochanie. Dzwonię, żebyś mi doradził w sprawie storczyka, którego mam w domu, nazywa się chyba falenopsis. W tym miesiącu jest bardzo gorąco, a ponieważ mieliśmy łagodną zimę, nie było spadku temperatury, który sprzyjałby kwitnieniu. Teraz rozwija się tylko jeden pęd kwiatowy... Przepraszam, Tommy, powiedz mi przede wszystkim, jak się czujesz, synku? Dobrze się odżywiasz?

– Wszystko w porządku, mamo, miło, że pytasz.

– To dobrze, skarbie, sam wiesz, że w życiu najważniejsze jest zdrowie. I miłość, rzecz jasna, a do tego trochę pieniędzy, bo w przeciwnym razie z czego będziesz żył? Na pewno nie powietrzem... – Przerwała na chwilę. – Jak ci mówiłam, martwię się. To nie jest odpowiednia pora, żeby rozwijały się korzenie i liście, nie sądzisz? Coś czuję, że w tym roku storczyk nie będzie miał kwiatów.

Thomas uśmiechnął się na myśl o błahostkach, które zaprzątały jego matkę.

– Wiesz, czy ma jakieś keiki?

– Ma dwa czy trzy dzieciaczki.

– Okay. Może roślina macierzysta jest w złym stanie i próbuje desperacko się rozmnożyć.

– Ach, synku! Nawet rośliny nie mogą dożyć starości...

172

– Spokojnie, zazwyczaj keiki rosną, kiedy jest ciepło, ale na wszelki wypadek odkryj węzeł, zdejmij skórkę i wystaw pąk na światło. Zobaczymy, co się stanie.

– Dziękuję, kochanie, prawdziwy z ciebie skarb. Potem ci opowiem, jak poszło. Ach! Zapomniałabym. Nie funduj nam już nigdy żadnych wycieczek. Twój ojciec coraz bardziej lubi przesiadywać w pubie, pić piwo i śpiewać stare irlandzkie piosenki, nie chce już nawet chodzić ze mną na tańce. Nie będę ci mówiła, przez co musiałam przejść, żeby zgodził się na ten rejs.

– W porządku, mamo.

Po kilku godzinach spędzonych nad sprawą Thomas postanowił zrobić sobie przerwę. Był głodny. Pustka w żołądku przypomniała mu, która jest godzina. Włożył adidasy i wyszedł coś zjeść. Wybrał zwykłą restaurację ze stolikami na świeżym powietrzu. Jedząc sałatkę z serów i naleśniki z warzywami, wciąż wracał myślami do dziwnego wiersza.

24

Janik był umówiony z Nicolą; poznali się w klubie lekkoatletycznym jako nastolatkowie.

– Masz jakieś plany na wieczór? – zapytała go matka, kiedy skończył rozmawiać z dziewczyną.

– Idę na kolację.

– Nie wiem, po co tu przyjechałeś, skoro nigdy nie ma cię w domu.

– Nie zaczynaj, i tak nie zwracasz na mnie uwagi…

– Jesteś niewdzięczny, gdyby widział cię twój ojciec…

– Gdyby tata tu przyszedł, pomyślałby, że pomylił domy.

Telefon od Nicoli sprawił, że Janik zapomniał na chwilę o swoich zmartwieniach. Spędził dłuższą chwilę pod prysznicem, rozkoszując się ciepłą wodą i uczuciem, że nie ma napiętych mięśni.

Restauracja była długa i wąska. Stoły i krzesła z Ikei ustawione pod olbrzymimi oknami zajmowały prawą stronę lokalu. Janik nie zwrócił specjalnej uwagi na jedzenie. Spotkanie przebiegło w przyjemnej atmosferze. Przez większość czasu rozmawiali o szkolnych latach i o tym, jak bardzo się zmienili. Po kolacji wsiedli do samochodu i ruszyli w stronę dyskoteki. Nicola opowiedziała mu, że zerwała z chłopakiem, który mieszka w Berlinie, i że niedługo wyjedzie na studia do CERN dzięki specjalnemu rządowemu stypendium. Po chwili milczenia zapytała go wprost, czy ma dziewczynę.

– Chodziłem z jedną biegaczką, ale to już skończone – skłamał.

Wciąż czuł efekty wypitego dzień wcześniej alkoholu. W takim stanie nawet on sam uwierzył, że to prawda.

– Tęsknisz za nią?

– Nie, nie żyje – wyznał bez ogródek.

– Ojej, przykro mi – powiedziała Nicola. – Jak umarła?

– W wypadku samochodowym.

Dotarli do dyskoteki. Był to olbrzymi dwupoziomowy lokal z restauracją i ogrodem. Po kilku kieliszkach szampana tańczyli przez dłuższy czas. Janik nie pamiętał, kto kogo pierwszy pocałował, ale postawiłby sporą sumę pieniędzy na to, że Nicola jego.

– Pojedziemy do domu mojej ciotki? – zaproponowała. – Jest na wakacjach we Francji.

Nie czekając na odpowiedź Janika, chwyciła go za rękę i wyprowadziła z dyskoteki jak dziecko.

– Po szampanie jestem strasznie napalona – wyszeptała mu do ucha, gdy tylko weszli do domu.

Nic nie odpowiedział, wyznanie Nicoli kompletnie go znokautowało.

Podeszła do niego, ich ciała otarły się o siebie. Objęła go rękami za szyję i kilkakrotnie pocałowała, nie odrywając ust od jego warg.

– Chodźmy do środka – szepnęła.

Janik chwycił ją w talii. Ugiął kolana niczym sztangista przed wykonaniem pierwszego ruchu; poczuł, że ciężar Nicoli rozkłada się równo na całe jego ciało. Jej nogi otoczyły mocno jego biodra. Dziewczyna ważyła za dużo, żeby mógł ją tak trzymać przez dłuższy czas, i choć bardzo się wysilał, w końcu pozwolił, by ześlizgnęła się w dół. Spojrzała mu w oczy i przyciągnęła go do siebie zręcznym ruchem ekwilibrystki. Rozpięła mu pasek, spodnie Janika opadły na podłogę. Czuł się niezdarnie, więc postanowił przejąć inicjatywę. Przytrzymał ją i poprowadził pod ścianę, ale potknął się o własne spodnie i oboje o mały włos nie upadli. Nicola wybuchnęła śmiechem. Janik musiał coś zrobić, żeby nie wyjść na idiotę, oderwał więc dłonie od jej talii i mocno chwycił ją za piersi. Dziewczyna westchnęła z rozkoszy.

– Rozerwij mi bluzkę.

Janik złapał za koszulkę i próbował ją podrzeć, jak to robią na filmach, ale ta nie wydawała się zrobiona na potrzeby kina. Nicola przywarła do niego i szepnęła mu na ucho, żeby poszedł za nią. Nie przestając się całować, wyszli z korytarza i znaleźli się w sypialni.

***

175

Obudziły go pierwsze promienie poranka. Ubrał się powoli, próbując nie robić hałasu. Miał ochotę zostać przy niej, nauczyć się na pamięć jej ciała, ale musiał wrócić do domu. Radość z chwil spędzonych z Nicolą ustąpiła miejsca niepokojowi o matkę. Potem zadzwonił do niego dyrektor ośrodka i powiedział, że nazajutrz musi się stawić w Les Diablerets. Jakiś śledczy z Interpolu chciał z nim porozmawiać. Zgodził się, oniemiały ze zdumienia, ale postanowił, że zaraz po spotkaniu wróci do Maur.

25

Thomas nie chciał skorzystać z gabinetu dyrektora, wolał jakieś mniej onieśmielające miejsce, wybrał więc bibliotekę. Kiedy tylko tam wszedł, od razu przypadła mu do gustu. Mieściła się w starej części ośrodka. Z wystroju wywnioskował, że to oryginalna biblioteka zamku. Jasna sala w klasycznym stylu miała wysokie sufity, a ściany wypełniały drewniane regały. Środek był pusty; w całym pomieszczeniu rozstawiono małe stoliki i oddzielono je od siebie niskimi parawanami. Pachniało książkami, papierem i skórą. Thomas wybrał miejsce w jednym z rogów w głębi. Sprawdził, że nikogo nie ma w pobliżu; tylko na drugim końcu pomieszczenia dwóch chłopców odsunęło parawan i korzystało z tego samego stolika.

Usiadł i czekał. Janik Toledo pojawił się kilka minut później. Wszedł cicho i ostrożnie zamknął za sobą drzwi. Thomas dał mu z daleka znak ręką i przyglądał się, jak powoli do niego podchodzi. Chłopak miał spuszczony wzrok, spojrzał na niego tylko raz, na samym początku. Wyglądał na zdenerwowanego. Zajął miejsce naprzeciwko Thomasa, uważając, żeby nie narobić hałasu przy przesuwaniu krzesła.

– Witaj, Janiku. Nazywam się Thomas Connors i pracuję dla Interpolu. Przyjechałem tu z powodu śmierci Uny Kowalenko i Iriny Pietrowej. Wiem, że to ty znalazłeś zwłoki Iriny i że byłeś jej najlepszym przyjacielem. Chociaż, jeśli nie masz nic przeciwko temu, możemy zacząć od Uny.

Thomas chciał, żeby Janik czuł się swobodnie; zauważył, że bez przerwy wykręca dłonie, trzymając mankiety bluzy.

– Znałeś Unę?

– Tylko z widzenia. Czasem spotykaliśmy się w stołówce albo na treningach na stadionie w Monthey, ale prawdę mówiąc, nigdy nie rozmawialiśmy.

– Z kim się przyjaźniła?

– Była bardzo popularną dziewczyną, miała wielu przyjaciół.

– Mam na myśli najbliższy krąg.

– Nie wiem, może jej grupa treningowa. Spędzała dużo czasu z dwiema irlandzkimi kolarkami torowymi.

– Una znała Irinę?

– Tak, jasne, że ją znała, ale kiedyś zapytałem o nią Irinę i niewiele mi o niej powiedziała.

– A ty jak uważasz? Kolegowały się?

– Myślę, że tak, że wiele je łączyło.

– Co na przykład?

– No cóż, były Rosjankami i miały tego samego menedżera, Franka Stone'a.

Thomas zauważył zmianę tonu w głosie chłopaka; stał się ostrzejszy. Postanowił pójść dalej tym tropem.

– Co myślisz o menedżerze?

– Nie podoba mi się.

– Dlaczego?

– Bo nie – powiedział, kręcąc się na krześle.

– Wyjaśnij mi to.

– Myślę, że dla niego ważne są tylko pieniądze. Ma dużą władzę. Przywozi zawodowe lekkoatletki spoza ośrodka i nie przejmuje się tymi, które są tutaj i dopiero zaczynają.

– Uważasz, że chce, żeby jego sportowcy odnieśli sukces za wszelką cenę?

– Tak, zwłaszcza dziewczyny. Wyciska je, a kiedy widzi, że już nie wyrabiają, wraca do Rosji i przywozi kolejne.

– Sądzisz, że jego lekkoatleci stosują doping? – zapytał znienacka Thomas.

Janik zrobił zdziwioną minę. Pytanie rzeczywiście go zaskoczyło.

– Nie, skąd. Nie wiem, jak było z Uną, ale Irina nie, nie ma mowy... Nigdy nie stosowała środków dopingujących. Ja ją znałem... Bardzo poważnie podchodziła do treningów, do diety... Dbała o siebie, była profesjonalistką.

– Jesteś pewien, że niczego nie brała?

– Tak, w stu procentach – odpowiedział chłopak z przekonaniem.

– Zauważyłeś coś dziwnego w zachowaniu Iriny w przeddzień jej śmierci?

– Nie, wieczorem świętowaliśmy zakwalifikowanie się na mistrzostwa świata w Daegu. Była na swój sposób szczęśliwa.

– Dlaczego mówisz, że na swój sposób?

– Bo we wszystkim była bardzo skryta; wydawało się, że nic jej zbytnio nie cieszy.

– Można powiedzieć, że byłeś jej najlepszym przyjacielem?

– Można.

– Ktoś jeszcze?

– Anna, jej koleżanka z pokoju.

– Jest tutaj?

– Wyjechała, ale wraca w przyszłym tygodniu.

– Kto trenował Irinę?

– Olivier, mój poprzedni szkoleniowiec. Frank poprosił Oliviera, żeby ją trenował.

– Mógłbyś dać mi jego numer telefonu?

– Tak, oczywiście.

– Irina miała jakiegoś lekarza?

– Z tego co wiem, nie. Ośrodek ma własnych lekarzy i fizjoterapeutów.

– Słyszałem, że ośrodek został wybudowany dzięki funduszom koncernu farmaceutycznego Poche.

– Nie mam pojęcia. Wydaje mi się, że przy wejściu jest tabliczka z nazwiskiem rodziny założycieli. Ale fizjoterapeuci zawsze używają produktów Poche'a. I dają nam za darmo te, których potrzebujemy.

– Wszystkie są legalne?

– Oczywiście. Mówię o maściach na stany zapalne, witaminach, minerałach i innych suplementach diety.

– Nic, co miałoby cokolwiek wspólnego z hormonami – upewniał się Thomas.

– Nie, nic, co miałoby cokolwiek wspólnego z hormonami.

– Kto jest twoim menedżerem?

– Menedżer Iriny, Frank.

– Dlaczego wcześniej mi tego nie powiedziałeś?

– Nie zapytał pan.

– Ale czy nie mówiłeś, że pan Stone myśli wyłącznie o pieniądzach?

– Tak, nie lubię go, ale to najlepszy menedżer w Szwajcarii. Zwrócił na mnie uwagę, bo myśli, że na mnie zarobi. Co oznacza, że będę mógł biegać na najlepszych europejskich mityngach i z pewnością poprawię wyniki.

– Stosujesz doping?

– Co to za pytanie? – oburzył się Janik. – Nigdy tego nie robiłem ani nie będę robił. Nie interesuje mnie to gówno. Nie chcę wygrywać dzięki oszustwu.

Thomas uznał, że chłopak albo mówi prawdę, albo jest doskonałym aktorem.

– W porządku. Wróćmy do śmierci Iriny. Rozumiem, że to ty odkryłeś zwłoki?

– Tak, Anna wstała wcześniej, bo musiała jechać chyba do Genewy, na sesję fotograficzną dla jakiegoś magazynu.

– Nie powiedziała ci nic, co by dotyczyło Iriny?

– Nie, poprzedniej nocy siedzieliśmy z Anną, Iriną i Peterem w pokoju dziewczyn. Świętowaliśmy zakwalifikowanie się do mistrzostw.

– Peterem?

– Tak, Peter pojechał z nami samochodem na zawody, a potem razem wróciliśmy do ośrodka. Umówiliśmy się na wieczór w pokoju Iriny i Anny.

– Piliście coś podczas imprezy?

– Kilka piw.

– Nic więcej?

– Nie chodziło nam o to, żeby się upić, następnego dnia wcześnie rano mieliśmy treningi.

– Wydaje się, że bardzo porządne z was dzieciaki…

– Na to wygląda.

– Kto wyszedł ostatni?

– Ja i Peter wyszliśmy razem.

– Wiesz, czy potem dziewczyny opuszczały pokój? Anna wspominała ci coś o tym?

– Nic takiego mi nie powiedziała.
– Gdzie mieszkasz? Na tym samym piętrze?
– Nie, na czwartym.
– Z kim spotykała się Irina?
– Z nikim.
– Nikt nie interesował się taką ładną dziewczyną?
– Nie mam pojęcia – powiedział chłopak wyraźnie zdenerwowany.
– Tobie się podobała? – zapytał Thomas.
– Nie – odpowiedział Janik czerwony na twarzy.
Thomas się uśmiechnął.
– Jakie masz hobby?
– Lekkoatletykę.
– Lubisz imprezy, kino albo muzykę?
– Nie do tego stopnia, żeby nazywać je hobby. W wolnym czasie siedzę w Internecie albo oglądam filmy.
– Lubisz czytać?
– Nie za bardzo. Czasem przejrzę jakiś magazyn lekkoatletyczny.
– A pisać?
– Nie. Ale wpisuję moje treningi do komputera. Mam specjalny program, który analizuje tempo biegu, poza tym niczego nie piszę.
– Jesteś pewien? – nalegał Thomas.
– Tak.
– Janiku, sprawa jest poważna Wiem, że to naturalne zgony, ale ponieważ chodzi o młode osoby, sprawdzamy, czy coś nam nie umknęło.
Janik poruszył się niespokojnie na krześle. Chciał już stąd wyjść.
– Co się wydarzyło, kiedy wszedłeś do pokoju Iriny?
Chłopak znieruchomiał i złożył ręce, jakby miał zacząć się modlić.
– Drzwi nie były zamknięte od środka na zasuwkę – powiedział. – Wszedłem. Od razu zauważyłem, że Irina leży pod kołdrą. Zawołałem ją od drzwi, ale nie zareagowała. Podszedłem powoli do łóżka. Dotknąłem jej ręki i jeszcze raz zawołałem. Nie odpowiedzia-

ła. Spała na boku, twarzą do ściany. Ja… widziałem tylko jej plecy. Kiedy ją odwróciłem, opadła na łóżko jak kukła. Miała zamknięte oczy, wyglądała, jakby spała.

– Co zrobiłeś potem?

– Poszedłem po pomoc. Chyba krzyknąłem.

– Zostawiłeś drzwi otwarte?

– Tak.

– Zwróciłeś uwagę, czy ktoś wchodził do środka?

– W progu zaraz zaczęli się tłoczyć ciekawscy.

– Zauważyłem, że do wind prowadzi długi korytarz, dość dobrze widać stamtąd drzwi Iriny – powiedział Thomas.

Janik przytaknął.

– Kto pierwszy przekroczył próg i wszedł do pokoju?

– Blanc, dozorca. Wyrzucił wszystkich i zamknął drzwi.

– Jesteś pewien?

– Tak. Kilka minut później przyszli dyrektor i jeden z lekarzy ośrodka.

– Wszedłeś razem z nimi?

– Nie, zostałem na zewnątrz. Zamknęli drzwi.

– Pamiętasz, kiedy przyjechała policja?

– Nie, ale wydawało mi się, że upłynęła wieczność.

– Wpisz swoje dane do tego formularza. – Thomas podał mu kartkę. – Oddasz mi go, kiedy skończysz.

Chłopak wypełnił polecenie.

– Dziękuję Janiku, miło było z tobą porozmawiać. Jeśli przypomnisz sobie coś, co uznasz za ważne, związane ze sprawą, o której rozmawialiśmy, natychmiast do mnie zadzwoń. – Thomas wręczył mu swoją wizytówkę. – Tu masz moje namiary.

Zaraz po wyjściu z biblioteki Thomas porównał pismo Janika z wierszem Iriny.

– Doktor Terraux, wreszcie mamy okazję się poznać – powiedział lekarz i podał jej rękę. – Moller.

Laura uścisnęła mu dłoń. Wydał jej się bardzo atrakcyjnym mężczyzną. Był wysoki i szczupły, miał opaloną skórę. Pomyślała, że pewnie uprawia jakiś sport na świeżym powietrzu. Dużo czytała o tej klinice i lekarzu. Jego szczery uśmiech dający poczucie bezpieczeństwa podniósł ją na duchu.

– Wyjaśnię pani krok po kroku, co będziemy robić w najbliższych dniach. Sprawdźmy... – Spojrzał na ekran komputera. – Jest pani w drugim dniu menstruacji, tak więc jutro zaczniemy kurację.

– Jutro? – zapytała zaskoczona.

– Tak jest. W przeciwnym razie będziemy musieli zaczekać do kolejnego okresu. Decyzja należy do pani.

– Nie mam wątpliwości co do tego, że chcę zacząć jak najszybciej, problem w tym, że jestem dość zajętą osobą i będę musiała jakoś się zorganizować.

– Muszę panią uprzedzić, że stres bynajmniej nie pomaga w zajściu w ciążę – podkreślił ostatnie słowo, podnosząc nieznacznie głos. – Z pani karty wynika, że raczej nie ma pani problemów z jajowodami. Jeśli się pani zgodzi, proponuję sztuczną inseminację. To najlepsze rozwiązanie w przypadkach takich jak pani, gdzie – jak nam pani wyjaśniła w zeszłym tygodniu – nie wchodzi w grę partner ani znajomy dawca.

Laura przytaknęła, lekko zawstydzona.

– Proszę posłuchać, to bardzo prosty zabieg – ciągnął lekarz. – Polega na wprowadzeniu nasienia dawcy do macicy w godzinach bliskich owulacji, po uprzedniej stymulacji wytwarzania komórek jajowych.

– Jak wygląda taka kuracja? – zapytała Laura.

– Jak powiedziałem, zaczynamy trzeciego dnia menstruacji, pobudzając jajeczkowanie za pomocą terapii hormonalnej. Ma ona na celu powiększenie liczby komórek jajowych oraz osiągnięcie odpowiedniego poziomu hormonów i precyzyjniejszej daty owulacji. Kuracja trwa zazwyczaj od siedmiu do dwunastu dni, w tym czasie powinny być wstrzykiwane hormony, te, które odpowiadają za jajeczkowanie. – Zrobił przerwę, upewniając się, czy Laura nadąża za jego wyjaśnieniami. – Co dwa dni będziemy musieli zrobić badanie krwi, żeby kontrolować proces, i wykonać USG, żeby sprawdzić, czy dawka jest odpowiednia. Po okresie podawania hormonów zrobimy jeden dzień przerwy. Następnego musi pani sobie wstrzyknąć ovitrelle, po którym pani komórki jajowe dojrzeją i będą gotowe do zapłodnienia.

– Jakie szanse powodzenia ma zabieg?

– W naszej klinice wskaźnik udanych zabiegów sztucznego zapłodnienia wewnątrzmacicznego ze stymulacją komórek jajowych wynosi dwadzieścia procent. Tak wyglądają szanse na zajście w ciążę podczas jednego cyklu. Po kilku próbach mogą dojść do pięćdziesięciu procent. Zalecamy przeprowadzenie czterech, żeby w pełni wykorzystać możliwości tej prostej metody.

– A jeśli nie zajdę w ciążę?

– Zmienimy wówczas metodę wspomaganego zapłodnienia na bardziej złożoną, jak zapłodnienie in vitro.

Laura skinęła głową. Wiedziała, o czym mówi lekarz, czytała o tym wcześniej.

– Ale po kolei, doktor Terraux. Zaczynamy pasjonującą przygodę, musi być pani pozytywnie nastawiona. Jest pani zdrową, młodą kobietą. W dzisiejszych czasach czterdzieści jeden lat nie przeszkadza w zajściu w ciążę.

Doktor Moller wypisał jej kilka recept, by mogła rozpocząć kurację.

– Musi pani kupić opakowanie zastrzyków gonadotropiny. I robić sobie po jednym każdego dnia podskórnie, zawsze o tej samej godzinie. Proszę zrobić pierwszy jutro, a do tego wziąć dwie tabletki kwasu foliowego. W poniedziałek wykonamy USG i zbadamy krew.

Laura milczała. Nie mogła uwierzyć, że bierze w tym udział. Miała ściśnięty żołądek, trudno jej było oddychać.

– Ja… będę musiała dopasować mój grafik. Nie wiem, czy dam radę w poniedziałek. Mam dyżur – wyjaśniła.

– Chyba się nie zrozumieliśmy, doktor Terraux – powiedział lekarz poważnym tonem. – Musi się pani dostosować do naszych terminów. Czasami może będzie pani zmuszona przyjeżdżać dwa dni z rzędu, żebyśmy sprawdzili, czy dojrzały pani komórki jajowe. To nauka. Jest niedokładna. Ustalamy leczenie oparte przede wszystkim na wieku pacjentki, morfologii jej jajników, analizie hormonalnej, masie ciała, odpowiedzi na stymulację jajnikową. Czy wyrażam się jasno?

– Jaśniej nie można. Chowam terminarz do szuflady – odpowiedziała Laura, próbując zmienić ton rozmowy na mniej poważny.

– Widzę, że się zrozumieliśmy. – Lekarz spojrzał na monitor.
– Widzimy się pojutrze, o dwunastej.
– Przyjadę.
– Jakieś pytania?
– Tak, o zastrzyki. Gdzie mam je sobie robić?
– Tam gdzie wstrzykuje się heparynę. Proszę ująć w dwa palce fragment skóry na brzuchu i wbić igłę w pozycji pionowej. Zresztą opakowanie zawiera dokładną instrukcję.

Laura z ulgą opuściła klinikę. Odebrała słoneczne ciepło jako dobry omen. „Wszystko pójdzie dobrze", powiedziała sobie z przekonaniem. Poszukała w blackberry adresu dyżurnej apteki. Była daleko od kliniki, ale postanowiła zrobić sobie spacer. Po południu musiała iść do pracy. Pierwszy raz od bardzo dawna nie miała na to ochoty. Spędzanie długich godzin w piwnicy na otwieraniu zwłok przy sztucznym świetle wydało jej się nagle aberracją. Podobało jej się w Montreux. Eleganckie miasto, wyrafinowane, wytworne. Nie chciała korzystać z usług kliniki w Monthey, małej miejscowości, gdzie wszyscy się znali. Wolała uniknąć plotek.

W aptece powiedziano jej, że te leki sprowadzają wyłącznie na zamówienie. Farmaceutka zapewniła, że mogą je mieć jeszcze tego popołudnia.

– To mnie nie urządza. Po południu pracuję, a kurację muszę zacząć jutro – powiedziała poirytowana.

– Nie może pani kogoś przysłać, żeby je odebrał? – zapytała młoda aptekarka.

– Nie.

– W takim razie zadzwonię i dowiem się, czy mogą je przywieźć wcześniej, podczas ostatniej porannej dostawy.

– Bardzo dziękuję.

Podczas rozmowy telefonicznej dziewczyna pokiwała twierdząco głową. Laura odetchnęła z ulgą.

– Musi pani zapłacić z góry. To bardzo drogie leki, nie możemy ryzykować, że je sprowadzimy, a potem ich pani nie odbierze.

– Oczywiście.

Laura wyjęła kartę kredytową.

– Tysiąc dwieście franków.

Żegnajcie, pieniądze na wakacje w Grecji. Spojrzała na zegarek, miała jeszcze przed sobą trzy godziny, żeby powłóczyć się po Montreux. Wróciła tą samą drogą na Place du Marché, gdzie znajdowała się klinika. Chciała kupić świeże produkty, a najlepszym miejscem był tutejszy targ pod imponującą metalową konstrukcją podarowaną miastu przez Henriego Nestlé ponad wiek temu. Przed wejściem przypomniała sobie o nieodebranym połączeniu od Thomasa i oddzwoniła.

– Dzień dobry, pani doktor – powiedział energicznym tonem.

– Witaj, Thomasie. Co słychać? Przepraszam, że nie odebrałam, byłam zabiegana.

– Spokojnie, dzwoniłem tylko po to, żeby ci powiedzieć, że jestem w Monthey. Zatrzymałem się na czas śledztwa w hotelu Monthey Palace.

– To fantastyczna wiadomość. Musisz mi opowiedzieć, jak ci się to udało, i co już ustaliłeś.

– Jeśli chcesz, możemy się umówić na obiad – zaproponował.

– To niemożliwe. Jestem w Montreux, mam tu do załatwienia kilka spraw.

– Co za zbieg okoliczności! Byłem tam dziś rano, żeby porozmawiać z wujkiem Iriny.

– Jeżeli ci pasuje, przełóżmy to na wieczór. Kończę o jedenastej. Możemy się spotkać u mnie. Wiem, że to trochę późno, ale… – powiedziała Laura.

– Mnie pasuje. Wyślij mi adres, opowiem ci wszystko wieczorem.

– W porządku. W takim razie widzimy się u mnie około jedenastej piętnaście.

Laura wyszła z pracy wcześniej niż zazwyczaj. Zdążyła akurat ogarnąć trochę dom i włożyć do piekarnika kacze udka z warzywami. Gotowanie nie było jej mocną stroną, ale to danie zwykle jej wychodziło, przygotowywała je zawsze, kiedy chciała dobrze wypaść. Problem pojawiał się, kiedy ta sama osoba odwiedzała ją kolejny raz, jako że na tym kończył się jej kuchenny repertuar. W takiej sytuacji nie miała innego wyjścia, jak tylko skorzystać z gotowych dań albo zamówić coś w restauracji. Zrobiła sałatkę i poszła się przebrać. Wybrała zieloną sukienkę bez rękawów sięgającą przed kolana. Była doskonała – wcięta w talii, podkreślała jej biodra i podnosiła piersi. Związała włosy. Z zadowoleniem przejrzała się w lustrze, zieleń pasowała do jej oczu. Pomalowała rzęsy i nałożyła róż na policzki; makijażu dopełniła odrobina błyszczyka na ustach. Dwie minuty później wróciła do sypialni. Co ona sobie wyobrażała? Przecież to nie randka. Idiotka z niej. Tak wyglądając, zasygnalizowałaby Thomasowi wiele rzeczy, których w żadnym razie nie chciała mu insynuować. Przebrała się. Włożyła wytarte dżinsy z dziurami na kolanach i biały bawełniany T-shirt.

– Podoba mi się twój dom – powiedział Thomas.
– Mnie też – odparła Laura.

Była w dobrym humorze. Następnego dnia startowała z pierwszą dawką hormonów, za każdym razem, kiedy sobie o tym przypominała, na jej twarzy pojawiał się uśmiech. Thomas zajął się doprawianiem sałatki. Każda kobieta od pierwszego spotkania poczułaby do niego pociąg. Był wysoki, przystojny, miał na głowie wszystkie włosy i ładny dołeczek w brodzie. Przyjrzała się jego szerokim ramionom i mięśniom rąk, które poruszały się, kiedy mieszał sałatkę. Pomyślała, że na pewno należy do mężczyzn, którzy podnoszą kobietę do góry i kochają się z nią, przyciskając ją do ściany. Wybuchnęła śmiechem; minęło zdecydowanie zbyt dużo czasu, odkąd ostatni raz uprawiała seks.

– Co cię tak śmieszy? – zapytał Thomas.

„Gdybyś wiedział…", pomyślała, przygryzając dolną wargę.

– Ach, nic takiego! Przypomniałam sobie dowcip, który ktoś opowiedział dziś po południu w sali sekcyjnej.

– Podzielisz się nim? – zapytał, stawiając salaterkę na środku stołu.

Laura musiała szybko jakiś sobie przypomnieć.

– Po pierwsze, musisz wiedzieć, że nie umiem opowiadać kawałów. Nie jestem zabawna, ale cóż, sam chciałeś. Dwóch przyjaciół jest na polowaniu w górach. Jeden z nich ma wypadek. Drugi, wystraszony, dzwoni na pogotowie. Odbiera jakaś kobieta. Myśliwy opowiada jej, że z jego przyjacielem jest bardzo źle, że się nie rusza. Kobieta mówi, żeby upewnił się, czy jest martwy. Rozlega się strzał, a po chwili myśliwy mówi: teraz już jest, co dalej?

Thomas szczerze się uśmiał.

– Dowcip jest bardzo dobry, a ta, która go opowiedziała – *no comment.*

Podczas kolacji Thomas wprowadził ją w szczegóły swojego śledztwa. Streścił jej rozmowy z Pietrowem, z Janikiem i z Blankiem, dozorcą.

– Osobliwy gość z tego Blanca. Kiedy poszedłem się z nim zobaczyć dziś po południu, po rozmowie z kolegą Iriny, mówił mi bardzo dziwne rzeczy o diable i zmarłych. To samo, co poprzednim razem. Zapytałem, dlaczego zamknął drzwi pokoju Iriny, a on powiedział, że chciał powstrzymać muchy plujki i że kiedy wszedł do środka, pomodlił się za jej duszę. Myślę, że biedny starzec ma trochę nie po kolei w głowie. A co sądzisz o wierszu?

– Końcówka przyprawia o ciarki. To zdanie: „Teraz, kiedy jesteś martwa, czuję"... Nie wiem, myślę, że osoba, która je napisała, albo wiedziała, że Irina umrze, albo znalazła ją martwą i zostawiła wiersz w pokoju.

Thomas dołożył sobie ziemniaków i mięsa. Laura nie chciała dokładki.

– Ależ pyszne jest to danie, szczególnie pieczone warzywa – powiedział.

– Dziękuję, lubię gotować.

Zaraz pożałowała tych słów. Co jej szkodziło przyznać, że nie znosi stać przy garach? Musiało jej się wyryć w podświadomości to, co powtarzała matka: przez żołądek do serca. Ale jej przecież nie interesował Thomas...

– Tylko po co było wkładać wiersz do zeszytu Iriny? – zapytał Thomas, wracając do tematu.

– Może ktoś go znalazł i tam schował – odpowiedziała.

– To głupie miejsce na ukrycie czegokolwiek.

– Może ten ktoś zamierzał potem wrócić, ale w końcu okazało się to niemożliwe. Una ściskała w dłoni kartkę z wierszem, ale nie wiemy, kiedy dokładnie jej go dano, na pewno przed śmiercią. Stężenie pośmiertne utrudniło wyciągnięcie papieru z ręki.

– Nie wiemy też, jaka jest treść tego wiersza ani czy napisała go ta sama osoba – uściślił Thomas. – Rozmawiałem po południu

188

z Maire, matką Uny, i potwierdziła, że w zakładzie pogrzebowym wręczono jej torbę z rzeczami córki. Nie otworzyła jej jednak i choć bardzo nalegałem, nie otworzy. Mam bilet na samolot na jutro.

– A nie może kogoś poprosić, żeby przejrzał rzeczy, sprawdził, czy jest wśród nich jakiś wiersz, i ci go przesłał?

Thomas pokręcił głową, odrzucając taką możliwość.

– Nie wiedzieliby, jakiego charakteru pisma szukamy. A gdyby było kilka kartek z zapiskami? Czy ja wiem… szkolne notatki, które ktoś jej zostawił…

– Ależ Thomasie, w kostnicy do plastikowego worka wkłada się wyłącznie rzeczy, które miał przy sobie zmarły. Żadnych szkolnych notatek – powiedziała Laura ze zdziwieniem.

– Faktycznie, prawdę mówiąc, mam ochotę się tam wybrać.

Laura skinęła głową. Otwierała akurat lodówkę, żeby wyjąć deser.

– W porządku, to brzmi bardziej przekonująco. Jakie będą twoje następne kroki?

– Muszę sprawdzić koncern farmaceutyczny Poche, głównego dostawcę kompleksów witaminowych, które stosują sportowcy z ośrodka; przestudiować materiały dotyczące EPO; przesłuchać menedżera dziewczyn, niejakiego Franka Stone'a, który wygląda na niezłe ziółko, i dowiedzieć się, czy reprezentował wszystkie zmarłe sportsmenki. Poza tym porozmawiać ze współlokatorką Iriny, Anną, która wraca w czwartek, odwiedzić rodziny pozostałych dziewczyn i, jeśli zdołam, powęszyć trochę w ich otoczeniu, sprawdzić, czy dostały wiersze…

– Wystarczy, wystarczy – przerwała mu Laura – za dużo tego. Zresztą czyż nie wybierasz się do Irlandii?

Thomas przytaknął. Delektował się deserem.

– Te lody waniliowe z polewą z gorącej czekolady są przepyszne. Dodasz mi jeszcze trochę czekolady? – zapytał, podnosząc talerz jak dziecko.

Laura się uśmiechnęła. Wrzuciła do rondelka kilka kawałków czekolady i odrobinę masła, po czym rozpuściła je na małym ogniu. Kilka minut później polała lody tą mieszanką.

– Myślę, że powinieneś mieć kogoś do pomocy.

– Niby kogo? Nikogo tu nie znam, a jedyna osoba, która mogłaby mi pomóc, przypomina niesamowitego Hulka, jest zbyt niecierpliwa, by prowadzić śledztwo.

– Mnie – odpowiedziała Laura.

– Ciebie? – zapytał zaskoczony Thomas.

– Tak, mnie. Dobrze bym sobie poradziła. Jestem inteligentna. Jestem lekarką, szybciej niż ty znajdę w Internecie informacje na temat dopingu. Poza tym muszę się na trochę oddalić od kostnicy. Spędzam tam za dużo czasu. Tyle, że już na przykład prawie nie jem mięsa, a tak je lubiłam!

Thomas zaniemówił. Zmieszał czekoladę z porcją loda i włożył go do ust.

– Kiedy pracowałem jako profiler, zawsze miałem do pomocy jakiegoś lekarza sądowego. Nie pomyślałem o tym. Śledztwo poszłoby sprawniej, moglibyśmy wymieniać się spostrzeżeniami. Porozmawiam z moim szefem, zobaczymy, co o tym myśli i jaki rodzaj umowy powinno się sporządzić.

– To nie takie proste. Nie mogę teraz wziąć bezpłatnego urlopu ani zrobić sobie wakacji. Chyba żeby zatrudniono kogoś na zastępstwo, a tak się nie stanie. – Laura przerwała zamyślona. – Albo żeby jakiś agent Interpolu przekonał dyrektora szpitala i szefa personelu, że jestem niezbędna w śledztwie wagi państwowej.

– Wagi państwowej? – powtórzył Thomas drwiąco.

– O to chodzi.

– W porządku, *mademoiselle* Terraux. Obiecuję, że jeszcze przed moim wyjazdem zostanie pani moją asystentką.

26

Obudziło go światło przenikające przez zasłony, pomyślał, że jest w Les Diablerets. Próbował odtworzyć rozmowę ze śledczym z Interpolu, wciąż zastanawiał się nad jego pytaniem, czy Irina stosowała środki dopingujące. Odsunął od siebie te myśli i wrócił pamięcią do nocy z Nicolą. Przypomniał sobie każdą sekundę, każdą minutę, każdą chwilę, którą spędził u jej boku. W jego głowie odżyły pieszczoty, konspiracyjne szepty; wciąż czuł jej kształty w swoich dłoniach. Kiedy wyszedł z pokoju, żeby wziąć prysznic, zobaczył na schodach matkę. Wyglądała, jakby znów przesadziła z alkoholem.

– Nie wstyd ci zostawiać matkę samą?

Janik nie odpowiedział. Umył się i zszedł do jadalni. Kiedy nakrywał do stołu, zadzwonił do niego na komórkę Frank. Po mistrzostwach świata nie tylko stracił trenera – Oliviera, ale również menedżera. Nie pozostało mu nic innego, jak przyjąć propozycję Stone'a.

– Wreszcie wiem, że żyjesz. Rekonwalescencja przynosi efekty?

– Owszem, przynosi – skłamał Janik.

– Wiktor powiedział, że wpadłeś na chwilę do ośrodka, a potem bez słowa wyjechałeś.

– Jestem u matki, tu mam więcej spokoju.

– Jasne, rozumiem. Dzwonię, bo musimy się spotkać, żeby porozmawiać o czymś ważnym.

– Możesz mi to powiedzieć przez telefon.

– Nie, lepiej umówmy się na obiad. Oczywiście, jeżeli ci pasuje. Jest taka restauracja na obrzeżach Zurychu, nazywa się Brahms – zaproponował Frank. – Znasz ją?

– Nie, ale poszukam.

– W takim razie załatwione, widzimy się we wtorek o dwunastej.
– Przyjadę.

Kiedy Janik dotarł do restauracji, sportowy samochód Franka stał już zaparkowany przed budynkiem.
– Jak się masz? – przywitał go menedżer, który czekał przy stoliku. – Siadaj, umieram z głodu.
Janik niezdarnie poprawił poduszkę na krześle. Podszedł kelner i podał im karty.
– Jeśli nie masz nic przeciwko temu, zamówię dla nas obu – zaproponował Frank, który wyglądał na stałego klienta lokalu. – Chyba że chcesz jakieś szczególne danie.
– Nie, nie mam ochoty na nic konkretnego.
– W takim razie na początek sałatka z zielonej fasolki szparagowej i groszku, a na drugie labraks zapiekany z paskami cukinii. Do picia dla mnie kieliszek białego sauvignon. A dla ciebie? – zapytał, zwracając się do Janika.
– Poproszę coca-colę light.
Kelner przyjął zamówienie i zostawił ich samych.
– Przede wszystkim powiedz mi, jak tam twoja kontuzja?
– W porządku, to drobne zerwanie włókien.
– Dobrze, wciąż mamy trochę czasu.
– Czasu na co?
– O tym właśnie chciałem z tobą porozmawiać. Jak wiesz, zawsze uważałem, że jesteś wystarczająco dobry, by zostać gwiazdą. Myślę, że nadszedł moment, żeby zrobić ten krok. Janiku, będę z tobą szczery, dzięki temu zaoszczędzimy sobie czasu. Wiktor od dwóch lat jest pod opieką doktora Ferrarisa.
– Nie wiem, kim jest doktor Ferraris – przerwał mu Janik.
– Doktor Ferraris to jeden z najlepszych lekarzy sportowych na świecie. Opiekuje się piłkarzami, kolarzami, lekkoatletami i pływakami z różnych krajów. A co najważniejsze, uważa, że odkrył magiczną miksturę.
– Co to za magiczna mikstura?
– Powiedzmy jedną z magicznych mikstur – poprawił się Frank.
– Wiktor i Ferraris pracują razem już drugi rok. Jeśli wszystko pój-

dzie zgodnie z planem, Wiktor zostanie jednym z najlepszych średniodystansowców w Europie. W tym środowisku wszyscy się znamy. Jeżeli jakiś lekkoatleta poprawia swoje wyniki w tak krótkim czasie, dzieje się tak z jakiegoś powodu, a raczej z czyjegoś powodu. Janik przypomniał sobie, jak wyglądał Wiktor po którymś z treningów. Wszystko zaczynało do siebie pasować. Nie miał już wątpliwości – Wiktor stosował doping.

– Należę do osób, które uważają, że można poprawić wyniki dzięki właściwej diecie – powiedział.

– Janiku, rozumiem twój sposób myślenia. Ale nie trzeba czuć się winnym z powodu brania hormonów. Sport zawodowy wymaga zawodowych metod. W dzisiejszych czasach stosowanie dopingu wyznacza granicę między sportowcem amatorem a zawodowcem.

Kiedy kelner przyniósł pierwsze danie, na chwilę przerwali rozmowę.

– Ferraris odkrył metodę, która nie pozostawia u jego sportowców śladu substancji dopingujących – ciągnął Frank. – To jego największe osiągnięcie, ale nie jest jedynym, który znalazł rozwiązanie.

– Ja wierzę w naturalne metody treningowe – stwierdził Janik z przekonaniem. – W węglowodany, w regeneracyjne właściwości białka, w dobre zaplanowanie treningów obliczone na osiągnięcie celów. Podobnie jak doktor Hendrik. Nie wiem, co by pomyślał, gdyby...

– I co osiągnąłeś? – przerwał mu Frank. – Przyzwoity wynik, ale nic poza tym. I już go nie poprawiłeś, nawet nie jesteś bliski jego powtórzenia. Janiku, nie rozumiesz, że na tym poziomie potrzeba innego rodzaju paliwa. Już Rzymianie podawali napoje stymulujące koniom w kwadrygach. W latach siedemdziesiątych wykorzystywano sterydy i środki anaboliczne, w latach dziewięćdziesiątych pojawiły się EPO i STH, hormon wzrostu, obok środków wzmacniających krew, regenerujących i stymulujących oraz syntetycznych hormonów, obecnie zaś stosuje się doping genetyczny.

– Jeśli dobrze zrozumiałem, mówisz mi otwarcie, że mam brać środki dopingujące.

– Tak, żebyś mógł rywalizować z innymi jak równy z równym. Posłuchaj, Janiku, ja nie jestem politykiem, który robi sobie zdjęcia z wielkimi mistrzami, ani fanem, który ekscytuje się sukcesami swoich sportowców; ja tylko upewniam się, że lekkoatleci z mojego kraju mają podczas zawodów takie same szanse jak inni. Rozumiesz? Nie chodzi o pieniądze, to kwestia dumy.

– Wiem, ale...

– My nie ustalamy zasad. Możliwości ludzkiego ciała mają swoje granice i mogę cię zapewnić, że już dawno zostały one przekroczone. Który kraj nie chce, żeby jego sportowcy byli najlepsi?

– Tak, ale to nielegalne. I polega na oszukiwaniu innych – odpowiedział Janik.

– Nie wkurwiaj mnie, myślisz, że czym jest zawodowy sport? Ile już lat trenujesz?

– Ponad dziesięć.

– Dziesięć lat codziennych treningów. Dotychczas dobrze ci szło, ale teraz ciężko ci będzie pobić własne rekordy. Przecież trudno ci nawet powtórzyć najlepszy wynik – przypomniał mu Frank.

– Albo będziesz stosował doping, albo możesz się już zacząć powoli zastanawiać, jak zarobisz na życie.

– Tak, ale... – Janik przypomniał sobie rozmowę z Hendrikiem.

– Janiku, jesteś jak dziecko. Przez wszystkie te lata żyłeś pod kloszem. Teraz zobaczymy, czy staniesz się mężczyzną. Zresztą, do diabła, nie myśl sobie, że jesteś jedyny na liście. Dam ci numer innego lekarza, nie Ferrarisa. Już mu o tobie mówiłem. Jest najlepszy, osiągnął symetrię między tym, co nazywasz treningiem naturalnym, a treningiem sztucznym, tak że oba się uzupełniają. Tym różni się od Ferrarisa, który opiera cały swój system na syntetycznych substancjach. – Frank zbliżył twarz do twarzy Janika. – Mój człowiek od lat pracuje nad tym, żeby sportowcy o wybitnych zdolnościach dawali z siebie to, co najlepsze. Przemyśl to. Poza tym nie będziesz musiał opuszczać ośrodka, żeby się z nim widywać. Ma gabinet bardzo blisko.

– To zakazane substancje, prawda?

– Zakazane dla kogo? Posłuchaj, wyświadczam ci przysługę. Powiedziałem już, że na liście jest więcej lekkoatletów. Decyzja należy do ciebie. Jeśli chcesz raz po raz walić głową w ten sam mur, twoja sprawa... Jesteś już wystarczająco dorosły, żeby samemu zdecydować.

Kelner ponownie przerwał rozmowę, przynosząc drugie danie. Janik nie miał apetytu, zaczął odruchowo obgryzać paznokcie.

Nagle w jego głowie pojawili się Frank, Wiktor i Ethan; byli połączeni z jego życiem jak kroplówka z chorym, sprawiali, że pękały jedna po drugiej kamienne płyty, które tak długo twardniały.

– A skutki uboczne? – zapytał.

– Wszystkie hormony są sprawdzone, to substancje najnowszej generacji. Mój człowiek pracuje z produktami Poche'a, najlepszymi z najlepszych.

– Tak, ale jakie skutki wywołują w organizmie?

– On wie, co robi – odpowiedział Frank. – To substancje podawane dzieciom z zaburzeniami wzrostu albo osobom starszym, które straciły masę mięśniową. Wszystko zależy od dawki. Nie masz się czym martwić. Leki są legalne, nie pochodzą z czarnego rynku.

– Mogę jeszcze przez rok trenować tak jak do tej pory, a potem zobaczę.

– Nie masz czasu. W tym roku olimpiada. Fakt, że wyprzedził nas Wiktor, to znak, żebyśmy dłużej nie zwlekali.

– Tak czy inaczej będę musiał przemyśleć to, co mi powiedziałeś. – Janik był tak oszołomiony, że przez moment sądził, iż chodzi o jakiś kiepski żart. Ale ta myśl zniknęła równie szybko, jak się pojawiła; wiedział, że Frank mówi poważnie. Bał się.

– Nie rób takiej miny, to nic takiego! – powiedział Stone z uśmiechem. – Właśnie, żebym nie zapomniał, zanim stąd wyjdziemy: pamiętaj, że spotkaliśmy się tu, żeby porozmawiać o twoich przyszłych zobowiązaniach, jasne?

27

Nadciągała burza. Światło traciło blask równie szybko, jak Janik opanowanie. Wcisnął pedał gazu. Deszcz zaczął padać na przednią szybę volkswagena. Mężczyzna uruchomił wycieraczki. Kierowcy zmniejszali prędkość, w miarę jak burza wychodziła im naprzeciw. Gałęzie drzew poruszały się coraz gwałtowniej, budząc uczucie niepokoju.

Frank także rozpętał w jego życiu burzę, której konsekwencje miały zmienić jego sposób patrzenia na pewne sprawy. Przypomniał sobie wiadomości dotyczące dopingu, które pojawiały się w ostatnich tygodniach w środkach przekazu – a to że policja rozbiła siatkę rozprowadzającą sterydy w siłowniach, a to że jakiś pracownik szpitala wynosił leki i sprzedawał je przez Internet, że ten czy inny sportowiec miał pozytywny wynik w testach antydopingowych. Przeczytał na Medscape, trzeciej najczęściej odwiedzanej przez lekarzy z całego świata stronie internetowej, że doktor Bob Goldman, założyciel Amerykańskiej Akademii Medycyny Sportowej, w latach osiemdziesiątych zwrócił się do sportowców wyczynowych z pytaniem, czy pozwoliliby, aby podano im substancję, która zagwarantuje im złoty medal, gdyby wiedzieli, że w ciągu pięciu lat umrą z jej powodu. Ponad połowa odpowiedziała, że tak. Powtarzał ankietę co dwa lata podczas całej dekady lat dziewięćdziesiątych, wyniki nie uległy zmianie. Niektórzy z tamtych lekkoatletów mieli wówczas zaledwie szesnaście lat.

Oślepiały go reflektory samochodów. Błyski świateł przybliżały się i mijały go niczym duchy; pojawiały się i znikały z tą samą prędkością co jego myśli. Co robił w ostatnich tygodniach? Uciekł z ośrodka jak szczur z tonącego statku. Wystawił swojego trenera. Jak duży popełnił błąd! Jego ciało przywykło do porannych treningów, lekkich rozgrzewek, kiedy przebiegnięcie kilometra zajmowało mu ponad cztery minuty. Jego mięśnie skarżyły się co rano po przebudzeniu. Słyszał, jak ujadają pod skórą. Poza tym ogólnie nie był w najlepszej formie. Jego morale szło na dno. Czuł, jakby z jednej strony ciało ciągnęło go do ruchu, a z drugiej głowa buntowała się przeciwko każdej czynności wymagającej energii. Był tak pogrążony w myślach, że prawie wtargnął na przeciwległy pas. Jakiś samochód z mnóstwem nart na dachu zjechał na pobocze i kilka razy zatrąbił.

Kiedy dotarł do domu, wysiadł z samochodu i zaczekał, aż dojdzie do siebie. Powiedział sobie, że w życiu chodzi o to, by jak najdłużej pozostać wiernym temu, czego się zostało nauczonym. Dobrzy zawsze wygrywają, a źli w końcu płacą za swoje niegodziwości. Po kilku minutach odzyskał spokój; zdał sobie sprawę, że stawką w tej grze jest jego życie.

Po wejściu do domu zobaczył, że matka śpi w fotelu – pokój zalatywał winem. Przykrył ją kocem i otworzył okno. Usiadł naprzeciwko i popatrzył na nią. W co się zamieniła? Jak mógł jej pomóc? Ogarnął go głęboki smutek, a potem złość, ale nie na Franka, tylko na siebie samego. Był głupi, oszukując się przez cały ten czas. Rozmowa, którą odbył z Ethanem, rozbrzmiewała w jego głowie raz za razem, niczym refren wpadającej w ucho natrętnej piosenki. Ta melodia rozlegała się głośno przez cały czas, tyle że on nie chciał jej usłyszeć.

Tamtej nocy nie mógł zasnąć. Ubrał się i zszedł po schodach, nie robiąc hałasu, żeby nie obudzić matki. Zdjął kurtkę z wieszaka przy drzwiach, wyjął z szuflady w przedpokoju latarkę i wyszedł z domu. Twarz musnął mu lodowaty wiatr. Ogrodową ścieżką z kamiennych płyt dotarł do drzwi warsztatu. Poszukał klucza – był schowany w szparze w ścianie. Wszystko wyglądało tak, jak zostawił to ojciec. Na środku mieścił się stół stolarski pokryty wiórami; z boku leżały miarka i ekierka. W jednym z rogów znajdowała się tokarka przykręcona czterema śrubami do blatu. Na ścianie wisiały narzędzia: wyrzynarki, młotki stolarskie, pobijaki, a po drugiej stronie – śrubokręty oraz skrzynki z gwoździami i śrubami. Na dole stały cięższe rzeczy, takie jak strugarki i polerki.

Podszedł do stołu i otworzył jedną z szuflad. Wyjął z niej ołówek i książkę pełną rysunków i liczb odpowiadających miarom metrycznym. Wyrwał czystą kartkę z końca. Pociął ją na wąskie paski i napisał na każdym z nich jedno zdanie. „Codziennie za tobą tęsknię, tato". „Ethanie, miałeś rację". „Irino, uda nam się". „Mamo, wybacz mi". „Diable, już osiągnąłeś cel".

Poskładał paski, tworząc z nich kwadraciki wielkości papierka od sugusów. Wyszedł na zewnątrz z pustą puszką i pudełkiem zapałek, które jego matka trzymała do zapalania świec na wypadek awarii prądu. Znów poczuł na twarzy wiatr, który niedawno smagał ośnieżone szczyty gór. Przeszedł kilka metrów, okrążając dom, i postawił pojemnik na ziemi. Była pełnia, mógł dostrzec wokół kępki trawy. Wyłożył wnętrze puszki papierem i wrzucił do środka pięć paseczków. Podpalił brzeg wyściółki. Płomień buchnął i rozbłysnął tak mocno, że na moment przyćmił światło księżyca. Janik obserwował odbicie ognia na srebrzystych ściankach puszki, z której wydobywał się dym, aż spłonął cały papier i płomień zgasł. Światło księżyca odzyskało swoją pierwszoplanową rolę. Nagle Janik nabrał przekonania, że ktoś o wszystkim już wie. Wstrząsnął nim dreszcz, kiedy poczuł, że czyjeś palce pełne drzazg głaszczą go po włosach. Wydało mu się, że słyszy głuchy śmiech i brawa za decyzję, którą podjął.

28

Kilconnell zaskoczyło go wyjątkowym prezentem: słonecznym dniem. Thomas ominął główną ulicę i skręcił wynajętym samochodem w boczną drogę. Natychmiast poczuł, że otacza go bezkres. Wysiadł z auta, jego spojrzenie zagubiło się gdzieś na horyzoncie, nie napotykając żadnej przeszkody. Łąki rozpościerały się niczym spokojne morza, kołysane lekkim południowym wiatrem; od czasu do czasu wiało trochę mocniej i wtedy pokornie chyliły się przed nim źdźbła. Wyglądały jak fale, pozdrawiały go i szeptały: „Witaj, Thomasie, witaj". Usiadł na ziemi i zamknął oczy. Pozwolił, by pieściły go wysokie trawy, muskały mu twarz i nagie ręce. Słuchał ciszy miasta i dźwięków przyrody. Położył się w ciepłym słońcu. Gdzieś w pobliżu rozległ się śpiew ptaka, którego kiedyś potrafiłby rozpoznać. Po chwili niechętnie ruszył z powrotem do samochodu.

Wjechał na małą asfaltową drogę, która jak wiele innych w Irlandii była tak wąska, że wydawała się jednokierunkowa. Po obu stronach rosły krzewy okryte kwiatami w żywych kolorach. Były świeżo przycięte, tworzyły ściany wyższe niż jego samochód. Skręcił w pierwsze odgałęzienie w prawo i dotarł do miejsca, gdzie szosa rozwidlała się na kilka dróg gruntowych prowadzących do poszczególnych gospodarstw. Musiał zostawić samochód i pójść dalej pieszo. Przypomniawszy sobie instrukcje, ruszył ścieżką po prawej stronie, na końcu której, pośród buków i brzóz, stał dom Maire.

Spodobał mu się. Przypominał domek zabawkę, ze słomianym dachem i pobielonymi wapnem ścianami. Ramy okien były pomalowane na niebiesko, a na dole rosły białe, czerwone i cyklamenowe niecierpki. Opadłe płatki tworzyły kolorową mozaikę. Odruchowo dotknął dłonią ziemi w doniczkach. Kwiaty potrzebowały wody. Nad drzwiami wisiał dzwonek. Pociągnął sznurek. Zaskoczyła go siła dźwięku. Nikt nie otworzył. Rozejrzał się wokół siebie, nie dochodziły go żadne odgłosy. Zawołał Maire po imieniu, ale nie otrzymał odpowiedzi. Postanowił pójść ścieżką utworzoną ze śladów stóp. Zapuścił się między drzewa. W uszach zawirowały mu niezliczone dźwięki: trzask gałęzi, śpiew ptaków, cykanie świerszczy, bzyczenie pszczoły, płynąca woda. Poszedł za tym ostatnim odgłosem. Zanim dotarł na miejsce, wiedział, że to odgałęzienie jeziora Acalla. Rozciągało się przed jego oczami, majestatyczne, upstrzone malutkimi zielonymi wysepkami, pełne osobliwych zakoli przypominających kolorem jasne nieba van Gogha. Zobaczył, że Maire idzie w jego stronę. Słońce, które zaczęło się obniżać, otaczało złotym blaskiem jej sylwetkę. Przywitał ją skinieniem dłoni, odpowiedziała w ten sam sposób. Niosła na ramieniu wędkę, a w drugiej ręce kilka nadzianych na drut ryb. Jak za starych czasów. Thomas cofnął się na moment o dwadzieścia pięć lat.

– Myślałam, że przyjedziesz później, o ósmej! – zawołała z daleka.
– Powiedziałem o osiemnastej! – odkrzyknął Thomas.

Maire rzuciła wędkę i ryby na ziemię, po czym zasłoniwszy dłonią usta, zaśmiała się z własnej pomyłki. Kiedy szła w jego stronę, Thomas zobaczył, jaka jest piękna. Od pogrzebu Uny przytyła i odzyskała ładny kolor skóry. Setki piegów pokrywały jej ręce, dekolt i policzki. Miała włosy splecione w dwa warkocze, jednak jej niesforne loki walczyły, żeby wymknąć się ze sztywnej fryzury. Thomas wyobraził sobie, że przebiega ostatnie metry, które ją od niego dzieliły, skacze, obejmuje go za szyję i otacza w pasie nogami. Scena była tak żywa, powtórzyła się w przeszłości tyle razy, że na chwilę wrócił do czasów młodości. Z rozczarowaniem patrzył, jak spotykają się w połowie drogi i witają krótkim, czułym uściskiem.

– Świetnie wyglądasz – powiedział Thomas.
– Lepiej się czuję. Zaczekaj, zabiorę ryby i idziemy.

W domu nie było sieni, wchodziło się wprost do jasnego pomieszczenia pełniącego funkcję kuchni, salonu i miejsca do pracy. Było przestronne, przytulne, pełne światła, miało piękne okna podzielone na małe kwadraty, przez które widać było kolorowe niecierpki, a w tle kontury lasu. Maire włożyła ryby do zlewu.

– Oczyszczę je i zamarynuję z koperkiem na kolację.

Thomas pozwolił jej pracować, sam zaś zaczął rozglądać się wokoło. Zobaczył kuchenkę na gaz, a na parapecie okiennym kilka doniczek z ziołami. Kolorowe słoiczki ustawione na małej półce dopełniały pokaźnej kolekcji przypraw. Ogromny drewniany blat po prawej stronie kuchenki, nad którym wisiały noże przyczepione ostrzami do metalowej listwy, był miejscem pracy. Na środku pomieszczenia dostrzegł biały drewniany stół z bukietem polnych kwiatów i cztery krzesła z siedzeniami z rogoży. Po drugiej stronie, przy ścianie pod oknem, znajdowała się wygodna beżowa kanapa we wzorki; na niej leżał koc i dwie patchworkowe poduszki. Naprzeciwko był kominek obramowany czerwonym kamieniem, w którym piętrzyły się szczapki drewna. Nie wiedział, czy sprawiło to ciche tykanie zegara, czy kołysanie gałęzi drzew, które znienacka zacieniały pokój, a przy kolejnym ruchu znowu odsłaniały słońce, ale poczuł się zrelaksowany i spokojny. Otworzył drzwi wejściowe i naciął trochę koperku. Usiadł na drewnianej ławce przy jednym z krzewów różanych. Oparł się plecami o ścianę i wciągnął nosem powietrze. „Jak wyglądałoby moje życie, gdybym nie wyjechał? Może właśnie tak?", pomyślał.

Zaciekle walczył, żeby zapomnieć szczęśliwe lata spędzone w Kilconnell; co więcej, starał się znienawidzić wszystko to, co przypominało mu dzieciństwo. Zdziwiło go, jak łatwo pozbył się wspomnień. Obrazy tamtego życia, które zachował w pamięci, stały się mgliste. Było ich tak mało, że przypominały trailer filmu. Podniósł oczy ku niebu, cieszył się ciepłem słońca, zapachem przyrody, wilgocią czającą się w cieniu drzew… W tej chwili wszystkie jego obawy wydały mu się śmieszne; utrata niezależności, rezygnacja z prywatności, zakochanie…

– Ten koperek jest dla mnie? – zapytała Maire, stając w drzwiach. Thomas przytaknął i podał jej go, nie ruszywszy się z ławki.

– Przepraszam, ale jestem w stanie całkowitego odprężenia bliskiego paraliżowi.

– W porządku, trwaj w nim dalej. Ja idę pod prysznic.

Po chwili wróciła z białą torbą.

– Zapomniałabym. Tu jest to, po co przyjechałeś. Nie chcę tego oglądać – wyjaśniła urażonym tonem. – Wolę, żebyś przejrzał te rzeczy jak najszybciej, a potem wszystko zabrał. Ciąży mi ich obecność. Trudno sobie z tym poradzić. Nie chcę też wiedzieć, po co chcesz to przeszukać. Zgoda?

Ten lodowaty i ostry ton zaniepokoił Thomasa. Nie był w stanie odgadnąć powodów, dla których Maire zachowywała się tak dziwnie. Jej chłód przejawiał się nie tylko w zachowaniu, ale i w sposobie mówienia. Wydawała się odporna na ból i emocje. Jej szorstkość wyglądała na wystudiowaną pozę, a brak żalu po śmierci córki był zbyt nienormalny, żeby mógł być prawdziwy. Przypuszczał, że Maire robi co w jej mocy, żeby przedłużyć ten stan obojętności na ból. Blokowanie uczuć było pancerzem ochronnym. Odrzucała wszystko, co mogło jej w tym przeszkodzić, na przykład oglądanie rzeczy Uny. Thomas był przekonany, że Maire potrzebuje pomocy.

Skinął głową i wziął od niej torbę. Była lekka, wydawała się pusta.

– Otworzę ją nad jeziorem. Kiedy skończę, zostawię ją w samochodzie.

– Dziękuję, Thomasie – powiedziała, dotykając jego ramienia.

Ruszył w stronę niewielkiego pomostu, do którego było przywiązanych kilka łódeczek w żywych kolorach; dotarł na koniec i usiadł na drewnianej ławce. Otworzył torbę i wyjął koszulę nocną w malutkie zielone listki, czarną elastyczną opaskę na włosy, zwykłe bawełniane majtki i wiersz. Ktoś zadał sobie trud, żeby wygładzić kartkę i schować ją do koperty. Otworzył ją i przeczytał:

Chcę cię porwać przyklejoną do moich nóg i biec,
żebyś czuła moc moich żył.
Pragnę cię porwać przyklejoną do moich rąk i kochać,
żebyś drżała, czując moje pieszczoty.
Marzę, by porwać cię przyklejoną do moich ust i szeptać,
żebyś spokojnie spała.
Ja będę twoimi nogami, twoimi rękami, twoimi ustami.
Ty będziesz moją siłą, moją miłością, moim łożem.

Nie było podpisu. Ten sam charakter pisma, ta sama osoba. Thomas wyciągnął komórkę i zadzwonił do Laury.

– Dobry wieczór, pani doktor.

– Dobry wieczór, panie Connors. Proszę mi powiedzieć, czego się pan dowiedział – powiedziała, podjąwszy jego grę.

– Już na pierwszy rzut oka widać, że wiersz jest tego samego autora. Przeczytał jej go. Po drugiej stronie linii na kilka sekund zapadła cisza.

– Co o tym myślisz? – zapytał.

– Bez wątpienia jest czulszy i bardziej romantyczny. Ten drugi przepełnia poczucie winy, a końcówka brzmi makabrycznie. Wiemy na pewno, że Una dostała wiersz, kiedy jeszcze żyła, i że go przeczytała. W przypadku Iriny nie ma tej pewności. Albo autor znalazł ją martwą i napisał pożegnalny wiersz, a ktoś go odkrył i schował, albo dał jej go za życia, a ona po przeczytaniu sama włożyła go do zeszytu.

– Zapominasz o jednym – przerwał Thomas.

– O czym?

– Że autor wiersza może nie być osobą, która znalazła zwłoki, tylko tą, która spowodowała śmierć.

Laura nie odpowiedziała. Nie wiedziała, jak zareagować.

– Nie wiemy też, czy autor wręczył Unie wiersz osobiście, czy jej go wysłał – dodał Thomas.

– A potem ją zabił? – zapytała Laura. – To niemożliwe, sekcja nie wykazała żadnych oznak nienaturalnej śmierci. A przy jedynej przyczynie, jaką bierzemy pod uwagę, czyli dopingu z użyciem EPO, nikt nie jest w stanie przewidzieć, kiedy dana osoba umrze; co więcej, ogromnej większości nie spotyka nic złego. To się nie trzyma kupy.

– Masz rację, w każdym razie sprawdź, gdzie mieszkały Arisza Wołkowa i Jelena Ustinowa, i spróbuj się dowiedzieć czegoś o ich najbliższym otoczeniu, o tym, kto je trenował, kto był ich menedżerem i czy przypadkiem nie otrzymały listów miłosnych. Dwiema pozostałymi dziewczynami zajmę się po powrocie. Wszystkie informacje masz w moim komputerze, nazwałem folder „Niesamowity Hulk".

Jezioro zaczęło zmieniać barwę, przybierała różowy odcień. Kilka żurawi przeleciało nad wodą, szorując po jej powierzchni.

– Bardzo śmieszne. Biedny sierżant…

– A właśnie, jak twój pierwszy poranek w roli mojej asystentki?

– Musiałam iść do lekarza i… nie miałam zbyt wiele czasu na inne rzeczy. Ale kilka godzin w Internecie może zdziałać cuda, kiedy wrócisz, opowiem ci, czego się dowiedziałam.

– Jesteś chora?

– Nie, drobny problem z alergią.

– W porządku, widzimy się jutro.

– Do zobaczenia.

Thomas zostawił plastikową torbę w bagażniku i usiadł obok Maire na ławce przy drzwiach.

– Posłuchaj, Maire, wiesz, czy Una się z kimś spotykała?

– Z tego co mi wiadomo, nie. Miała dużo kolegów, ale nie opowiadała o żadnym w szczególności.

– Kiedy po raz ostatni z nią rozmawiałaś?

Maire poruszyła się niespokojnie. Thomas widział, że niechętnie odpowiada na jego pytania.

– Musisz się zdobyć na wysiłek. Obiecuję ci, że po tej rozmowie już nie wrócimy do tematu Uny.

– Dzwoniłam do niej, kiedy złamałam rękę. Opowiedziałam jej o wypadku, nie przykładając do niego dużej wagi.

– Czemu nie przyjechała cię odwiedzić?

– Nie wiem. Też zadaję sobie to pytanie.

Maire ucięła kilka źdźeł lawendy i roztarła je w dłoniach. Powąchała ręce.

– Ostatnio się ode mnie oddaliła. Czułam, że jest jakaś dziwna. Nie pojawiała się w domu miesiącami, a kiedy pytałam, kiedy przyjedzie, zawsze znajdowała jakąś wymówkę.

– Jak myślisz, jaki mógł być powód?

– Nie wiem. Sądzę, że się czymś martwiła, ale… trudno wyczuć coś więcej na odległość.

– Wiesz może, czy miała koleżankę o imieniu Irina?

– Która mieszkała w Les Diablerets?

Thomas przytaknął.

– Dzwoniła do niej ostatnim razem, kiedy przyjechała do domu na Boże Narodzenie. Tak, były koleżankami.

Thomas wolał nie wspominać, że Irina nie żyje.

– O czym rozmawiały?

– Nie mam pojęcia, mówiła po rosyjsku.

– Opowiadała ci coś o niej?

– Powiedziała, że bardzo dobrze biega i że ma bardzo ładny styl. Wiem też, że ma wujka, bo Unie bardzo smakowała kawa, którą robił. Kupiła mu łyżeczkę ze świętym Patrykiem i koniczyną. Niczego więcej nie wiem.

Thomas zesztywniał.

– Wybacz, ale muszę pilnie zadzwonić – powiedział, wstając.

– To już? Skończyliśmy? – zapytała Maire.

– Chwileczkę... – odparł i oddalił się trochę, wybierając numer policji w Monthey. – Dobry wieczór, mówi Thomas Connors, chciałbym rozmawiać z sierżantem Fontaine'em.

Kobiecy głos poinformował go, że sierżanta nie ma w budynku policji, pojechał na wezwanie. Thomas zapytał, czy chodzi o coś poważnego; kobieta zaprzeczyła – zawalił się mur i policja otacza to miejsce taśmą. Thomas powiedział, że jest z Interpolu i że sierżant go zna. Poprosił o numer jego komórki. Zapisał go patykiem na ziemi i podziękował.

– *Allô?* – Usłyszał między zakłóceniami.

– Sierżant Fontaine?

– *Oui, c'est moi.*

– Mówi Connors z Interpolu, rozmawialiśmy ostatnio.

– Tak, pamiętam, słucham pana.

– Chciałbym, żeby zebrał pan dla mnie wszelkie możliwe informacje o wujku Iriny Pietrowej. Ma pan coś do pisania?

– Tak, mam.

– Nazywa się Oleg Pietrow. Jest właścicielem apteki w Montreux.

– W porządku. Przepraszam, ale bardzo źle pana słyszę. Prześlę panu na maila wszystko, co znajdę.

– Dziękuję, to pilne.

– Ba... jak wszystko w życiu – powiedział Fontaine i przerwał połączenie.

Kiedy skończył rozmawiać, Maire już nie siedziała na ławce. Wszedł do domu. Tam też jej nie znalazł. Zauważył pokój obok łazienki. Drzwi były otwarte. Zobaczył maskotki Uny usadzone w piramidę na łóżku, oparte o ścianę, żeby się nie poprzewracały. Wyjrzał przez okno w jej pokoju. Ciekawiło go, co widziała Una po przebudzeniu. Maire przycinała krzaczki pomidorów. Na widok pokoju dziewczyny zalała go fala czułości i smutku; zwykle przytrafiało mu się coś takiego, kiedy oglądał rzeczy osobiste zmarłej osoby. Wiedział z całą pewnością, że właściciel już więcej ich nie dotknie. Wszystko trwało w zawieszeniu: perfumy, szczotka do włosów, ubrania… W przypadku Uny dawało się to jeszcze bardziej wyczuć. Jej młodość była obecna w sypialni; każde zdjęcie, każda koszulka, każdy przedmiot miał odciśniętą rozpoznawalną pieczęć jej życia. Pokój mówił mu o Unie, o jej zainteresowaniach. Na ścianach zostały ślady beztroskiego, szczęśliwego dzieciństwa. Wyszedł przeszklonymi drzwiami w korytarzu prowadzącymi do warzywnika.

– Kiedy wyjeżdżasz? – zapytała Maire.

– Zarezerwowałem lot na jutro.

Thomas pomógł jej przyciąć krzaczek pomidora.

– Pamiętasz jeszcze, jak to się robi? – zapytała złośliwie Maire.

– Tak, jeszcze pamiętam.

– Zostaniesz na kolacji?

– Liczyłem na to. Chociaż jedzenie w hotelu jest znakomite. Ostatnio napchałem się ziemniakami.

W odpowiedzi Maire pokazała mu język.

– Rusz się, zerwij kilka pomidorów, upieczemy je z ziemniakami z mojego warzywnika. Zapewniam cię, że nie ma lepszych pomidorów niż te.

Z uśmiechem wypełnił jej polecenie.

Thomas milczał. Patrzył kątem oka, jak Maire przygotowuje pomidory. Przecinała je na pół, posypywała świeżą bazylią, solą i startym przed chwilą serem. Ziemniaki już od jakiegoś czasu były w piekarniku, pomieszczenie wypełniał zapach tymianku i oregano. Podszedł do niej powoli i bez zastanowienia objął ją w talii. Maire odwróciła się zaskoczona. Spuścił głowę, wziął w dłonie jej zdziwioną twarz i delikatnie ją pocałował. Potem pospiesznie otworzył jej usta językiem; łapczywie odpowiedziała na jego pocałunek.

– Thomasie, nie jestem taka jak kiedyś – powiedziała i odepchnęła go, położywszy mu dłonie na piersiach.

– Ja też nie – szepnął. – Maire, nie mogę i nie chcę przestać.

– Ale… to wszystko jest fałszywe, prześpimy się z naszymi duchami.

Głos Thomasa stał się ochrypły z pożądania.

– Śnijmy. Zamknij oczy i poczuj.

Ponownie ją objął i pocałował w szyję.

– Ale ty wyjedziesz, to nie… jest twój dom – powiedziała, łapiąc oddech między pocałunkami.

Thomas wziął ją na ręce i zaniósł do sypialni. Poddała się, wtulając głowę w jego szyję. Położył ją na łóżku.

– Mój dom zawsze był w twojej skórze – odpowiedział, patrząc jej w oczy.

Po policzkach Maire stoczyło się kilka łez i zniknęło w jej włosach. Przebiegł ustami po wilgotnym śladzie, jaki zostawiły na twarzy kobiety, i poczuł ich gorzki smak. Rozpiął guziki na przodzie jej sukienki i ściągnął ją jej przez głowę. Maire podniosła ręce jak dziewczynka, żeby ją rozebrał. Nie miała stanika, co wywołało uśmiech u Thomasa.

– Maire, nadal nie nosisz stanika. Jesteś uparciuchem, twoja matka cały czas cię za to łajała. Mówiła, że nie masz za grosz wstydu, że piersi opadną ci do pasa. Ale nie miała racji – przyznał, dotykając ich.

Podobały mu się. Były małe, okrągłe i pokryte piegami. Niemal niewidoczne sutki miały mikroskopijną różową otoczkę. Spojrzał na śliczną twarz Maire, jej kręcone włosy rozsypane na pościeli. Jej czerwone włosy… Pogłaskał je, skręcił w palcach jeden z loków. Szybko się rozebrał, na stojąco, obok łóżka. Potem podszedł i ściągnął jej majtki. Przesunął dłońmi po jej białej skórze. Zaczął od szyi, a skończył na wzgórku łonowym. Dotknął małej rudej kępki włosów. Z zachwytem patrzył na pałającą pożądaniem, pełną oczekiwania twarz. Zbadał wszystkie zakamarki jej ciała, lizał je, dotykał ich. Po chwili poczuł, że jest gotowa, ciepła, mokra. Położył się na niej i niespodziewanie w nią wszedł. Jęknęła zaskoczona, dostosowując się do jego ruchów. Każda pieszczota, każdy pocałunek stawały się dziwnym, niesamowitym doświadczeniem.

– Nie mogę przestać cię całować – powiedział Thomas, poruszając się rytmicznie.

– To nie przestawaj. Zawsze lubiłam twoje pocałunki.

– Miałem świetną nauczycielkę – szepnął jej do ucha.

– Thomasie… ja nie będę… w stanie długo wytrzymać. Ja… ostatnio milion lat temu…

Thomas usłyszał jej orgazm i poczuł go w jej wnętrzu. Po chwili z nim stało się to samo. Kiedy skończył, pocałował ją w szyję i usta. Wyszedł z niej, położył się obok i patrzył w sufit. O niczym nie myślał. Potem poczuł chłód, odwrócił się do Maire i objął ją od tyłu.

– Otul mi serce, tylko ty możesz to zrobić.

Maire mocniej do niego przywarła, wtulił brodę w zagłębienie jej szyi.

– Ja… nigdy nie przestałem cię kochać – powiedział. – Taka jest prawda, cała reszta to wielkie kłamstwa. Powinienem był po ciebie wrócić. Nie chcę dalej się oszukiwać ani znów cię stracić.

Maire milczała. Thomasowi wydało się, że płacze. Chciał ją odwrócić i przytulić, ale mu nie pozwoliła, wstała i poszła do łazienki. Usłyszał wodę płynącą z prysznica. Był zmęczony niestawianiem czoła życiu, odkładaniem go na bok i pozwalaniem, by wypełniało się nic nieznaczącymi historiami.

– Wszystko w porządku? – zapytał, otwierając drzwi do łazienki.

– Tak, już wychodzę. Zerknij, proszę, na piekarnik, spalą się ziemniaki.

Thomas poszedł nago do kuchni. Pachniało cudownie przyprawami. Otworzył drzwiczki kuchenki i zobaczył, że ziemniaki są już zarumienione. Wyjął je, chwyciwszy naczynie przez ścierkę, zdjął z blatu tacę z pomidorami i włożył ją na górną półkę piekarnika, po czym nastawił opcję grillowania. Podczas gdy pomidory zapiekały się z serem, zaczął otwierać szuflady, żeby nakryć do stołu. Umierał z głodu. Maire pojawiła się ubrana w zwykłe krótkie spodenki i koszulkę.

– Co robisz?

– Próbuję nakryć do stołu.

– Zostaw, ja to zrobię. – Pokazała mu, gdzie jest szuflada ze sztućcami.

– W porządku. Mogę wziąć prysznic?

Maire skinęła głową.

Dwie minuty później wrócił umyty i ubrany.

– Wcześniej nic nie mówiłaś. Wszystko w porządku? Ja... nie chcę cię skrzywdzić.

– Ja ciebie też nie – powiedziała Maire.

– Ty nigdy nie mogłabyś wyrządzić mi krzywdy.

– Przekonaj się – odpowiedziała poważnie. – Dlaczego tego nie zrobiłeś?

– Nie zrobiłem czego? – zapytał Thomas.

– Nie wróciłeś po mnie.

– Nie wiem. Byłem dzieciakiem, miałem dziewiętnaście lat. Pojechałem do Stanów Zjednoczonych sam, z nędznym stypendium, odmawiałem sobie wszystkiego, żeby przetrwać. W dzień się uczyłem, w nocy pracowałem. Nie miałem dużo czasu na myślenie, a kiedy to robiłem, szalałem z żalu. Przypominaliście mi się ty i Albert. Nie masz pojęcia, jak to przeżywałem.

– A ty masz pojęcie, jak ja się czułam? – zapytała ze złością.

– Ale... przecież ty byłaś w domu, w swojej wiosce, ze swoją rodziną. Na pewno było ci lepiej niż mnie.

– Nie miałam ciebie. Zostawiłeś mnie samą.

– Zostawiłem cię samą? – zapytał z niedowierzaniem. – Nie wiesz, co to znaczy być samemu.

– Ani razu do mnie nie zadzwoniłeś. Tęskniłam za tobą – powiedziała urażona.

– Nie było tego widać. Zaraz zaczęłaś się spotykać z tym Rosjaninem.

Twarz Maire poczerwieniała z gniewu, kobieta cisnęła na podłogę talerz, a ten rozbił się na kawałki.

– Jak śmiesz mówić mi coś takiego?

– Dlaczego tak się złościsz? Przecież to prawda... – powiedział Thomas zdezorientowany.

– Nie masz zielonego pojęcia, jaka jest prawda! – krzyknęła Maire.

– Nie? Chcesz, żebym ci powiedział prawdę? Prawda jest taka, że z mojej winy zginął człowiek, ktoś, kogo kochałem, a jedyną rzeczą, która cię obchodzi, jest to, że zostałaś sama. Proszę cię... – powiedział z wyrzutem Thomas, zbierając kawałki talerza z podłogi.

– Musiałam to zrobić! – zawołała Maire i usiadła w kącie kuchni. – Nie miałam wyboru. Nie wiesz, co to znaczy być samotną matką w katolickiej wiosce w katolickim kraju.

Trochę już spokojniejsza, dodała:

– Za to ty, taki zadowolony ze swojego pieprzonego życia jak z okładki magazynu, kupiłeś rodzicom dom w Hiszpanii. Człowiek sukcesu naszej wsi – powiedziała z kpiną w głosie.

– O co ci chodzi? To wszystko, słyszysz? To wszystko osiągnąłem dzięki ciężkiej pracy i wyrzeczeniom – zaprotestował Thomas.

– Może gdybyś zamiast wychodzić za pierwszego, który ci się nawinął, i mieć z nim dziecko, pomyślała o nauce, teraz nie żywiłabyś do mnie takiej urazy. Ach, i nie wciskaj mi, że ci kazali. To śmieszne! W życiu można wybierać!

– To było twoje dziecko! – Maire ukryła twarz w dłoniach i wybuchnęła płaczem. – To było twoje dziecko... Una była twoją córką...

– O czym ty mówisz?

Thomas podszedł do niej i ukląkł na podłodze.

– O czym mówisz? – powtórzył, chwytając ją za ręce.

– Odkryłam, że jestem w ciąży, tydzień przed twoim wyjazdem – wyszeptała Maire spokojnym głosem, nie podnosząc wzroku. – Nie mogłam ci o tym powiedzieć. Na dłuższą metę znienawidziłbyś mnie za to, gdybyś musiał tutaj zostać, myślałbyś, że zrobiłam to, żeby cię przy sobie zatrzymać.

Thomas puścił ją, jakby parzyła. Wstał i cofnął się kilka kroków; nie mógł uwierzyć w to, co usłyszał.

– Kłamiesz... kłamiesz...

– Dostałeś stypendium, chciałeś wyjechać. Znienawidziłeś ludzi, wieś. Kim byłam, żeby cię zmuszać?

– Kłamiesz...

W głębi duszy Thomas wiedział, że to prawda. Może nawet odgadł to już w momencie, kiedy zobaczył zdjęcia w pokoju Uny, ale był tchórzem i natychmiast odrzucił podejrzenie, które przelotnie przemknęło mu przez głowę, jak jedna z tysięcy tych głupot, o których zdarza nam się myśleć w ciągu życia.

– Nie miałaś prawa sama decydować. Nie dałaś mi możliwości wyboru – wypomniał jej. – Ja… cię uwielbiałem, Maire.

– Zostałbyś… Wszystkie twoje marzenia ległyby w gruzach…

– Oczywiście, że bym został! – krzyknął. – Na Boga, Maire! Moja córka! Odsuwał się od niej najdalej, jak mógł, aż uderzył plecami w ścianę. Mocno zacisnął pięści. W przypływie dzikiej wściekłości podniósł dłoń do ust i gryzł kostki palców.

– Zdajesz sobie sprawę, że jedyne wspomnienie Uny, jakie mam, to martwa dziewczyna w kostnicy? Chcesz, żebym ci opowiedział, jak wyglądała jej twarz na tych noszach? Chcesz, żebym ci to opowiedział? – powtórzył przepełniony złością.

Maire milczała, spuściła głowę, czerwone włosy zasłaniały jej twarz.

– Miałaś dwadzieścia pięć lat, żeby mi o tym powiedzieć, a mówisz mi o tym nagle teraz, dlaczego? Nie zdajesz sobie sprawy z tego, co zrobiłaś, spieprzyłaś mi życie.

– To jest nas już dwoje – powiedziała, podnosząc wzrok. – Są już dwa zniszczone życia. A co myślałeś, że wrócisz po tylu latach, jakby nic się nie stało? Porzuciłeś mnie. Teraz twoja kolej, żeby za to zapłacić.

– Nigdy ci tego nie wybaczę. Nigdy.

Thomas zabrał swoje rzeczy i wyszedł.

Prowadził samochód świadomy, dokąd chce pojechać. Koncentrował się na szosie, myśli, które dręczyły jego umysł, odłożył na bok. Było już ciemno, kiedy zaparkował przy plaży. Morze głośno ryczało, jego moc sprawiła, że poczuł się mały. Wysiadł z samochodu, zostawiając zapalone światła, i zdjął ubranie. Silny wiatr wstrząsał jego ciałem, przy każdym podmuchu podnosił mikroskopijne ziarenka piasku, które wbijały mu się w skórę. Poczuł zimno. „Otul mi serce…"

Zdecydowanym krokiem ruszył w stronę wody. Jedynym źródłem światła była ćwiartka księżyca, która rozjaśniała mu drogę słabym blaskiem. Poczuł na nogach pierwsze uderzenie lodowatej wody. Nie chciał się zatrzymywać. Piana fali popchnęła go do tyłu. Drżąc z zimna, szedł naprzód, aż całkowicie się zanurzył i włożył głowę pod fale. W jego ciało wbiły się tysiące igieł, mrożąc krew krążącą mu w żyłach. Płynął w ciemnościach, przestał dopiero wtedy, gdy ze zmęczenia i z zimna zesztywniały mu mięśnie. Pozwolił, by kołysał nim ruch morza. Znajdował się sam pośród czerni, morze było jedynym świadkiem jego klęski. Tam daleko Una odpoczywała tak jak on, zimna, blada. Czy wiedziała, że jest jej ojcem? Przypomniał sobie maskotki zgromadzone na łóżku, czekające na kogoś, kto nigdy nie wróci. Przestał odczuwać zimno – nadszedł czas, by wracać. Z wściekłością zanurzył głowę w wodzie i szybkimi machnięciami ramion dopłynął do brzegu.

29

Musiał opuścić ośrodek. Duch Iriny ukazywał mu się i wczepiał w jego umysł niczym senny koszmar. Na zewnątrz księżyc w pełni oświetlał onirycznym blaskiem sylwetki kamieni i drzew. Spostrzegł, że w lesie porusza się jakiś cień. Postanowił za nim pójść, ale postać zniknęła w gąszczu, tak jak rozpływa się zapach kwiatów. Zdezorientowany ruszył prześwitami między drzewami, ścigając zjawę, która o tej nocnej porze równie dobrze mogła być wytworem jego wyobraźni. Wkrótce jego oczom ukazało się opactwo, a słabe światełko przy wejściu zdemaskowało część cienia – to był Blanc. Zniknął za murami.

Wiatr mocno potrząsał szkieletami gałęzi. W górach odbijały się echem odgłosy wydawane przez kozice i koziorożce. Janik zadrżał niczym wystraszony chłopiec. Nagle zobaczył światło, błysk, który szybko przybrał konkretną postać: pojawił się Blanc ciągnący silną ręką kozła. Janik skulił się za krzakiem. Jasność bijąca od drzwi oświetliła kamienną płytę z odwróconym pentagramem. Ryk zwierzęcia zgasł jak świeczka na wietrze, kiedy Blanc chwycił olbrzymi nóż, poderżnął mu gardło i rozlał krew na kamieniu. Potem mężczyzna ukłęknął i zaczął mówić jakimś niezrozumiałym językiem. Wydawało się, że rozmawia z mrokiem. Powiew powietrza zmroził twarz Janika. Starzec, jakby ostrzeżony przez cienie, gwałtownie odwrócił głowę i wbił swoje puste, czarne oczy w oczy chłopaka.

Ciałem Janika wstrząsnął dreszcz, wyszedł ze swojej kryjówki i pobiegł tak szybko, jak pozwalała mu na to ciemność. Podczas pierwszych metrów towarzyszył mu nieludzki, potworny śmiech. Przyspieszył kroku.

30

Laura otworzyła drzwi pokoju hotelowego kartą, którą dał jej Thomas, i weszła do salonu przylegającego do sypialni. Włączyła komputer, wstukała hasło i poszukała w dokumentach Thomasa adresu Olega, wujka Iriny. Nagle wystraszył ją głos dobiegający z sypialni. Zdziwiona weszła do środka. Zobaczyła Thomasa, który niespokojnie przekręcał się na łóżku z boku na bok. Zawołała go po imieniu, ale nie odpowiedział. Podszedłszy bliżej, stwierdziła, że śpi. Cień zarostu sprawiał, że jego twarz wydawała się ciemniejsza, włosy miał mokre od potu. Położyła mu dłoń na czole – było rozpalone. Poszła do samochodu po torbę lekarską. Zdziwiło ją, że tak wcześnie wrócił z podróży. Spodziewała się go dopiero w nocy, myślała nawet, że przyjedzie następnego dnia. Wiedziała, że był u matki Uny Kowalenko, przypuszczała, że łączy ich coś więcej niż przyjaźń. Wyciągając apteczkę z bagażnika, odruchowo wykrzywiła z irytacją usta.

Po powrocie do pokoju odsunęła puchową kołdrę, którą był nakryty po szyję. Położył się w ubraniu, miał na sobie dżinsy i białą koszulę. Ściągnął jedynie buty. Leżał zwinięty jak dziecko, z dłońmi ukrytymi pod poduszką. Zobaczyła na jego nadgarstku ślad po czarnym skórzanym pasku zegarka. Zdjął go i położył na szafce nocnej. Usiadła na brzegu łóżka i rozpięła guziki koszuli, żeby go osłuchać. Zestresowała ją ta niespodziewana intymność. Nie była przygotowana, żeby znaleźć się tak blisko mężczyzny. Uderzyły ją jego ciepło, jego zapach… „To przez te przeklęte hormony, które sobie wstrzykuję", pomyślała. Już dawno nie czuła ciepła bijącego od drugiej osoby. Musiała się na chwilę od niego odsunąć. „Zmarli są tacy zimni", powiedziała do siebie. Nabrała powietrza i skupiła się na roli lekarza. Zebrała swoje gęste włosy w koński ogon, włożyła mu pod pachę termometr, potem wsadziła do uszu stetoskop i posłuchała jego oddechu. Był czysty, bez szmerów świadczących o stanie zapalnym.

– Otul mnie – szepnął Thomas.

Laura podskoczyła. Głos, który dobiegł do jej uszu, został wzmocniony przez stetoskop.

– Witaj, Thomasie, to ja, Laura. Nie przykryję cię, bo masz... – przerwała na chwilę, żeby wyciągnąć mu spod pachy termometr – ...masz trzydzieści osiem i pół stopnia gorączki, więc muszę cię odkryć, żeby spadła. Powinieneś pić dużo płynów, żeby się nawodnić, dam ci też coś, po czym poczujesz się lepiej i po czym zmniejszy się temperatura.

Thomas ze zdziwieniem otworzył oczy. Światło wpadające przez drzwi tarasu uraziło go niczym odłamki szkła. Laura wstała i zaciągnęła zasłony.

– Tak lepiej?

– Lepiej. Dziękuję. Przez chwilę nie wiedziałem, gdzie jestem.

– To się zdarza – odpowiedziała, podchodząc do niego.

Przekręcił się na plecy i zasłonił ręką oczy. Laura spojrzała na jego nagą szeroką pierś; zakłopotana odeszła od łóżka.

– Masz silny katar, który może się przekształcić w coś poważniejszego. Na razie nie wstawaj i weź to.

Wrzuciła do szklanki musującą tabletkę paracetamolu i zaczekała, aż się rozpuści, żeby mu ją podać. Thomas wypił zachłannie. Męczyło go pragnienie. Laura napełniła szklankę wodą z kranu w łazience. Opróżnił ją w sekundę. Chciał usiąść na łóżku, ale kosztowało go to dużo wysiłku. Opadł wycieńczony na poduszkę.

– Co się stało? Oczekiwałam cię później.

– Nie chcę o tym rozmawiać. Jeśli nie masz nic przeciwko temu, muszę się przespać. Przyleciałem o świcie, jestem zmęczony.

– Oczywiście, przepraszam – powiedziała Laura urażona. – Zresztą nie mogę tracić więcej czasu, mam dużo do zrobienia. Teraz wybieram się do Montreaux. Zobaczę, czego się dowiem o wujku Iriny. Przyjechałam tylko po jego adres. Kładę ci tu tabletki. Bierz je, kiedy uznasz za stosowne.

Przeszła do drugiego pokoju, żeby zapisać adres apteki. Wyłączyła komputer i opuściła apartament.

Thomas wstał, kiedy usłyszał, że zamykają się drzwi. Na początku nogi odmówiły mu posłuszeństwa. Czuł, że boli go i ciąży mu każdy mięsień. W jego skronie zaciekle walił młot. Pomasował je sobie palcami w drodze do łazienki. Rozebrał się i wszedł pod prysznic. Fałdy na skórze zesztywniały od soli. Chciał tylko jednego, żeby zniknęły wspomnienia z poprzedniego dnia. Oparł się rękami o ścianę, po jego karku spłynęła mocnym strumieniem ciepła woda, pozwolił, by przez chwilę obmywała mu ciało. Nie potrafił przestać myśleć o Maire i Unie; nie mógł uwierzyć w to, co usłyszał, nie chciał dopuścić, by trzy słowa wywróciły do góry nogami jego życie. „To twoja córka…"

Wyszedł spod prysznica, przewracając buteleczki z szamponem i żelem. Dokładnie w momencie, kiedy znalazł się w drzwiach, dopadły go mdłości. Zwymiotował na kolanach resztki, które miał w żołądku. W środku nie zostało nic poza bólem. Ostatkiem sił wytarł się ręcznikiem i wycieńczony gorączką położył nago do łóżka. Szybko zapadł w głęboki sen pełen przepowiedni, mrocznych jak wody morza w Irlandii. Pływał w tym morzu do chwili, aż czyjaś dłoń zaczęła go ciągnąć na dno; to Una witała się z nim z uśmiechem.

Laura wcześnie dotarła do Montreux. Zaparkowała daleko od centrum, dokładnie na początku Quai des Fleurs. Spojrzała na zegarek, miała jeszcze godzinę do spotkania z lekarzem. Siedząc w samochodzie, zastanawiała się, co zrobić z tym czasem. Pomyślała, że nie zdąży odwiedzić apteki Pietrowa. W końcu postanowiła nie korzystać z komunikacji miejskiej, tylko pójść pieszo do Place du Marché, przy którym znajdowała się klinika.

Niebo było bezchmurne. Lekki wietrzyk wiejący od jeziora zapewniał powietrzu świeżość. Laura zdjęła żakiet, złożyła go i schowała do torby. Zawsze lubiła duże torby, w których dało się upchnąć rozmaite rzeczy na wszelakie nieprzewidziane okoliczności, od aspiryny i błyszczyka do ust po kompletny zestaw na wypadek okresu. Spojrzała na kosmetyczkę w dyskretnym brązowym kolorze, w której trzymała majtki, paczkę nawilżonych chusteczek, kilka tamponów i opakowanie ibuprofenu. Westchnęła; ze wszystkich sił pragnęła nie musieć z tego korzystać przez najbliższe dziewięć miesięcy. Wiedziała, jak duże jest prawdopodobieństwo, że pierwsza próba sztucznego zapłodnienia skończy się niepowodzeniem, ale usiłowała myśleć pozytywnie. Zostawiła chwilowo pracę, dzięki czemu miała więcej czasu i uwolniła się od szpitalnego stresu, przynajmniej do dnia, gdy skończy się śledztwo albo Thomas zrezygnuje z jej usług. Kiedy zaproponowała mu pomoc w dochodzeniu, początkowo myślała wyłącznie o sobie i swoim pragnieniu zostania matką. Teraz miała jednak inny powód, żeby kontynuować tę nietypową pracę: chciała odkryć, co naprawdę przytrafiło się tym dziewczynom. Była przekonana, że nie umarły przez przypadek.

Nie mogła wprost uwierzyć, że jest jej dane cieszyć się porankiem w Montreux bez pośpiechu, z dala od świetlówek sali sekcyjnej. Ze względu na łagodny klimat miasto było znane jako stolica szwajcarskiej riwiery. Roślinność, na którą składały się sosny, cyprysy i palmy, upodabniała je do kurortu nad Morzem Śródziemnym. Trasa spacerowa brzegiem Jeziora Genewskiego należała do jej ulubionych. Biegła przez prawie siedem kilometrów pośród egzotycznych kwiatów i palm. Z jednej strony błękit jeziora i olbrzymie góry z wiecznie białą pokrywą na szczytach, z drugiej – Montreux otoczone zielonymi wzgórzami obsadzonymi winoroślami. Miejscowi ogrodnicy potrafili wydobyć to co najlepsze z tutejszego mikroklimatu, upiększając ścieżki nad jeziorem kolorami i zapachami. Roślinne rzeźby, nietrwałe dzieła sztuki, dodawały krajobrazowi oryginalnego, artystycznego akcentu. Laura z zachwytem oglądała hotele w stylu belle époque, takie jak Fairmont Le Montreux Palace przy Grand Rue, i domy z żółtymi markizami ciągnące się wzdłuż promenady. Przy drodze nad jeziorem znajdowało się także mnóstwo restauracji, piano barów, klubów jazzowych, dyskotek oraz najstarsze kasyno w Szwajcarii.

Szła szybkim krokiem, wdychając świeże górskie powietrze. Czasami czuła się dobrze we własnej skórze, pewna siebie, kiedy indziej zaś myślała, że jest głupia, dziecinna, płaczliwa. Miała rozstrojony organizm, podlegała nagłym zmianom humoru, nie wiedziała, czego chce. Musiała wyciągnąć z szafy trochę większe ubrania, bo wzdęło ją po zastrzykach. Przyzwyczajona do płaskiego brzucha, wzięła tę metamorfozę za dobry omen. „To rosną moje komórki jajowe", pomyślała szczęśliwa.

Po półgodzinnym marszu dotarła do słynnego pomnika Freddy'ego Mercury'ego wzniesionego na cześć piosenkarza przez miasto, w którym spędził ostatnie lata życia. Wolała nie siadać na ławce przy posągu, bo wokół wprost roiło się od turystów. Nawet nie zdała sobie sprawy, że dotarła do celu; za monumentem rozciągał się główny plac Montreux. Sprawdziła godzinę – miała jeszcze dwadzieścia minut do wizyty u lekarza. Pomyślała, że mogłaby zajrzeć na kryty targ i przy okazji zrobić zakupy, ale ponieważ potem chciała pójść do apteki wujka Iriny, usytuowanej w starej części miasta, na wzgórzu, wolała nie musieć dźwigać sprawunków. Dotarła brzegiem do Kasyna Barrière i tam usiadła na ławce. Kasyno odbudowano po pożarze, który sprawił, że niechcący stało się częścią legendy rocka. Podczas jednego z koncertów na dach spadł fajerwerk i budynek stanął w płomieniach. Chmury dymu wznoszące się nad wodami jeziora zainspirowały Iana Gillana z legendarnej grupy Deep Purple, który oglądał pożar przez okna hotelu, do napisania „Smoke on the Water". Laura miała bzika na punkcie tego zespołu i oczywiście tej piosenki.

Stadko kaczek podeszło do niej w nadziei na coś do jedzenia. Laura przepędziła je spod swoich stóp. Zamknęła oczy i pozwoliła, by słońce ogrzewało jej twarz. Oparła się o ławkę i rozluźniła. Od razu poczuła zapach egzotycznych kwiatów i usłyszała szum palmowych liści poruszanych wiatrem znad jeziora. W obawie, że przegapi godzinę, ustawiła alarm w komórce, schowała ją do torebki i ponownie zamknęła oczy. Nie wiedząc czemu, pomyślała o Thomasie. Uraziła ją jego opryskliwość.

– Dlaczego wrócił tak wcześnie? – zapytała na głos.

Nie musiała być szczególnie bystra, by odgadnąć, że coś zaszło podczas jego podróży do Irlandii. Cokolwiek się wydarzyło, skłoniło go do zmiany planów. Zdziwiła ją sól pokrywająca jego skórę. Czyżby kąpał się w morzu? Thomas i jego tajemnice. Musiała szczerze przyznać, że coś ją pociągało w jego sposobie bycia. Podobała jej się jego pewność siebie, determinacja przy podejmowaniu decyzji. Kiedy podzieliła się z nim swoimi obawami dotyczącymi śmierci sportsmenek, grzecznie jej wysłuchał, nie podważając argumentów, które przytoczyła. Czuła się naprawdę pełna życia i energii. Była przekonana, że postępuje właściwie, a do tej jasności umysłu doszła teraz nadzieja, że zostanie matką. Na samą myśl o tym skurczył jej się żołądek. Nie chciała być daną statystyczną, kolejną kobietą, która nie może mieć dzieci. Zadała sobie pytanie, czy Thomas jest ojcem. Przed ławką, na której siedziała, przeszło kilku hałaśliwych nastolatków; rozdrażniona otworzyła oczy. Kiedy się oddalili, znów je zamknęła. Przemknęło jej przez głowę wspomnienie szerokiej klatki piersiowej Thomasa. Powiedziała sobie, że lepiej o nim zapomnieć i zająć myśli czymś innym. Ale tego nie zrobiła, wręcz przeciwnie, wrócił obraz bezradnego Thomasa leżącego w łóżku. Zobaczyła jego rozpiętą koszulę, poczuła ciepło bijące z jego ciała. Wyobraziła sobie, że na nim siedzi i głaszcze jego piersi... Wystraszył ją alarm w komórce.

– Idiotka, gorzej niż idiotka, zachowujesz się jak napalona nastolatka – powiedziała na głos, zła na siebie.

Zrobiło jej się zimno, wyciągnęła więc z torby żakiet; potem ruszyła w stronę Place du Marché. Przeszła mostem nad wąskim kanałem przecinającym plac, niosącym zimne wody spływające z Alp. W pobliżu znajdował się budynek kliniki. Kiedy wciskała dzwonek, drżała jej ręka. Nagle wróciły najgorsze obawy. Nie potrafiła sobie wyobrazić samotnego życia, bez dzieci. A jeśli ostatecznie wynik będzie negatywny? Wzięła kilka głębokich oddechów i zadzwoniła do drzwi. Otworzyła jej ta sama osoba co poprzednio. Poprowadziła ją prosto do gabinetu lekarza, gdzie matczynym tonem poleciła, by rozebrała się od pasa w dół, włożyła szlafrok z zielonej fizeliny i kapcie w tym samym kolorze. Kiedy Laura była gotowa, przyszła młoda, bardzo ładna pielęgniarka i poprosiła, żeby położyła się na kozetce. Laura wypełniła polecenie, a dziewczyna przykryła ją prześcieradłem, także z zielonej fizeliny. Kilka minut później wszedł doktor Moller.

– Jak się pani czuje, doktor Terraux? – zapytał, podając jej rękę.

– Dziękuję, dobrze. Chociaż trochę boli mnie brzuch i dość mocno mnie wzdęło.

– Zobaczmy najpierw, jak postępuje kuracja.

Lekarz założył lateksowe rękawiczki, wziął do ręki coś w rodzaju gigantycznego penisa, na którego naciągnął prezerwatywę, i wcisnął jakieś guziki na ekranie przypominającym komputer.

– Zrobię pani USG dopochwowe, żeby sprawdzić liczbę i rozmiar pęcherzyków.

Laura skinęła głową.

Lekarz posmarował prezerwatywę lepkim, przezroczystym płynem i ostrożnie wprowadził sondę do pochwy Laury. Doktor Terraux chwyciła się mocno brzegów kozetki i żeby złagodzić nieprzyjemne wrażenie, spróbowała oddychać powoli, tak jak nauczyli ją na kursie relaksacji.

– W porządku, mamy cztery pęcherzyki w lewym jajniku i trzy w prawym. Teraz je zmierzę, bo wydaje mi się, że jeden rośnie za szybko.

– To problem?

– Przysporzy nam trochę więcej pracy. Na początku wszystkie są mikroskopijnych rozmiarów, potem, dzięki substancjom odżywczym dla oocytów, rosną do jakichś dwudziestu dwóch milimetrów. Wtedy pęcherzyk pęka i uwalnia się oocyt; na tym polega owulacja. Kiedy któryś pęcherzyk osiąga nieco większe rozmiary, zostaje zahamowany wzrost pozostałych. Jeśli nie będziemy kontrolować wielkości pęcherzyków, otrzymamy tylko jedną komórkę jajową, a naszym celem jest uzyskanie ich jak najwięcej, żeby zwiększyć prawdopodobieństwo zajścia w ciążę.

Lekarz zmierzył pęcherzyki jajnikowe, a pielęgniarka wpisała wyniki do karty.

– Tak jak przypuszczałem, jeden jest większy. Musi pani przyjść jutro, ale najpierw proszę wykonać analizę krwi, żeby sprawdzić poziom estradiolu, hormonu produkowanego przez rosnące pęcherzyki jajnikowe. Zmienimy też dawki zastrzyków, żeby spowolnić wzrost pęcherzyka – wyjaśnił lekarz, ściągając rękawiczki, które następnie wyrzucił do kosza. – Może się pani ubrać.

Doktor Moller zniknął za parawanem, a Laura zaczęła się ubierać. Pielęgniarka dała jej kilka papierowych ręczników, żeby wytarła żel po USG.

Kiedy skończyła, usiadła na krześle naprzeciwko lekarza.

– Proszę się nie martwić – powiedział ni stąd, ni zowąd – wszystko idzie dobrze. Jest pani za bardzo spięta. Tu są nowe dawki. Do zobaczenia jutro o szesnastej. Niech się pani nie przejmuje tymi bólami, to normalne podczas kuracji. *D'accord?*

– *D'accord.*

Po wyjściu na zewnątrz Laura odetchnęła z ulgą. Zdała sobie sprawę, że jej ciało spina się za każdym razem, gdy wchodzi do gabinetu. Zesztywniałe mięśnie rozluźniały się dopiero, kiedy było po wszystkim. Lekarz miał rację, zżerały ją nerwy. Musiała spróbować się odprężyć. Postanowiła zapomnieć o swoim nieszczęsnym pęcherzyku gigancie i wyruszyć na poszukiwania apteki Pietrowa.

Stara część Montreux, wciśnięta między strome zbocza na obrzeżach lasu, wydawała się zawieszona w górze. Droga znad jeziora do *vieille ville* zajęła jej dziesięć minut. Przy wejściu na stare miasto znajdowało się coś w rodzaju skansenu, w którym można było zobaczyć, jak żyli dawniej mieszkańcy wioski Sâles. W kilku domach zbieraczy winogron z XVII wieku mieściło się obecnie Muzeum Montreux. Minęła je, przecięła Rue du Temple oraz Rue de la Corsaz i wyszła na Rue du Pont. Z każdej z nich miała cudowny widok na jezioro, góry albo lasy. Wspinała się wąskimi uliczkami. W wielu miejscach były windy pozwalające pominąć strome schody, ale Laurze zależało na odrobinie ruchu. Musiała kilkakrotnie zapytać o drogę, zanim znalazła Rue des Anciens Moulins, przy której znajdowała się apteka.

Kiedy weszła do środka, o jej obecności poinformował dzwonek nad drzwiami. Za ladą stał wujek Iriny.

– Dzień dobry, czego sobie pani życzy?

– Dzień dobry, panie Pietrow.

Na dźwięk swojego nazwiska starszy pan zrobił się czujny.

– Chciałabym porozmawiać o pańskiej bratanicy.

– Jest pani z policji? – zapytał.

– Nie, badam okoliczności śmierci pani Iriny.

– Dlaczego? Niedawno był tu policjant, któremu kolejny raz powiedziałem wszystko, co wiem.

– Jestem asystentką agenta Interpolu, Thomasa Connorsa.

– Ale co ma wspólnego Interpol ze śmiercią mojej bratanicy? – zdziwił się Pietrow.

– Próbujemy odkryć, co się stało…

– Bzdury! – przerwał jej.

– Jak panu mówiłam, musimy rozwiać kilka wątpliwości i mamy nadzieję, że nam pan w tym pomoże – nalegała Laura; jej ton stał się bardziej oschły.

– Zmarłych należy zostawić w spokoju – powiedział mężczyzna, opierając dłonie na ladzie.

Laura wytrzymała jego zimne spojrzenie i odparła:

– Zmarli muszą zaznać spokoju, żeby odpoczywać.

– Ma pani na myśli moją bratanicę? To jakiś absurd.

Rozległ się dzwonek przy drzwiach. Do apteki weszła o kulach jakaś staruszka i przywitała się wylewnie z Pietrowem. Laura stanęła z boku, czekając, aż ją obsłuży. Dla zabicia czasu wzięła z półki pierwszą lepszą ulotkę reklamową i zaczęła ją przeglądać. Minęła cała wieczność, zanim donośny dźwięk dzwonka obwieścił wyjście kobiety. Laura odłożyła folder informujący o witaminach poprawiających koncentrację i powiedziała prosto z mostu:

– Wiem, że okłamał pan mojego szefa, pana Connorsa, i chciałabym się dowiedzieć dlaczego. – Tym razem brutalniej wtargnęła na teren farmaceuty, przechyliwszy się przez ladę.

– Nie wiem, o czym pani mówi – powiedział, wkładając recepty do szuflady.

– Powiedział pan, że nie zna Uny Kowalenko, a my wiemy, że to nieprawda. Co więcej, kilkakrotnie była z pańską bratanicą tutaj, w pańskim domu.

Laura nie spuszczała wzroku z Pietrowa; zauważyła, jak jego twarz wykrzywia grymas zaskoczenia.

– Jeśli pani pozwoli, przejdziemy na chwilę na zaplecze. Powieszę tabliczkę „Zamknięte" – powiedział, wskazując wnętrze apteki.

Laura zaczekała i razem weszli do jego mieszkanka.

– Napije się pani kawy?

– Nie, dziękuję, ale jeśli to nie problem, poproszę o szklankę wody. *Merci.*

Wypiła wodę, po czym usiadła w małym fotelu. Zdjęła żakiet i położyła go na podłodze obok torby. Pietrow zajął krzesło z rogoży stojące przy stoliku z grzejnikiem.

– Niech pan posłucha, sama nie mam dzieci, ale myślę, że to musi być straszne, stracić kogoś tak młodego jak pańska bratanica – powiedziała Laura ugodowym tonem.

– Człowiek zawsze myśli, że to on pójdzie pierwszy do grobu. Coś takiego jest sprzeczne z naturą. Wciąż nie mogę w to uwierzyć.

– Dlaczego powiedział pan, że nie znał Uny?

– Wiedziałem, że zmarła nagle, tak jak Irina, nie chciałem mieć problemów.

– Jakich problemów?

– Takich – odparł, wskazując Laurę.

Odpowiedź wydała się lekarce absurdalna.

– Nie sądzi pan, że ich zgony mogą być ze sobą związane?

– Nie.

– Mówią coś panu nazwiska Wiera Antonowa, Natasza Stiepanowa, Jelena Ustinowa i Arisza Wołkowa? Pytam, bo wszystkie zmarły tak samo jak pańska bratanica, nagłą śmiercią.

Starzec wstał gwałtownie i wszedł do małej kuchni za zasłoną. Laura usłyszała stukanie naczyń. Zaczekała. Wrócił ze szklaneczką kawy. Postawił ją na stole, otworzył drzwiczki kredensu, wyciągnął butelkę koniaku i wlał do kawy odrobinę alkoholu.

– Koniak, lubię jego smak. – Zostawił butelkę na stoliku i usiadł.

– Z listy, którą mi pani podała, znałem tylko jedną. Pozostałe też były sportsmenkami?

– Tak, wszystkie zmarłe to zawodowe sportsmenki, same Rosjanki. Nie wydaje się panu, że to zbyt duży zbieg okoliczności?

– Może miał z tym coś wspólnego doping, który stosowały.

– Co pan o tym wie? – zapytała Laura, prostując się na krześle.

– Moja bratanica brała środki dopingujące, Una też. Irina zaczęła je zażywać, kiedy mieszkała w Rosji. Stosowała doping i miała dobre wyniki. Skorzystała z tego, że olimpiada odbywa się w naszym kraju – ponieważ byliśmy gospodarzem, nie przeprowadzano kontroli u rosyjskich sportowców – i spróbowała, powiedzmy... śmielszej kuracji. Kiedy po śmierci ojca przyjechała do Szwajcarii, nadal to ciągnęła. Zdała sobie sprawę, że jeśli odstawi doping, będzie nikim, jedną z wielu.

– A Una?

– Zaczęła, kiedy zobaczyła, że Irina stosuje doping i że przynosi on u niej rezultaty.

– Jakie substancje zażywały?

– Nie wiem. Przypuszczam, że takie, jakie im dawali.

– Kto?

– Nie wiem.

– I nie obchodzi to pana?

Pietrow nie odpowiedział.

– Próbował ją pan od tego odwieść? – nalegała Laura.

– Taka jest cena sławy, proszę pani – odparł ze smutkiem.

– Wiedział pan, że pańska bratanica stosuje doping, i niczego pan nie zrobił?

– Proszę posłuchać. – Pietrow dopił kawę jednym haustem. – Dla mojej bratanicy nie było nic ważniejszego od sportu. Zrobiłaby wszystko dla wygranej.

– Ale pan jest chemikiem, wiedział pan, jakie skutki uboczne może to u niej wywołać – dowodziła Laura z niedowierzaniem.

– Rzeczywiście, i to jest mój krzyż. Człowiek nigdy nie wierzy, że coś takiego może się przytrafić akurat jemu. Prawdopodobieństwo nie było duże.

– Ktoś odpowiada za to, że doszło do tylu zgonów; albo producent, albo dystrybutor jakiegoś podrobionego leku, albo lekarz czy sanitariusz, który zalecił niewłaściwe dawki.

Pietrow wzruszył ramionami.

– Wie pan, kto dostarczał leki pańskiej bratanicy? – nie poddawała się Laura.

– Nie, nie rozmawialiśmy o tym.

– Nie wierzę panu. Jest pan farmaceutą. Mnie pan nie oszuka.

– Niech pani sobie myśli, co chce. Muszę otworzyć aptekę – stwierdził niespodziewanie.

– Ale panie Pietrow... Na pewno jest wiele rzeczy, nad którymi się pan zastanawia. Na przykład dlaczego nie była pod większą kontrolą. Potrzebowała żelaza, witaminy B_{12}, kwasu foliowego... zwykłych środków ostrożności, choćby aspiryny, żeby uniknąć zakrzepów. Wie pan, czy przyjmowała dużo płynów? Odwodnienie przy wysokim hematokrycie może się okazać zgubne...

Pietrow wstał i nawet nie zaszczycając jej spojrzeniem, poszedł otworzyć aptekę. Laura zabrała swoje rzeczy i rozgniewana ruszyła za nim.

– Nie wiem, jak pan może dalej spokojnie żyć po odejściu bratanicy – powiedziała z wyrzutem. – Gdyby choć trochę panu na niej zależało, poruszyłby pan już pół Szwajcarii w poszukiwaniu osoby winnej jej śmierci; ja bym tak zrobiła.

– *Mademoiselle* – pożegnał się Pietrow, otwierając drzwi – miło było panią poznać. Mam nadzieję, że już się nie zobaczymy.

– Wątpię. Mam wrażenie, że wie pan więcej, niż mówi. Zastanawiam się, co powiedziałaby na to wszystko pańska rodzina. Co powiedziałaby matka Iriny?

– Nie ośmieli się pani...

– Ależ oczywiście, że tak – odpowiedziała Laura, wychodząc na ulicę. – Zostawiłam panu na ladzie mój numer komórki i adres w Monthey. Czekam na pański telefon albo wizytę.

Gdy tylko zamknęły się drzwi apteki, Oleg Pietrow rzucił się do telefonu.

– Dzień dobry, mówi chemik – powiedział po rosyjsku. – Musimy porozmawiać. Dalej węszą, przed chwilą w mojej aptece była jakaś kobieta, zadała mi kilka pytań. Okłamaliście mnie, zmarło więcej dziewczyn. Niech twój szef się postara, żebym mógł z tym jak najszybciej skończyć.

Odłożył słuchawkę i z wściekłością rąbnął pięścią w regał z lekami.

Opuszczając *vieille ville* w Montreux, Laura czuła, że nie wyciągnęła od farmaceuty wiele informacji. Postanowiła porozmawiać z „niesamowitym Hulkiem", jak nazywał Thomas prześmiewczo sierżanta Fontaine'a. Ciekawiło ją, czego dowiedział się o Olegu Pietrowie.

Komisariat w Monthey był banalnym prostokątnym budynkiem z czerwonej cegły. Na fasadzie pod oknami pierwszego piętra powiewały flagi miasta, kantonu i Szwajcarii. Laura nie mogła zaparkować przed wejściem – wielkie „R" wymalowane na asfalcie wskazywało, że to zarezerwowane miejsca, a do tego ustawiono jeszcze znak zakazujący parkowania. Zjechała więc w dół ulicy, aż do

Café Berra przy Place de l'École. „Moja podświadomość jest mądrzejsza niż ja, prowadzi mnie tam, dokąd rzeczywiście chcę pójść. Nawet nie zdawałam sobie sprawy, że umieram z głodu", pomyślała z rozbawieniem.

Café Berra należało do najpopularniejszych restauracji w Monthey. Wnętrze lokalu urządzono skromnie, ale przytulnie, jedynie stoliki wydały się Laurze zbyt małe. Przypadło jej za to do gustu danie dnia i całe menu. Serwowano tu wyłącznie szwajcarskie wina, a do tego szeroki wybór robionych na miejscu deserów. Usiadła przy jednym z malutkich stolików – choć był przeznaczony dla dwóch osób, wyglądał na jednoosobowy. Odsunęła mikroskopijny wazonik, w którym tkwił samotny kwiatek. Powąchała go i z niesmakiem odstawiła flakonik na sąsiedni stolik – kwiat okazał się zrobiony z materiału. Powitał ją sympatyczny pan w średnim wieku, z twarzą jak księżyc w pełni i wystającym brzuchem. Położył na obrusie w czerwono-białą kratkę sztućce i serwetkę i zaczął recytować listę dań. Kiedy doszedł do kapusty pod beszamelem, Laura straciła wątek, musiała zaczekać, aż skończy, żeby poprosić, by zaczął od początku. Wybrała zupę szefa kuchni, na drugie dorsza w sosie *meunière*, a na deser – po krótkiej chwili zastanowienia – porcję sernika. Kelner zanotował jej zamówienie.

Kończyła drugie danie, kiedy do restauracji wszedł duży mężczyzna w policyjnym mundurze. Miał ogoloną na łyso głowę i bardzo ciemną skórę, jakby właśnie wrócił z urlopu nad morzem. Wszystko było w nim ogromne. Rozmiar bicepsów uniemożliwiał przedramionom przyleganie do boków, co przydawało jego chodowi nieco arogancji. Laura wstała i podeszła do stolika, przy którym usiadł Hulk.

– Dzień dobry, przepraszam, że przeszkadzam. Sierżant Fontaine?

– Tak, to ja, a pani jest doktor Terraux.

– Przepraszam, czy my się znamy? – zapytała Laura, podając mu rękę.

Przy tym małym stoliku sierżant wyglądał jak Guliwer w Krainie Liliputów.

– Spotkaliśmy się kilka razy w związku z naszą pracą.

– Przykro mi, ale nie przypominam sobie, żebym pana wcześniej widziała, a myślę, że bym pamiętała.

– Tak... mój wygląd.

– Proszę się nie obrażać, ale pańska powierzchowność jest dość... spektakularna.

Zaraz pożałowała użycia tego przymiotnika.

– Niech się pani nie przejmuje, przywykłem – uspokoił ją Fontaine, wybuchając dźwięcznym, melodyjnym śmiechem przypominającym głos operowego śpiewaka.

– Siedzę przy tamtym stoliku, pomyślałam, że mogłabym się na chwilę do pana przysiąść. Naturalnie jeśli na nikogo pan nie czeka.

– Oczywiście, że pani może; co więcej, będzie mi bardzo miło. Szczerze mówiąc, nie znoszę jeść sam. Proszę – powiedział i wskazał krzesło stojące naprzeciwko niego – niech pani siada.

Laura zabrała swój żakiet i torebkę, po czym przysiadła się do Fontaine'a. Kiedy pojawił się brzuchaty kelner, żeby przyjąć zamówienie od sierżanta, uprzedziła go, żeby podał jej deser do tego stolika.

– Proszę mi powiedzieć, jak mogę pani pomóc.

– Pan Connors, z Interpolu, zadzwonił do pana kilka dni temu z prośbą, żeby sprawdził pan Olega Pietrowa, właściciela apteki Vasil w Montreux.

– Zgadza się, wujka zmarłej dziewczyny z Les Diablerets.

– Chciałabym wiedzieć, co pan odkrył. Pracuję przy tej sprawie jako asystentka pana Connorsa, ciekawi mnie, czy czegoś się pan dowiedział.

– Nie jest już pani lekarzem sądowym? – zapytał sierżant ze zdziwieniem.

– To tymczasowe zajęcie – odparła Laura. – Powiedzmy, że chodzi o współpracę.

– Nie rozumiem. Pani lepiej niż ktokolwiek inny wie, że nie ma żadnej sprawy. Z pani badań wynikało – powiedział Fontaine, podnosząc nieco głos – że przyczyna śmierci była naturalna. To pani podpisała dokument sądowy. Policyjne śledztwo zostało zamknięte w momencie, gdy otrzymaliśmy wnioski z sekcji. Z naszej strony nie ma już nic więcej do zrobienia i zapewniam panią, że ani ta sprawa, ani pozostałe nie zostaną skierowane do prokuratora.

Rozmowę przerwał kelner, który postawił przed sierżantem talerz risotta.

– Mam ważniejsze sprawy na głowie niż sprawdzanie jakiegoś... – ciągnął Fontaine, odwijając sztućce z serwetki.

– Pomyliłam się – przerwała mu Laura. – Jest sześć dziewczyn, w tym Irina Pietrowa, przy których postawiłam błędną diagnozę. Sierżant Fontaine zachłysnął się ryżem.

– Słucham? – zapytał, kiedy skończył kasłać.

– Mówię prawdę, ale na razie nie mamy żadnego dowodu.

– Jak może pani być tego taka pewna? Wie pani, co pani mówi? Sześć dziewczyn? – zapytał sierżant z niedowierzaniem.

– Jestem pewna. Tak się składa, że po obiedzie miałam pójść na komisariat, żeby z panem porozmawiać. Spotkanie tutaj było miłym zbiegiem okoliczności. – Laura przysunęła się bliżej. – Może mi pan wierzyć, kiedy mówię, że te zgony nie były naturalne.

Sierżant skończył swoje danie z ryżu i w zamyśleniu spojrzał na Laurę. Wierzył w profesjonalizm lekarki, dlatego jej stanowcze słowa zasiały w nim wątpliwości. Laura odgarnęła kosmyk ciemnych włosów z twarzy, zanim sięgnęła po widelec. „Jest śliczna", pomyślał. Najlepsze ze wszystkiego było to, że chyba nie zdawała sobie sprawy ze swojej urody. Zwróciła jego uwagę już za pierwszym razem, kiedy zobaczył ją w kostnicy – niezbyt romantycznym miejscu na nawiązanie rozmowy. Postukał opuszkami palców w czoło, jakby grał na wyimaginowanym pianinie, i nie przestając na nią patrzeć, powiedział:

– Oleg Pietrow przybył do Szwajcarii, ściślej mówiąc do Bazylei, piętnaście lat temu. Ma podwójne obywatelstwo. Przez dwanaście lat pracował dla gigantycznego koncernu farmaceutycznego Poche. Przed trzema laty odszedł z firmy na własną prośbę i wtedy odkupił od poprzedniego właściciela licencję na prowadzenie apteki, nie pożyczając z banku ani franka.

– Opowiada pan to wszystko z pamięci? – zapytała Laura z uśmiechem.

– Nie jest tego znowu tak dużo.

Sierżant podziękował kelnerowi, który postawił na sole stek cielęcy z frytkami. Laura skorzystała z okazji i zamówiła zieloną herbatę.

– Jak powiedziałem, otworzył aptekę i tyle – dodał Fontaine i włożył do ust kawałek mięsa.

– Co chce pan powiedzieć przez „i tyle"?

– Nie ma samochodu, nie należy do żadnego stowarzyszenia. Nie jest nic winien urzędowi skarbowemu. Nigdy nie był żonaty, nic nam też nie wiadomo o tym, żeby kiedykolwiek miał stałą partnerkę. Wiedzie nieciekawe życie, które wydaje się wypełniać wyłącznie praca. Trochę ponad rok temu załatwił wizę dla swojej bratanicy Iriny. Przeczytałem wszystkie dokumenty, jakie wtedy złożył, począwszy od zaświadczenia o zarobkach, moim zdaniem trochę za niskich, po raporty miejscowej delegatury rządu. Wszystko w normie. Wyłomem w rutynie są jedynie jego podróże do Rosji, zresztą dość regularne. Koniec sprawozdania.

Laura mieszała łyżeczką herbatę w monotonny, niemal hipnotyzujący sposób. Musiała przetrawić to, co powiedział jej przed chwilą sierżant.

– Dlaczego zostawił Poche po tylu latach? – zapytała zaciekawiona.

– Nie wiem. Nie mam informacji o żadnych problemach, po prostu odszedł. – Sierżant pociągnął łyk wody i jakby na chwilę się zawahał. Potem zapytał: – Mogę poznać powód, dla którego sądzi pani, że śmierć tych dziewczyn nie była przypadkowa?

Laura dopiła herbatę. Zadzwonił alarm w jej komórce. Sięgnęła po torebkę i przekopała ją w poszukiwaniu telefonu. Naszedł czas, by wstrzyknąć sobie kolejną dawkę hormonów.

– Nie mogę jeszcze podać panu racjonalnego wyjaśnienia, powiedzmy, że to przeczucie. Mam nadzieję, że wkrótce będę mogła do pana zadzwonić i przedstawić jakieś konkrety. A teraz, jeśli mi pan wybaczy, muszę już iść…

Wstała, sierżant zrobił to samo. Uścisnęli sobie dłonie.

– Jeśli będzie pani czegoś potrzebowała, proszę do mnie zadzwonić – powiedział Hulk.

– Chociaż to tylko przeczucie?

– Chociaż to tylko przeczucie.

Spojrzała na niego, kiedy prezentował jej najlepszy ze swoich uśmiechów. Automatycznie sama też się uśmiechnęła.

– Dziękuję i *bon appétit*.

Uregulowała rachunek przy barze. Dziesięć minut później była w domu, akurat na czas, żeby obejrzeć swój ulubiony serial i zrobić sobie zastrzyk.

Thomas spał do południa. Nie mógł sobie przypomnieć, jaki jest dzień ani ile razy się budził, żeby znowu zasnąć. Usłyszał, że kilka osób rozmawia pod jego drzwiami i oddala się pośród śmiechów. Zmienił pozycję i ponownie zapadł w sen. Obudził go warkot silnika samochodu. Spojrzał na zegarek, spał trzy godziny. Była siedemnasta. Leżał w łóżku, słuchając cichych odgłosów dobiegających z ulicy. Gniew zniknął, zastąpiło go poczucie bezsilności wobec faktu, że został oszukany. Przed oczami stanął mu pewien obraz, jeden z wielu nagromadzonych w jego głowie: nastoletnia Una pochylająca się przy biurku, skupiona na książce, odizolowana od otaczającego ją świata, nawet od osoby, która robiła jej zdjęcie. Pomyślał, że w którymś momencie jej życia mógł pomóc dziewczynie w nauce albo – kto wie – w jakiejś sprawie sercowej, albo… Zamknął mocno oczy, próbując pozbyć się tych myśli. Tego rodzaju odczucia spychały go w przepaść.

Wstał z łóżka. Poszukał w szafie spodni od piżamy oraz białej koszulki z krótkim rękawem. Włożył je, poszedł do salonu i położył się na kanapie. Próbował obejrzeć jakiś film, ale nie mógł się skupić na akcji. Przykrył się kocem pod brodę i zamknął oczy. Niemal natychmiast ponownie je otworzył – w jego głowie powtarzała się raz po raz scena, gdy Maire powiedziała mu, że Una była jego córką. Nie zdając sobie z tego sprawy, znowu zapadł w sen. Kiedy się obudził, poczuł głód. Miał wrażenie, że gorączka zniknęła, ale jego mięśnie wciąż były słabe i zesztywniałe. Zadzwonił po obsługę hotelową i zamówił świeżo wyciśnięty sok z pomarańczy, purée i omlet. Czekając na posiłek, wystukał na komórce numer Laury. Nie odpowiedziała. W tym momencie zadzwonił ktoś z recepcji, by uprzedzić, że doktor Terraux idzie do jego pokoju.

Przywitał ją z ulgą; potrzebował towarzystwa.

– Cześć, lepiej się czujesz? – zapytała od drzwi.

Thomas przytaknął w zadumie. Głowę Laury zalał potok pytań, ale powstrzymała ciekawość.

– Zmierzę ci temperaturę i cię osłucham – powiedziała.
Zdjęła płaszcz, zostawiła go na stojącym po lewej stronie wieszaku i podeszła do Thomasa, który siedział na kanapie. Podała mu termometr, żeby włożył go sobie pod pachę, i usiadła obok niego.
– Nie musisz ściągać koszulki. Odetchnij głęboko przez usta i wypuść powietrze, kiedy ci powiem. Zgoda?
– Zgoda. Wizyta lekarza domowego, co za luksus – powiedział Thomas z uśmiechem.
Laura włożyła w uszy stetoskop. Słuchała odgłosów jego wewnętrznych narządów, próbując wykryć jakieś anomalie, ale niczego nie znalazła. Miała ochotę jak najszybciej zakończyć badanie. Czuła się niezręcznie, siedząc przy Thomasie.
– Brak szmerów i... – powiedziała, sprawdzając temperaturę na termometrze – spadła ci gorączka, więc wizyta lekarska dobiegła końca. Pójdę już sobie.
Zanim zdążyła się odwrócić w stronę drzwi, Thomas chwycił ją za rękę.
– Nie idź, zostań, proszę.
Zapadła długa cisza. Laurę przeszedł dreszcz, kiedy poczuła na skórze dotyk silnej dłoni Thomasa. Wpatrywała się w jego piękne rysy, w tę surową twarz niewyrażającą żadnych emocji. Oboje pozwolili, by milczenie się przedłużyło, w oczekiwaniu na reakcję, która nie nadeszła ze strony żadnego z nich. Laura dostrzegła subtelną zmianę w sposobie, w jaki patrzył na nią Thomas – jego wzrok stał się gorączkowy, w oczach pojawił mu się niebezpieczny błysk zdradzający zamiary. Poczuła, że chce ją wykorzystać, żeby uciec przed czymś, czego nie była w stanie odszyfrować. Nie umiała ukryć swojej złości.
– Co się wydarzyło w Irlandii? – zapytała. Thomas wciąż trzymał jej rękę.
– Nie chcę o tym mówić.
– To ma coś wspólnego z twoim wcześniejszym powrotem?
Thomas spojrzał na nią uważnie. Laura zobaczyła, jak zmienia się wyraz jego oczu – przebijały z nich smutek i ból.
– Daj spokój, nie pytaj. Potrzebuję dzisiaj towarzystwa.
– Jakiego rodzaju towarzystwa? – zapytała i odsunęła się od niego, nadal w defensywie.

– Przyjaciółki.

– Nic poza tym?

– Zapewniam cię, że nic.

Ktoś zapukał do drzwi. Laura otworzyła. Chłopak z obsługi przyniósł jedzenie. Zostawił tacę na dużym stole, na którym stał laptop. Zanim wyszedł, Laura zamówiła dla siebie sałatkę i butelkę białego wina. Zdjęła buty i żakiet. Miała na sobie prostą niebieską bawełnianą sukienkę z rękawem trzy czwarte.

Thomas obserwował lekarkę. Wiedział, że zaskoczył ją swoją prośbą. Okazał słabość w jej obecności, ale nic go to nie obchodziło, był gotów na wszystko, byle tylko nie został sam – nie tej nocy.

Laura chciała dotrzymać mu towarzystwa, pragnęła, by jej zaufał. Wyczuwała, że walczą w nim emocje. Coś zaszło w Irlandii, miała nadzieję, że podzieli się z nią swoim zmartwieniem. Zabolało ją, gdy zrozumiała, że nie ma takiego zamiaru. Opowiedziała mu pobieżnie o spotkaniu ze „niesamowitym Hulkiem", o tym, czego się od niego dowiedziała. Rozmowę z wujkiem Iriny zostawiła na koniec.

– Tak po prostu przyznał, że Irina stosowała doping? – Thomas nie mógł w to uwierzyć.

– Tak jakby mówił, że jutro będzie padać.

– Niebywałe.

– Przynajmniej coś mamy, świadka, który twierdzi, że Una i Irina brały środki dopingujące.

Thomas skinął głową w zamyśleniu, dopijając drugi kieliszek wina.

– Wybacz, ale to wino było dla mnie – powiedziała Laura.

– Zaraz zamówię drugą butelkę. Jest dobre i chłodne. Ożywia mnie, trochę kręci mi się w głowie, trudno mi zebrać myśli.

– To dobrze? – zapytała Laura z uśmiechem.

– Genialnie.

– Co zrobimy ze śledztwem?

– Myślę, że musimy jechać do siedziby Poche w Bazylei, zobaczymy, co ustalimy. Umówić się na spotkanie z menedżerem Iriny, niejakim… mmm… w tej chwili nie pamiętam. Wszystko przez to wino! – Thomas wybuchnął śmiechem; był teraz w dużo lepszym nastroju. – Powinniśmy się też skontaktować z kimś od walki z dopingiem, może udzieli nam jakichś informacji. Zaraz zadzwonię do mojego kolegi z DEA, poczciwca George'a. Włączę głośnik, będziesz mogła słyszeć rozmowę.

– Kiepski pomysł.

– Dlaczego?

– Bo nie mówię dobrze po angielsku.

– Naprawdę?

Laura przytaknęła. Siedziała na dywanie. Od Thomasa, który patrzył na nią z niedowierzaniem z kanapy, dzielił ją stolik.

– Do twojej wiadomości, poza francuskim mówię po niemiecku i włosku – wyjaśniła wyzywającym tonem. – Możesz mi powiedzieć, iloma językami włada twój amerykański kolega?

– Jednym, i to źle. Ale i tak włączę głośnik.

Thomas wybrał numer przyjaciela, ten odebrał po piątym sygnale.

– Cześć, stary, co nowego? – zapytał George.

– Dzień dobry – powiedział Thomas, spoglądając na zegarek.

– Co słychać? Co u ciebie?

– Dosłownie do dupy, od trzech dni nie byłem w toalecie, a w zeszłym tygodniu latałem tam co chwilę. Przesrana sprawa.

– Nic dodać, nic ująć.

– Bardzo śmieszne! Któregoś dnia to twoje ciało żigolaka, którym obdarzył cię Bóg, zacznie jednocześnie obwisać i puchnąć. A kiedy ten dzień... Słyszysz mnie? A kiedy ten dzień – powtórzył – nadejdzie, będę się śmiał do rozpuku.

– Zgoda, wybacz mi. A tak poważnie, dobrze robisz, że o siebie dbasz, starość nie radość.

– Pierdol się.

– Dowiedziałeś się czegoś o dopingu? – Thomas zmienił temat.

– Całkiem sporo ciekawych rzeczy. Rozmawiałem z facetem z FDA, amerykańskiej Agencji Żywności i Leków. Powiedział, że wraz z pojawieniem się w ostatnich latach podrobionych lekarstw wzrosła ich sprzedaż online – poinformował George, nie kryjąc zadowolenia z uzyskanych informacji. – Zdaniem WHO to już jest cicha epidemia, a dla mafii – rozwijający się biznes, którego roczne zyski w dwa tysiące dziesiątym roku osiągnęły... lepiej usiądź, siedemdziesiąt miliardów dolarów.

Thomas gwizdnął.
– Mówi ci coś Operacja Eskulap?
– Nie.
– Pewien obywatel Niemiec zapadł w śpiączkę – wyjaśnił George. – Rodzina powiadomiła policję, że kupił przez Internet jakieś podejrzane leki pochodzące z Hiszpanii. Niemiecka policja skontaktowała się za pośrednictwem Interpolu z hiszpańską i zatrzymano cztery osoby, dwóch Niemców i dwóch Portugalczyków, za przestępstwo przeciwko zdrowiu publicznemu i wyłudzenie.
– A co to ma wspólnego z dopingiem?
– Spokojnie, zaraz do tego dojdę – odpowiedział George zniecierpliwionemu Thomasowi. – Handel bronią czy narkotykami, także handel ludźmi, są karane jako takie; podrabianie leków nie. Ani w Stanach Zjednoczonych, ani w Unii Europejskiej. Niestety nie istnieje żadna kontynentalna regulacja dotycząca bezpośrednio fałszowania lekarstw. Ta sytuacja sprawiła, że jakiś czas temu wiele mafii przerzuciło się na handel lekami; jest bardziej rentowny i nie idą do więzienia, grożą im tylko drobne kary.
– W takim razie o co są oskarżani, kiedy ich złapią? – zapytał Thomas ze zdumieniem.
– O przestępstwa przeciwko zdrowiu publicznemu, przeciwko własności przemysłowej i o podrabianie marki. Za fałszerstwo można dostać cztery lata z hakiem – ciągnął George. – Dla konsumenta jedyną karą jest grzywna. Dowiedziałem się, które kraje przodują, jeśli chodzi o konfiskatę fałszywych leków, i sprawdziłem, że w Internecie jest mnóstwo stron zajmujących się ich sprzedażą. Wiesz, kto bije wszystkich na głowę?
– Niech no zgadnę... Rosja? – odpowiedział Thomas z ożywieniem.
– Biingoo!
Thomas spojrzał na Laurę; ze skupieniem czytała coś na komputerze.
– W wielu przypadkach – ciągnął George – to dobrze zorganizowane nielegalne siatki handlujące środkami dopingującymi. Zdobywają produkty na lewo z aptek albo szpitali w krajach o niezbyt rygorystycznym ustawodawstwie, a także z działających w podziemiu laboratoriów. Uważa się, że w Stanach Zjednoczonych jedną

trzecią sterydów anabolicznych dostępnych na czarnym rynku sprowadza się potajemnie z zagranicy, kolejna jedna trzecia jest wytwarzana w legalnie działających laboratoriach farmaceutycznych na terenie kraju i trafia na czarny rynek za pośrednictwem niektórych producentów, dystrybutorów, farmaceutów, weterynarzy czy lekarzy, reszta pochodzi z nielegalnych laboratoriów.

– Powiedziałeś: weterynarzy?

– Dokładnie tak, niektórzy sportowcy biorą sterydy anaboliczne o zastosowaniu weterynaryjnym.

– Nie do wiary! – wykrzyknął Thomas.

– W ostatnich latach czarny rynek dystrybucji i sprzedaży zakazanych substancji znacznie się rozszerzył i jest w coraz większym stopniu skupiony w rękach potężnych mafii. Mówiłem ci już, że zarabiają więcej na sprzedaży środków dopingujących – sto dolarów na każdy zainwestowany – niż na handlu heroiną czy kokainą. W dodatku wszystko to jest ściśle powiązane z nielegalnymi zakładami, łapówkami i korupcją.

– Czyli stoją za tym mafie... – szepnął Thomas, niemal jakby mówił do siebie.

– To nie ulega wątpliwości – odpowiedział George. – Ta branża, jak wszystkie inne, podlega modom na określone produkty. Na przykład stanozolol sprowadzany z Meksyku w postaci środków o nazwach Ttokkyo, Ilium i Jurox jest obecnie najpopularniejszą substancją na czarnym rynku w Stanach Zjednoczonych oraz specyfikiem najchętniej zażywanym przez lekkoatletów, najczęściej wykrywanym podczas kontroli antydopingowych.

– Jakie daje efekty?

– To steryd anaboliczny używany do zwiększenia masy mięśniowej. Słyszałem, że skraca długość penisa – dodał George, ściszając głos.

– Bierzesz to? – zapytał Thomas z uśmiechem.

– Gdybyś zobaczył mój instrument, przekonałbyś się, że do tego ciała nie przeniknęła żadna chemia. Właśnie na niego patrzę i muszę ci powiedzieć, że jest... okazały.

Thomas wybuchnął donośnym śmiechem, który wyrwał Laurę z zamyślenia.

– Nie jesteś w pracy? – zapytał, zdziwiony szumem spływającej wody po drugiej stronie linii.

– Przed chwilą byłem na spotkaniu z sekretarzem stanu.

– Jasne, a ten hałas?

– Spuszczałem wodę w toalecie. Muszę cię teraz zostawić, drogi przyjacielu. Ale powiem ci, że rozmowa z tobą dobrze mi zrobiła. Dzięki tobie skończyłem z zatwardzeniem.

– Następnym razem wiesz, gdzie mnie szukać.

– Na pewno do ciebie zadzwonię. Spokojnie, powęszę trochę, może dowiem się czegoś o rosyjskich mafiach w Europie. *Bye.*

– *Bye*, mistrzu.

Thomas przerwał połączenie i dopił wino. Czuł się dobrze, był spokojny. Alkohol zrobił swoje. Jego głowę otaczała chmura, unosiła go kilka centymetrów nad ziemią.

– Wszystko w porządku? – zapytała Laura.

Thomas streścił jej rozmowę z przyjacielem i zapytał:

– Co czytałaś z takim zainteresowaniem?

– Raport od twojego szefa. Przejrzałam go.

– Uff… Jeśli opowiesz mi, co w nim jest, żebym nie musiał go czytać, będę ci wielce zobowiązany, bo mój szef jest człowiekiem, powiedzmy… zawiłym, zarówno na żywo, jak i na piśmie.

– Opisuje walkę z handlem środkami dopingującymi i liczne trudności, jakie ona napotyka; ustawodawstwa dotyczące tych substancji bardzo różnią się w poszczególnych krajach. Na przykład dystrybucja sterydów anabolicznych w jednych państwach jest nielegalna, a w innych nie. AMA próbuje ujednolicić działania skierowane przeciwko handlowi nielegalnymi substancjami poprzez współpracę z Interpolem. – Przerwała, żeby pociągnąć łyk wina ze swojego kieliszka. – Uważa się też, że ratyfikacja konwencji UNESCO o zwalczaniu dopingu w sporcie jest dobrą drogą do zunifikowania w skali światowej i stopniowego zaostrzania przepisów dotyczących rozpowszechniania zakazanych substancji.

Laura wstała, ściągnęła z krzesła poduszkę i usiadła na podłodze.

– Wyobraź sobie – ciągnęła – że w Stanach Zjednoczonych, po aferach dopingowych, które wybuchły w ostatnich latach, zaostrzono ustawodawstwo dotyczące handlu środkami dopingującymi do tego stopnia, że gdyby osoby odpowiedzialne za któryś z wcześniejszych dużych skandali, jak ten z laboratoriami BALCo, były sądzone teraz, dostałyby dziesięć lat więzienia zamiast trzech miesięcy, na które zostały wtedy skazane.

– Co to za skandal? – zapytał Thomas z zainteresowaniem.

– W roku dwa tysiące trzecim amerykańska policja odkryła, że laboratorium BALCo i jego prezes Victor Conte dostarczali środki dopingujące olimpijczykom ze swojego kraju.

– To oburzające, że wszystkie te czyny pozostały bezkarne – odparł z niesmakiem.

– Jeśli nie masz nic przeciwko temu, zabiorę sobie ten raport, żeby uważnie go przeczytać – powiedziała Laura i wstała. Czuła się zmęczona.

– Już idziesz? – zapytał zaskoczony Thomas.

– Tak, jest późno, a jutro mamy dużo roboty. Udało mi się umówić na spotkanie z jednym z pracowników agencji antydopingowej, zobaczymy, co nam powie.

Bezwiednie otworzyła usta; zaraziła Thomasa, który także ziewnął. Kiedy wkładała płaszcz, chciał jej powiedzieć, żeby została, żeby spędzili razem noc, ale się powstrzymał – wiedział, że to zły pomysł. Po jej wyjściu wybrał numer recepcji.

– Dobry wieczór. Dzwonię z pokoju dwieście trzy, chciałbym się dowiedzieć, czy mogą mi państwo przysłać kogoś do towarzystwa.

– Oczywiście, proszę pana – odparł rozmówca neutralnym tonem. – Jakieś preferencje?

– Żeby nie pracowała na ulicy.

– Naturalnie, nasz hotel współpracuje z bardzo poważną agencją – powiedział oburzony recepcjonista.

– Jeśli chodzi o wygląd, ma nie być ruda – dodał Thomas, zanim się rozłączył.

31

Tego ranka mgła zapuściła się do przydomowych ogrodów i osiadła w koronach drzew. „Czy to, co widziałem w opactwie, wydarzyło się naprawdę?", pomyślał Janik. W świetle dnia tamta scena wydawała się żywcem wzięta z horroru, zbyt mroczna, żeby mogła być prawdziwa. Przekonał sam siebie, że to był sen. Dom Nicoli spowijała mgła. Kiedy Janik wszedł do środka, wróciły wspomnienia z czasów, gdy byli nastolatkami. Wspięli się po schodach do jej pokoju. Część drewnianej podłogi zakrywał delikatny dywan z długim włosem. Ściany były zastawione regałami różnych rozmiarów, zapchanymi książkami o gwiazdach, z dziedziny fizyki kwantowej, rachunku różniczkowego, algebry. Zobaczył plastikowe pudełka wypełnione płytami i zdjęciami. W głębi, pod dużym oknem, znajdowało się biurko Nicoli z laptopem i segregatorami, a pod ścianą stała gitara.

Usiedli na brzegu łóżka.

– Zagrasz mi coś Maxima Nucciego? – poprosił Janik.

– Wolę pograć z tobą – powiedziała Nicola, przysuwając się do chłopaka.

– Mówię poważnie. Zagraj tę piosenkę z filmu „Les petits mouchoirs". Znasz ją?

– Jasne, to jedna z moich ulubionych.

Kiedy usłyszał pierwszy dźwięk, opanowało go głębokie wzruszenie. Nicola zaczęła śpiewać bardzo cicho, niemal szeptem. Janik zadrżał. Zanim po policzku spłynęła mu łza, zainteresował się książką matematyczną, która leżała otwarta na łóżku.

Kiedy Nicola skończyła grać, zapadła między nimi komfortowa cisza.

Dziewczyna spojrzała na Janika z pożądaniem, ale on uciekł

wzrokiem. Była tak blisko, że mógł usłyszeć jej oddech. Pocałowała go.

– A twoi rodzice?

– Wrócą dopiero na obiad.

Stopniowo zdejmowali z siebie ubrania, nie przestając się całować. Dłoń Nicoli spoczęła z determinacją na bokserkach Janika. Chłopak westchnął.

– A twoi rodzice? – powtórzył.

– Nie przejmuj się, mamy dużo czasu, nie wrócą przed południem.

Za pierwszym razem zrobili to w pośpiechu, jakby pożądanie stało na krawędzi przepaści gotowe w każdej chwili w nią runąć. Teraz, za drugim razem, czas się zatrzymał. Ich dłonie obiegały opuszkami palców każdy centymetr ciała partnera. Zatrzymywały się, gdy napotykały jakąś małą bliznę, pieprzyk czy wrażliwszą część skóry, co powodowało westchnienie rozkoszy albo nieznaczny ruch; jednoczyło ich ciche porozumienie, śmiechy, pytania i wyznania. Posuwali się naprzód drobnymi kroczkami, hamując nieodpartą chęć osiągnięcia orgazmu. Każdy pocałunek potęgował pożądanie, każda pieszczota wzmagała wrażenie, że istnieją tylko oni. Wreszcie Nicola nie wytrzymała, pociągnęła za sobą Janika do innego świata. Leżeli przez kilka minut nieruchomo, świadomi, że oto połączyła ich nierozerwalna więź.

Od tamtego dnia, w miarę jak spędzali razem więcej czasu, samopoczucie Janika ulegało poprawie. Wrażenie zmowy, jakie daje seks, w połączeniu ze związaną z tym radością było dobrym lekarstwem po dramatycznej decyzji, którą podjął.

Po szkole Nicola została przyjęta na Wolny Uniwersytet Berliński, jedną z najbardziej prestiżowych uczelni w Niemczech. Pierwsze dwa lata spędziła nad książkami. Kiedy zaczęła trzeci rok, wyprowadziła się jej współlokatorka. Nicola musiała znaleźć kogoś na jej miejsce i wtedy pojawiła się Dana, chuda dziewczyna na granicy anoreksji. Miała włosy obcięte na chłopaka, ufarbowane na platynowy blond, piercing na twarzy i tatuaż zakrywający lewe ramię. Z tego, jak o niej mówiła, Janik wywnioskował, że było między nimi coś więcej niż przyjaźń, ale nie miał odwagi wypytywać o szczegóły.

– Ja też miałem wyjątkową przyjaciółkę – powiedział poważnym tonem.

– Tę dziewczynę, która umarła? – zapytała Nicola.

– Tak, nazywała się Irina.

Na dźwięk jej imienia poczuł ukłucie w sercu. Poruszył ramionami, jakby chciał powstrzymać dreszcz.

– Musiało ci być bardzo ciężko – powiedziała Nicola, opierając się na jego piersi.

– Tak, wciąż myślę, że pojawi się na korytarzu ośrodka niczym duch.

Nicola nie odpowiedziała, pogłaskała go po piersiach, jakby jej pieszczoty mogły przyspieszyć koniec żałoby.

– To niesprawiedliwe, że umarła tak młodo, bez sensu – powiedziała.

– Okłamałem cię co do śmierci Iriny, nie zginęła w wypadku samochodowym; pewnego ranka znalazłem ją martwą w łóżku.

Nicola spojrzała na niego w osłupieniu.

– Nie wiem, dlaczego cię oszukałem, nie zrobiłem tego z premedytacją.

– Dawno się to wydarzyło?

– W zeszłym roku, tuż przed wakacjami.

– Nie musisz o tym mówić, jeśli nie chcesz. Rozumiem, jak się czujesz.

Pobyt w Maur upłynął mu na rozmowach w domu Nicoli, rozmijaniu się z matką i nocnych koszmarach. Robak, którego miał w żołądku, opuścił swoją kryjówkę i plątał się teraz po jego mózgu. Kiedy Janik spał, korzystał z okazji, żeby robić swoje.

W snach widział ojca siedzącego przy kamiennym stole na małej działce otoczonej drzewami czereśni. Kiedy indziej śnił, że jest na bieżni z Wiktorem. Gdy chłopak odwracał głowę, miał na twarzy uśmiech Blanca.

32

Thomas rozglądał się z uwagą po pokoju Ariszy Wołkowej. Uprzejma właścicielka pozwoliła mu wejść, nie prosząc o żaden dokument. Zapewniła, że nie znajdzie niczego, co mogłoby mu pomóc – od czterech miesięcy mieszka tu inna dziewczyna.
– Przepraszam, czy zachowała pani jakieś rzeczy Ariszy? Może gdzieś w piwnicy? – zapytał Thomas z nadzieją.
Właścicielka mieszkania odpowiedziała chłodnym „nie".
– Z jakiego kraju pochodzi pani nowa lokatorka? – zapytał ponownie, kiedy kobieta otwierała drzwi.
Nowa dziewczyna też była Rosjanką i sportsmenką. Wschodni akcent właścicielki zdradzał jej pochodzenie. Kobieta wpuściła Thomasa do pokoju, po czym zeszła po schodach, krzycząc coś o jedzeniu na kuchence. Został sam. Trudno było wyobrazić sobie bardziej przygnębiające pomieszczenie. Przypominało pokój przesłuchań KGB. Thomas westchnął i niechętnie przystąpił do oglądania rzeczy osobistych dziewczyny. Otworzył szuflady szafki nocnej, dość starej, sądząc po licznych rysach, obiciach i szczerbach, jak zresztą wszystko w tym pokoju. Meble na pewno były z odzysku. Przypomniał sobie film „Samotność długodystansowca", który oglądał wiele lat temu w jakimś małym kinie.
Bohaterem był chłopak z marginesu, który kradł. Trafił do zakładu poprawczego i tam ku jego zdziwieniu dzięki predyspozycjom fizycznym natychmiast zyskał uznanie naczelnika. Jednym z przywilejów, jakimi się cieszył, była możliwość biegania poza terenem zakładu otoczonym drutem kolczastym. Te sceny podobały się Thomasowi najbardziej: chłopak nie tyle biegł, co galopował pośród szkieletów drzew, wolny, z buchającą z ust parą, depcząc zmrożone liście, ubrany w nędzne krótkie spodenki, cienką ko-

szulkę i brudne adidasy. To, że film był czarno-biały, potęgowało wrażenie zimna, jakie odczuwał. W miarę jak biegł, uwalniał się od przeszłości. Może historia dziewczyny, która zajmowała ten pokój, była podobna; sport dał jej szansę wyjazdu z kraju i odsłonił przed nią inną przyszłość. Gdzie należało szukać splendoru i magii sportu sprzedawanych w telewizji? Na pewno nie tutaj.

Podszedł do okna i ze znużeniem oparł czoło o szybę. Poczuł na skórze zimno szkła; nie wiedzieć czemu, to dodało mu otuchy. Samochody mieszkańców stały zaparkowane częściowo na krawędzi chodnika, po którym jeździły na rowerach dzieci. Za nimi wąskie jednopiętrowe domy tuliły się do siebie, jakby próbowały uciec przed chłodem poranka. W ogrodach rosły białe magnolie, niecierpki, geranium, hortensje i olbrzymie winorośle, które czepiały się ubogich fasad. „Łatwo uciec od rzeczywistości, jeśli obserwujesz życie z okna; patrzysz na scenę, na której bez przerwy zmieniają się aktorzy, a ty jesteś jedynym widzem przedstawienia", pomyślał Thomas.

Coś się z nim działo, nie potrafił tego wytłumaczyć. Od spotkania z Maire czuł się inaczej. Nic go nie interesowało, opanowało go zniechęcenie; to ono, a także strach przed nocą wypełnioną koszmarami, znaczyły każdy jego dzień.

Zmusił się, żeby wrócić do pracy. Pomyślał, że przecież zawsze coś zostaje. Nie da się wymazać za jednym zamachem wszystkich śladów czyjegoś życia, nawet tak krótkiego. W pierwszej szufladzie komody leżał długopis, używane baterie, paczka gumy do żucia, para tanich kolczyków, czasopismo w jakimś słowiańskim języku i lukrecjowe cukierki. Na górze stało tekturowe pudełko z ładnym zamknięciem w kształcie serca. Zajrzał do środka, znalazł kilkanaście kolorowych zdjęć. Były na nich osoby z niemowlętami na rękach, grupa uśmiechniętych alpinistów, zielony drewniany dom z przepięknie kwitnącym migdałowcem, inne grupki. Nic ciekawego. Jego uwagę zwróciła fotografia młodej dziewczyny z trzema medalami na szyi, otoczonej ludźmi. To była Arisza. Przysunął zdjęcie do twarzy, żeby mu się lepiej przyjrzeć; zawsze dziwiła go brutalna różnica między śmiercią a życiem. Przypomniał sobie zdjęcia z kostnicy. Schował fotografię do plastikowej torebki. Przeszukał szafę, ale nie znalazł niczego godnego uwagi. Zajrzał do kuchni, na półki, do lodówki – zdziwiło go, że jest taka pełna, nie wiedzieć czemu, zawsze myślał, że sportsmenki mało jedzą. Niczego nie brakowało. Na górnej półce zobaczył odtłuszczone jogurty i kilka piersi kurczaka, na dole stał pojemnik pełen owoców i warzyw, z boku znajdowały się różnorodne soki, mleko, ponad dwa tuziny jajek i kilka tabliczek gorzkiej czekolady.

Na drzwiach wejściowych wisiało okrycie wierzchnie nowej lokatorki. Była to dobrej jakości czerwona puchowa kurtka z kapturem obszytym futrem. Przeszukał kieszenie, wyjął z nich kilka monet, kartę miejską i paczkę chusteczek. Spostrzegł, że po lewej stronie jest wewnętrzna kieszonka. Próbował włożyć dłoń w plastikowej rękawiczce przez mały otwór, ale był zbyt wąski i nie mógł dosięgnąć dna. Wsadził dwa palce, poczuł pod nimi papier. Ostrożnie go wyciągnął i rozłożył. Podekscytowany zobaczył tę samą kartkę w kratkę, ten sam charakter pisma co w wierszach Uny i Iriny.

Gdzie mieszkają twoje marzenia?
Wirują w powietrzu
w poszukiwaniu kogoś, kto nie nadchodzi.
Obserwuję je otulone westchnieniami
pełnymi miłości i nadziei.
Znam je, nie bój się,
twoje samotne błagania zostaną wysłuchane.

– Halo! Przepraszam, jest tu pani? – Thomas zszedł na dół, zajrzał za obdrapane drzwi z wychodzącą spod spodu kremową farbą i zawołał właścicielkę.
– Przepraszam!
Kobieta wychynęła zza innych drzwi w korytarzu, towarzyszył jej zapach gotowanej kapusty.
– Czego pan sobie życzy? – zapytała. – Już pan skończył?
– Proszę wybaczyć, że przeszkadzam, ale chciałem zapytać, jak nazywa się pani lokatorka i gdzie ją znajdę.
– Można wiedzieć po co? – zapytała nieufnie, wycierając ręce.
– Mam pewną wątpliwość i liczę, że mi ją wyjaśni. Jestem agentem Interpolu, oczywiście nie chcę sprawiać pani żadnych kłopo-

243

tów, na przykład przesłuchiwać pani w sprawie pozwolenia na wynajem pokoi.

Kobieta zawahała się na chwilę, zanim odpowiedziała.

– Nazywa się Tania Popowa i obecnie trenuje w Les Diablerets.

Po plecach Thomasa przebiegł dreszcz. Wszystko zdawało się prowadzić do tego miejsca.

Laura opuściła gabinet doktora Mollera wcześniej, niż się spodziewała. Wszystko szło dobrze. Niemal ustąpiły wzdęcia i bóle brzucha. Niemniej lekarz zalecił jej odpoczynek, picie płynów o dużej zawartości soli mineralnych, unikanie alkoholu i kofeiny oraz zażywanie słabych leków przeciwbólowych. Za dwa dni komórki jajowe miały osiągnąć optymalną dojrzałość, można będzie przystąpić do ich zapłodnienia.

Po badaniu lekarz poprosił, żeby przeszła do innego gabinetu na rozmowę z psycholog kliniczną. Była to kobieta w średnim wieku, o prostych, zupełnie białych włosach z przedziałkiem na boku, zebranych w kok. Z powodu tej fryzury wyglądała na osobę stateczną i powściągliwą, miała jednak wesołe oczy, które uśmiechały się w tym samym czasie co usta.

– Dzień dobry, doktor Terraux, nazywam się Irène René. Mam nadzieję, że poświęci mi pani chwilę.

– Tak, oczywiście – powiedziała Laura, lekko zmieszana.

– Przypuszczam, że zastanawia się pani, co tu robi. Bez obaw, to normalne w ramach tej kuracji. Proszę usiąść, nie zajmę pani dużo czasu. Jak się pani czuje?

– Dobrze, dobrze.

– Doktor Moller powiedział mi, że podczas badań jest pani zwykle dość spięta.

– Tak... To sytuacja tak niezwykła w porównaniu z moim codziennym życiem, że trudno mi do niej przywyknąć. Nagle muszę się kłuć, robić sobie USG, mówić o terminach, komórkach jajowych, za dużo informacji... – Laura ściskała mocno torebkę, którą trzymała na kolanach, co nie uszło uwadze psycholog.

– Od dwudziestu pięciu do sześćdziesięciu procent osób, które zaczynają terapię związaną z zapłodnieniem, wykazuje oznaki zaburzeń psychicznych. Lęki, presja społeczna, strach przed badaniami albo czas oczekiwania mogą wywoływać stany emocjonalne, na które należy być przygotowanym. – Psycholog przerwała, żeby sprawdzić, jak zareaguje Laura, która słuchała jej ze spokojem i uwagą. – Najtrudniejsze są dni oczekiwania od początku leczenia do momentu poznania wyniku. Pojawienie się menstruacji oznaczające, że próba się nie powiodła, może nawet spowodować depresję.

– Myślę, że jestem przygotowana – powiedziała cicho Laura.

– Chcę jedynie panią zapewnić, że wątpliwości są czymś normalnym, czasami nie wszystko układa się tak, jak byśmy tego chciały. Nawet jeśli dojdzie do zapłodnienia, istnieje zagrożenie ciążą wielopłodową, która jest głównym zaburzeniem przy stymulowaniu płodności. Po kuracji hormonalnej odsetek ciąż wielopłodowych wzrasta o piętnaście procent.

– Wiem, sporo o tym czytałam.

Faktycznie, Laura kupiła w księgarni w Genewie całą zalecaną bibliografię.

– Wiem, że jest pani lekarzem sądowym. W związku z tym jest pani oswojona z terminami medycznymi, ale to nie uwalnia pani od uczuć.

Laura skinęła głową.

– Z kim rozmawia pani o decyzji, którą pani podjęła? – ciągnęła psycholog.

– Z nikim.

– Mogę wiedzieć dlaczego?

– Myślę, że to wyłącznie moja sprawa i że większość ludzi by tego nie zrozumiała – odpowiedziała Laura zdecydowanym tonem.

– Nie ma pani rodziny? – zapytała z ciekawością doktor René.

– Mam ojca i siostrę, ale szczerze mówiąc, wolę nie dzielić z nimi tego przeżycia – odparła; czuła się coraz bardziej niezręcznie.

Psycholog wyczuła w tym ostatnim zdaniu ostrzejszy, bardziej spięty ton i mniej przyjazne nastawienie. Widziała, jak narasta wrogość Laury, i uznała, że interesująco będzie pójść tą drogą.

– Nie sądzi pani, że powinna podzielić się z rodziną informacją o ewentualnym macierzyństwie? Niemowlę wymaga opieki, niewykluczone, że w którymś momencie będzie pani potrzebowała pomocy bliskich.

Twarz Laury nabrała twardego wyrazu, nieświadomie zacisnęła usta tak mocno, że zamieniły się w bezbarwną kreskę.

– Nie widuję mojej rodziny od dwóch lat – powiedziała, podnosząc nieznacznie głos. – Rozmawiamy czasem przez telefon i opowiadamy sobie o drobnych rzeczach, które się nam przydarzyły, ale te duże, te ważne, zatrzymujemy dla siebie, bo... zawsze tak robiliśmy. Kiedy umarła moja matka, najlepszym, co przyszło ojcu do głowy, było schowanie zdjęć i pamiątek po niej i życie dalej tak, jakby nigdy nie istniała. Taki miał i ma sposób działania.

– A pani wydawało się to w porządku?

– Byłam mała i zaakceptowałam to jako coś naturalnego – odpowiedziała, wzruszając ramionami. – Jak mogłam się im przeciwstawić?

– Użyła pani liczby mnogiej, czy to dotyczy także pani siostry? – zapytała psycholog.

Laura skinęła potakująco głową, jakby znów była małą dziewczynką.

– Proszę mnie źle nie zrozumieć, kocham ich, ale nasze relacje nie są serdeczne, raczej chłodne, i ten chłód pogłębiał się z upływem lat. Ojciec mieszka teraz we Włoszech z moją siostrą i jej rodziną. Ja jestem nieobecną córką, siostrą, ciocią. I chyba lepiej, żeby tak pozostało. Czuję się szczęśliwa. – Sięgnęła po marynarkę, dając do zrozumienia, że rozmowa dobiegła końca. – To bardzo przemyślana decyzja, którą cieszę się w samotności. Gości sobie nie życzę.

– Zgoda, ale musi pani wiedzieć, że większość kobiet przechodzi od trzech do sześciu cykli sztucznego zapłodnienia, zanim zajdzie w ciążę albo zmieni terapię; jeśli zabieg się nie powiedzie, czasem dobrze z kimś o tym porozmawiać.

– Zastanowię się nad tym, dziękuję.

– Właśnie przeczytałam w pani karcie, że pęcherzyki jajnikowe osiągnęły prawie dwadzieścia milimetrów średnicy, a poziom estradiolu jest prawidłowy, tak więc zaleca się wstrzyknięcie HCG... – Spojrzała na ekran. – Jeszcze dziś. Jak wyjaśnił pani doktor Moller, ten hormon powoduje ostateczne dojrzenie komórek jajowych i owulację.

Psycholog skończyła przeglądać kartę Laury na komputerze i zanim ją zamknęła, dodała:

– Zatem, doktor Terraux, widzimy się pojutrze na zabiegu zapłodnienia.

Laura ustawiła alarm na czternastą, porę zastrzyku, i z entuzjazmem wybrała numer Thomasa.

Kiedy zadzwoniła, Thomas jechał w kierunku Les Diablerets. Laura była już wolna i chciała wiedzieć, czy pójdzie z nią na spotkanie ze Szwajcarem z agencji antydopingowej. Thomas włączył zestaw głośnomówiący, by poinformować ją, czego się dowiedział. Ustalili, że ona pojedzie do Lozanny, a on w tym czasie złoży wizytę Tani Popowej.

Laura dotarła do Lozanny odpowiednio wcześnie, żeby zjeść obiad przed spotkaniem z Flaubertem. Zdecydowała się na fast food. Najbardziej lubiła hamburgery z kurczakiem, dodatkowym serem i bekonem. Uwielbiała panierkę z ziół i przypraw. Zamiast frytek zamówiła sałatkę Cezara, a do picia butelkę wody. O tej porze w lokalu panował duży ruch, na parterze nie było już miejsc. Weszła z tacą na piętro i usiadła przy stoliku, który właśnie zwolniła para studentów. Zamknęła oczy, żeby lepiej smakować pierwszy kęs, chrupiący... przepyszny. Na tacę wypadło kilka kawałeczków sałaty. Spojrzała na zegarek; miała piętnaście minut do spotkania i trzy godziny do zastrzyku.

Flaubert czekał na nią w holu hotelu, w którym się zatrzymał. Chociaż za dwie godziny miał samolot do Kanady, był tak miły, że zgodził się na rozmowę. Przyszedł ubrany w ciemny garnitur o nienagannym kroju, białą koszulę i niebieski krawat. Miał około pięćdziesięciu lat, duże zakola na skroniach i kasztanowe włosy. Był tak niesamowicie wysoki i chudy, że w dzieciństwie nazywali go trzciną, jak później opowiedział Laurze. Przywitali się krótkim, mocnym uściskiem dłoni i usiedli w dyskretnym kącie hotelowej kawiarni. Laura zamówiła świeżo wyciskany sok z pomarańczy, Flaubert nie chciał niczego do picia.

– Pragnę zaznaczyć, że nie znam świata sportu; co więcej, nie tylko go nie uprawiam, ale nawet nie oglądam w telewizji.

– No to nie pomylę się, jeśli stwierdzę, że jest pani rzadkim okazem. Proszę mi powiedzieć, jak mogę pani pomóc?

– Jestem lekarką sądową, w ostatnich miesiącach przeprowadziłam kilka sekcji zwłok odpowiadających temu samemu schematowi: młode dziewczyny, sportsmenki, które zmarły nagłą śmiercią.

– O ilu zgonach mówimy? – zapytał zaniepokojony.

– Sześć sportsmenek w ciągu roku.

– I jak powiedziała mi pani przez telefon, uważa pani, że przyczyną ich śmierci był doping.

– Właśnie.

– Odkąd powstała w Lozannie AMA, sport bardzo się zmienił, a wraz z nim walka z dopingiem, w każdej postaci, na całym świecie. AMA czy – używając angielskiego skrótu – WADA, World Anti-Doping Agency, działa na rzecz zdrowszego uprawiania sportu.

– Jak zwalczają państwo doping? – Laura poruszyła się niezadowolona na krześle. Nie chciała przemówienia, a ten przeklęty Flaubert mówił jak polityk. – Mógłby mi pan podać konkretne przykłady walki z produkcją, stosowaniem, przemytem i dystrybucją środków dopingujących?

– Hola, hola! W porządku, chce pani, żebym przeszedł do rzeczy. W czasie Tour de France w tysiąc dziewięćset dziewięćdziesiątym ósmym roku celnicy i francuska policja przeprowadzili obławę, podczas której znaleźli zakazane produkty w autobusie grupy kolarskiej Festina. Ta akcja i rozgłos, jaki zyskała na świecie, przyczyniły się do utworzenia AMA. – Flaubert zrobił krótką przerwę, po czym ciągnął dalej: – Kilka lat później włoska policja ujawniła inną aferę dopingową: niektórzy lekarze i pracownicy Włoskiej Federacji Kolarskiej sprzedawali EPO i środki dopingujące, które zdobywali w szpitalach. Z kolei amerykańska agencja antynarkotykowa zdemaskowała kilka meksykańskich koncernów farmaceutycznych produkujących sterydy anaboliczne i dostarczających je sportowcom.

– Ale... pan mówi o aferach o światowym zasięgu, gdzie policja wykonuje mrówczą pracę, dochodząc do sukcesów malutkimi kroczkami. A kiedy je osiąga, idzie po nitce do kłębka, nie wiedząc, na co się natknie...

– Ma pani całkowitą rację. Tak właśnie jest. W wyniku tego śledztwa policja odkryła ponad trzydzieści chińskich firm, które dostarczały niektórych z czynnych substancji wchodzących w skład środków dopingujących, oraz nielegalnych laboratoriów działających w Stanach Zjednoczonych i innych krajach. Śledztwo zakończyło się zamknięciem około pięćdziesięciu laboratoriów w USA, aresztowaniem ponad stu osób i konfiskatą prawie siedmiu milionów dolarów. Chce pani, żebym mówił dalej, czy za bardzo się rozgadałem?

– Tak, proszę... niech pan kontynuuje – odpowiedziała Laura.

– To dla mnie prawdziwe science fiction. Nigdy bym nie przypuszczała, że sport generuje taką przestępczość.

– Niestety tak. Tam, gdzie są pieniądze, jest i korupcja. W dwa tysiące szóstym roku hiszpańska policja rozbiła siatkę handlującą zakazanymi substancjami. Stosowali metodę autotransfuzji krwi, przeprowadzali ją lekarze, w tym niejaki Eufemiano Fuentes, oni też dostarczali te produkty hiszpańskim, niemieckim i włoskim kolarzom, a prawdopodobnie także niektórym tenisistom, lekkoatletom i piłkarzom. To była bardzo głośna afera, znana pod nazwą Operación Puerto. Przy innej okazji fińscy celnicy skonfiskowali prawie dwanaście milionów tabletek sterydów anabolicznych pochodzących z Chin, przewożonych do Rosji.

Laura chłonęła jego słowa wszystkimi pięcioma zmysłami.

– Otóż w tych i innych przypadkach – ciągnął Flaubert – interwencja policji doprowadziła do ukarania za doping wielu sportowców, którzy nigdy nie zostaliby pociągnięci do odpowiedzialności, gdyby nie takie obławy i śledztwa.

– Czytałam o was i pozwolę sobie zauważyć, że dysponujecie olbrzymim budżetem na zwalczanie dopingu. Jeśli dobrze pamiętam, w zeszłym roku wynosił on dwadzieścia sześć i pół miliona dolarów. Myślę, że macie wystarczające środki, żeby wyplenić tę plagę – oświadczyła oschle Laura.

– To nie takie proste. Weźmy na przykład jakiś jeden konkretny lek dopingujący, powiedzmy EPO. W latach osiemdziesiątych został sztucznie zsyntezowany z myślą o leczeniu chorych na nerki, ale przeniknął na czarny rynek, przede wszystkim do sportów wytrzymałościowych, gdzie wyniki zależą między innymi od ilości tlenu docierającej do mięśni. – Zrobił krótką przerwę. – Jednak po podaniu EPO zwiększa się liczba czerwonych krwinek, a tym samym lepkość krwi, co utrudnia jej krążenie. No właśnie, nie wiem, czy pamięta pani serię zgonów kolarzy w połowie lat osiemdziesiątych…

– Oczywiście. To właśnie było punktem wyjścia dla naszego śledztwa.

– Niewiele osób zna tę historię. Sprawa została szybko zapomniana. Ponieważ tej pierwszej EPO nie dało się wykryć dzięki badaniu moczu, została nazwana „niewidocznym mordercą".

– Myślę, że to właśnie spotkało te dziewczyny. Przypadki są podobne, nagłe zgony, podczas sekcji żadnego dowodu wskazującego na nienaturalną przyczynę śmierci. – Laura poczuła, że szybciej bije jej serce; pierwszy raz ktoś potwierdził jej hipotezę.

Flaubert skinął głową.

– Po śmierci kolarzy w kontrolach antydopingowych zaczęto stosować metodę pośrednią na wykrycie EPO: wskaźnik hematokrytowy. Ustalono, że wartość powyżej pięćdziesięciu procent stanowi ryzyko dla osoby uprawiającej sport. EPO drugiej generacji, Aranesp, utrzymywał się w organizmie przez średnio dwadzieścia sześć godzin, podczas gdy jego poprzednik – sześć. Jednak kiedy pracowaliśmy nad sposobem wykrycia tej nowej substancji, wszedł do obiegu inny rodzaj EPO, CERA, specyfik, który jeszcze wolniej ulega metabolizmowi i dłużej pozostaje w organizmie. – Flaubert przerwał na moment, żeby przeczytać wiadomość, która przyszła na jego komórkę, po czym ciągnął dalej: – Osoba chora na nerki, która musiała przyjmować EPO pierwszej generacji jakieś sto pięćdziesiąt razy rocznie, CERA wstrzykiwała sobie tylko dwa razy w roku. Tak samo wyglądało to w sporcie. Podejrzewa się, że zaczęto stosować ten środek w dwa tysiące czwartym roku, kiedy był jeszcze w fazie doświadczalnej.

– Chce pan powiedzieć, że sportowcy brali tę substancję na kilka lat przed tym, zanim oficjalnie weszła na rynek…?

– Dokładnie tak. Wstrzykiwali ją sobie tylko raz na miesiąc, więc była wydalana w moczu w mniejszych proporcjach; to znaczy pozostawała nie do wykrycia, nie wiedziano nawet, czego szukać – wyjaśnił głosem, z którego przebijało rozczarowanie. – W końcu laboratoria antydopingowe w Lozannie i Paryżu wykryły EPO w zamrożonej krwi najbardziej podejrzanych kolarzy ostatniego Tour de France, dzięki pewnemu laboratorium w Barcelonie, które wynalazło sposób na rozpoznanie EPO we krwi.

– Jak do tego doszło? – zapytała Laura. Próbowała ułożyć sobie w głowie wszystkie te informacje.

– Madrycki sąd, który prowadził postępowanie w Operación Puerto, wysłał do analizy zamrożone torebki z czerwonymi krwinkami i osoczem. Do tamtej pory nigdy nie szukano rekombinowanej EPO we krwi, jedyną wiarygodną metodą było badanie moczu. Została znaleziona w ośmiu torebkach.

– Istnieje jakiś sposób, żeby dowiedzieć się, czy zgon tych dziewczyn był spowodowany EPO?

– Obawiam się, że nie. Nie dość, że zanika po niej wszelki ślad, to pojawiły się pirackie EPO, które komplikują nam życie. Żeby wynik był pozytywny, na zdjęciu z analizy laboratoryjnej muszą wyjść kreski w podstawowym układzie, tymczasem napotykamy dziwne wzory, z paskami w różnych konfiguracjach. Jeśli chodzi o wykrywanie dopingu, zawsze jesteśmy w tyle – przyznał z ubolewaniem Flaubert.

– Nie wiem, czy dobrze zrozumiałam. Kiedy wykonuje się kontrole antydopingowe, wiadomo, że jeśli pojawi się, powiedzmy, kółko, chodzi o EPO. Ale teraz, ponieważ nie jest znana forma, jaką przyjmuje nowa EPO, w analizach wychodzą trójkąty czy kwadraty zamiast kółek, i nie można z całą pewnością stwierdzić, że to kształt EPO.

– Pani wyjaśnienie jest niezbyt profesjonalne – zaśmiał się Flaubert – ale tak to mniej więcej wygląda. Żeby wiedzieć, czy mamy do czynienia z EPO, najpierw musimy zdobyć próbkę tej substancji. Proszę sobie wyobrazić, że po jej analizie w laboratorium widzimy... trójkąty, żeby użyć pani określenia. Wtedy możemy sprawdzić, co brał sportowiec. Jeśli wykonamy badanie krwi i pojawią się trójkąty, będziemy mieli pewność, że zażył zakazaną substancję.

– I wszystko to, co pan mi opowiedział, dotyczy tylko jednego jedynego środka dopingującego.

– Dokładnie tak, a teraz proszę pomyśleć, jak dużo jest takich zakazanych substancji, i o tym, że nieustannie się zmieniają.

Laura skinęła w zamyśleniu głową – to, co chwilę wcześniej było dla niej łatwą walką, teraz wydawało się niemożliwym do wykonania zadaniem.

– Wracając do sportsmenek, o których panu mówiłam...

– Jakiej były narodowości? – chciał wiedzieć Flaubert.

– Rosyjskiej.

– W takim razie bardzo mi przykro, ale nie będzie pani w stanie niczego udowodnić. W dwa tysiące dziesiątym roku wygasła ważność patentu na EPO, co oznacza, że mamy do czynienia z EPO generyczną, wytwarzaną w nielegalnych laboratoriach w Rosji, Chinach czy jakimś afrykańskim państwie, gdzie nie przeprowadza się kontroli, a więc substancja jest nie do wykrycia.

Laura miała ogromną ochotę wybuchnąć płaczem. To niesprawiedliwe, że wszystko skończy się w ten sposób. Wiedziała, że ucisk w jej piersiach zwiększają hormony, ale nie mogła też zapomnieć o sześciu dziewczynach, które umarły z winy jakiegoś pozbawionego skrupułów człowieka, ani o tym, że teraz doping stosują inne sportsmenki.

– Chce mi pan powiedzieć, że źli wygrali, więc mam zrezygnować i zapomnieć o całej sprawie.

– Wiem, że Interpol, z którym pani współpracuje, bardzo skutecznie walczy z tą społeczną plagą.

– Ale...

– Ale AMA w tym konkretnym przypadku nic nie zdziała. Proszę mi wybaczyć, muszę jechać na lotnisko.

– Oczywiście, dziękuję za rozmowę.

Wstali. Laura nie tknęła swojego soku pomarańczowego. Zostawiła trzy franki na spodeczku z rachunkiem. Kiedy już była przy wyjściu, pożałowała, wróciła i jednym haustem opróżniła szklankę. Flaubert grzecznie zaczekał na nią przy recepcji.

– Przykro mi, że nie mogę pani pomóc – powiedział na pożegnanie. – Myślę, że pani upór jest godny pochwały, ale proszę uważać. Kiedy mówimy o dopingu, w większości przypadków mówimy także o mafiach, a te są niebezpieczne.

– Będę uważać, dziękuję.

Laura wiedziała z całą pewnością, że nie chce przerywać śledztwa, i wierzyła, że Thomas będzie tego samego zdania. Pragnęła jak najszybciej dotrzeć do domu, zrobić sobie zastrzyk i pochrupać cze-koladowe ciasteczka przed telewizorem. Zachęcona tą wizją, ruszyła w stronę samochodu. Pół godziny później zadzwonił alarm w ko-mórce, musiała więc zjechać z autostrady E62 i poszukać dyskretnego miejsca. Znalazła parking odgrodzony od szosy gęstymi drzewami. Siedząc w samochodzie, podniosła koszulkę i odsłoniła fragment brzucha. Wyjęła strzykawkę z pojedynczą dawką i mały ręczniczek nasączony spirytusem. Oczyściła część skóry, którą miała nakłuć, po czym chwyciła palcami lewej dłoni jej fragment i wstrzyknęła płyn. Dopiero kiedy skończyła, zdała sobie sprawę, jak bardzo jest zdenerwowana. Mocno objęła się ramionami. Zaczynała odliczanie.

33

Wstał o godzinę wcześniej niż zwykle. Był zdenerwowany; miał umówione pierwsze spotkanie z Magikiem, jak nazywano lekarza, który został mu polecony. Zszedł na śniadanie, kiedy pływacy wracali z pierwszego treningu. Potem wrócił do pokoju i leżąc na łóżku, czekał na Blanca. Z każdą mijającą minutą jego serce biło coraz szybciej. Czuł puls uderzający mocno w żyłach nadgarstków. Kiedy rozległo się pukanie do drzwi, wystrzelił z łóżka niczym rakieta.

– Otwarte! – krzyknął.

– Dzień dobry, Janiku – przywitał go Blanc. – Dobrze dziś spałeś?

– Dlaczego miałbym źle spać?

– Nigdy nie wiadomo – odpowiedział starzec z tajemniczym uśmiechem. – Jesteś gotowy?

– Tak – odparł zdenerwowany Janik.

Nie mógł zapomnieć o nieludzkim śmiechu, który towarzyszył mu tamtej nocy.

Blanc poprowadził go schodami na parter. Pokonali korytarz i wyszli przez wschodnią bramę ośrodka.

Sznur z esparto podtrzymujący czarne spodnie dozorcy był wystrzępiony, podobnie jak wełniana czapka zakrywająca mu głowę. Ruszyli wąską stromą ścieżką prowadzącą w góry. Wkrótce ich oczom ukazało się opactwo. Po drodze Blanc nucił jakąś ponurą melodię. Nagle zamilkł.

– Doszliśmy na miejsce – oznajmił. – Diabeł jest zadowolony, zostaniecie dobrymi przyjaciółmi.

Wystraszony Janik nie odpowiedział. Chciał jak najszybciej mieć to za sobą.

– Aha! Masz pozdrowienia od ojca. Wkrótce go zobaczysz.
Janik z wściekłością chwycił Blanca za ramiona, potrząsnął nim i pchnął go na ścianę. Starzec nie próbował się nawet bronić. Chłopak wziął zamach, żeby wymierzyć mu cios pięścią, ale Blanc wbił w niego puste oczy i Janik uspokoił się jak zahipnotyzowany. Z twarzy dozorcy nie schodził uśmiech; znów zaczął nucić swoją piosenkę. Kiedy zdenerwowany chłopak otworzył drzwi, Magik odwrócił się, wyczuwając jego obecność.

– Wreszcie się poznajemy. Jak widzisz, będziemy sąsiadami – powiedział po angielsku ze wschodnim akcentem.

Słowa Magika odbijały się od ścian i rozbrzmiewały jak w teatrze. Janik stał nieruchomo, w powietrzu wisiało coś dziwnego, co wzbudzało jego niepokój.

– Podoba ci się, co? – zapytał Blanc mrocznym głosem i zniknął za niskimi drzwiami.

– Jak tam trening na basenie? – chciał wiedzieć Magik.

– Nudzę się. To nie moja bajka. Nie wiem, jak pływacy mogą tak trenować po sześć godzin dziennie.

– Ale w przyszłym tygodniu zaczynasz biegać, prawda?

– Tak, już niewiele brakuje.

– Nie powinieneś spędzać za dużo czasu pod wodą. Poza tym to niezdrowe dla napięcia mięśni i mogą ci wyrosnąć łuski.

– Nie potrzebuję łusek, ale skrzydeł.

– Trafiłeś we właściwe miejsce. – Magik się uśmiechnął. – Zrobimy z ciebie najszybszego anioła na świecie.

– Anioła albo diabła – szepnął Janik. – Frank opowiadał mi o twojej metodzie.

– Musimy być ostrożni. Jeśli dowie się o tym policja, z dnia na dzień z bohatera staniesz się łajdakiem. – Podszedł do Janika i dotknął jego ramienia. – A cała wina spadnie na mnie.

Mężczyzna odsunął rękę i cofnął się o kilka kroków.

– Chodź za mną.

Przez niskie drzwi przeszli z pomieszczenia wyglądającego na kuchnię do sali ze sklepieniami łukowymi. Na jednej z kamiennych ławek siedział Blanc. Chociaż Janik na niego nie spojrzał, był pewien, że starzec się uśmiecha.

Z czoła skapnęła mu kropla potu. Promienie słoneczne oświetlały witraże, pomieszczenie wypełniał silny zapach siarki.

– Ruszaj, Janiku, nie jesteśmy jeszcze na miejscu.

Wyszli na zewnątrz, ścieżka ułożona z kamiennych płyt zaprowadziła ich do długiego parterowego budynku. Zatrzymali się przed ścianą, Magik wyciągnął pilota, nacisnął guzik i płyta, którą mieli przed sobą, podniosła się, odsłaniając oświetlone jasnymi lampami schody.

– Tu spały zakonnice – wyjaśnił. – W piwnicach zainstalowaliśmy laboratorium.

Zeszli na dół. W pomieszczeniu stało kilka kozetek lekarskich, zamrażarki, szafy z przeszklonymi drzwiami wypełnione pojemnikami zawierającymi prawdopodobnie leki i pustymi probówkami. Na stole ciągnącym się wzdłuż całej sali Janik zobaczył rozmaite małe urządzenia. Rozpoznał niektóre z nich, widział je w laboratorium w ośrodku – służyły do badania krwi.

– Usiądź na tym krześle przy stole – wskazał Magik. – Wyjaśnię ci, o co chodzi. Nie tak trudno to zrozumieć. Sam się przekonasz.

Sięgnął po segregator i wyjął z niego jakieś papiery.

– Zaczekaj chwilę, zaraz wracam. O czymś zapomniałem.

Wyszedł z pomieszczenia. Elektryczny grzejnik stojący pod stołem dmuchał ciepłym powietrzem na kostki Janika. Drżały mu ręce. Wszystko to wyglądało bardzo poważnie. Przez kilka sekund zastanawiał się, czy dobrze robi, ale jak mógł inaczej zarabiać na życie? Nie skończył studiów, nie miał uzdolnień manualnych. Posiadał za to wyjątkowy dar: urodził się z osiemdziesięciodwuprocentową wydolnością tlenową. Frank powiedział mu, że jeśli zrezygnuje, kto inny zajmie jego miejsce.

Po powrocie Magik wręczył mu jakieś papiery.

– Wszystko w porządku, Janiku?

– Co będzie, jak mnie złapią? – zapytał wprost.

– Nie złapią cię, ale w razie czego dysponujemy środkami, dzięki którym sprawa nie wyjdzie na światło dzienne.

Jego pewność siebie uspokoiła chłopaka.

– W porządku, kiedy zaczynamy? – zapytał.

– Podoba mi się taka postawa. Mamy kilka miesięcy opóźnienia, ale jeszcze zdążymy. Oto twój kalendarz. – Magik podał mu kartkę.

Janik zobaczył, że wypisano na niej miesiące, tygodnie i dni roku. Jedne dni były oznaczone samymi kropkami, inne kropkami i kółkami lub kreskami, a przy niektórych pojawiały się litery P, T, IG.

– Czy mój trener nie ma nic przeciwko temu?

– Nie jesteś pierwszym lekkoatletą Jurija, który trafia w moje ręce. Prześle nam twój plan treningowy i będzie nas uprzedzał, jeśli zajdzie konieczność dania ci dodatkowego kopa. Jak widzisz w tej tabeli – wskazał kartkę – „P" oznacza, że pobieramy ci krew, a „T", że robimy ci transfuzję. Kropką wyróżniono dni, w których będziesz sobie wstrzykiwał EPO, a „IG" to hormon wzrostu.

– A strzałki? – chciał wiedzieć Janik.

– To zawody – odparł Magik. – Liczba strzałek oznacza ich wagę, dlatego igrzyska olimpijskie mają cztery kreski. Zaczynasz w przyszły czwartek. Musimy wykorzystać to, że jesteś wypoczęty, masz wysoki hematokryt oraz dużą ilość czerwonych krwinek i hemoglobiny.

– A co daje pobranie krwi?

– Naszym głównym celem jest dostarczenie większej ilości tlenu do tkanek. Można to osiągnąć na trzy różne sposoby. Po pierwsze, dzięki wysokości i komorom hipobarycznym, po drugie, drogą transfuzji przeprowadzanych w okresie poprzedzającym zawody...

– Jakie są efekty transfuzji? – przerwał mu Janik.

– Zależy u kogo. Przy twojej maksymalnej wydolności tlenowej... – Sięgnął po kalkulator i zaczął wstukiwać cyfry. – Twój hipotetyczny wynik... wyniósłby... trzy minuty trzydzieści dwie sekundy.

– To niesamowite! – wykrzyknął Janik.

– I to po zastosowaniu tylko jednej z trzech metod. Sam widzisz, co cię ominęło.

Chłopak zaniemówił. Z takimi wynikami mógł wygrać mistrzostwa Europy. „To nie może być takie proste", pomyślał.

– W życiu bym nie przypuszczał, że mogę choćby zbliżyć się do takiego rekordu – powiedział szczerze.

– Na dziś wystarczy. Niedługo spotkamy się w celu pobrania krwi, wtedy wyjaśnię ci, jakie inne metody będziemy stosować.

Janik poderwał się z krzesła, jakby wybuchła pod nim petarda. Nie mógł się doczekać, kiedy zaczną.

– Wiem, że pewnie chciałbyś podzielić się z kimś twoją radością, ale znasz zasady.

– Nie martw się, możesz mi zaufać. Choćby mnie łamali kołem, z moich ust nie wyjdzie ani jedno słowo... Poza tym wcale mnie tu dziś nie było.

– Doskonale! – Magik wybuchnął śmiechem.

– Chcę tylko, żeby znów było jak dawniej – powiedział Janik z nadzieją.

– Nigdy już nie będzie jak dawniej.

34

Thomas siedział w salonie i relacjonował postępy w śledztwie, a Laura słuchała go z kuchni. Przygotowywała pożywne kanapki z tuńczykiem, jajkiem na twardo, sałatą, serem i pomidorem pokrojonym w cienkie plasterki. Kiedy skończyła układać wszystko na bułce, dodała jeszcze podsmażoną na patelni cebulę.

– Ta cała Tania Popowa nie miała pojęcia o wierszu. Po śmierci Ariszy skorzystała z okazji i przywłaszczyła sobie jej puchową kurtkę. Żebyś widziała jej twarz, kiedy ją o nią zapytałem, zrobiła się cała czerwona. Wyglądała, jakby miała zaraz eksplodować, jak w kreskówce, kiedy ktoś zje coś ostrego i zaczyna mu dymić głowa.

Laura wybuchnęła śmiechem. Umieściła chrupiące bagietki na dużej bambusowej tacy. Postawiła na niej butelkę białego chardonnay i dwa kieliszki, po czym dołożyła wyciągnięte z piekarnika croissanty z czekoladowym nadzieniem.

– Jesteś pewna, że nie chcesz, żebym ci pomógł? – zaproponował Thomas, wchodząc do kuchni.

– Przyciągnął cię zapach czekolady, prawda? – zapytała ze śmiechem.

– *Touché.*

Otworzyła ramieniem drzwi wahadłowe oddzielające kuchnię od salonu. Thomas poszedł za nią.

– Mamy zatem mafie zajmujące się produkcją leków – powiedział, otwierając butelkę wina – wśród których prym wiodą organizacje rosyjskie.

Laura postawiła tacę na stoliku między dwiema kanapami.

– Jest jeszcze wujek Iriny, który coś przed nami ukrywa – dodała, odgryzając pokaźny kęs swojej kanapki.

– Znaleźliśmy wiersze napisane dla trzech ze zmarłych dziewczyn. – Thomas napełnił kieliszki winem. – Dwie z nich mieszkały w Les Diablerets, a trzecia tam trenowała. To nie może być przypadek. Przyjmuję za pewnik, że autor albo tam pracuje, albo mieszka.

– Ale nie wiemy, czy jest mordercą – dodała Laura. – Nie mamy też pewności, że wierszy nie dostały inne dziewczyny z ośrodka.

– Z tego, czego udało mi się dowiedzieć, wynika, że nikt nie miał pojęcia o ich istnieniu. Po rozmowie z Tanią Popową zapytałem o to kilka dziewczyn i wszystkie okazały jednakowe zdziwienie.

– Przypominam ci, że są młode, a tym samym skryte – powiedziała Laura. – Myślę, że będzie lepiej, jeśli to ja pojadę do Les Diablerets. Może łatwiej będzie im porozmawiać z kobietą.

– Niewykluczone, na pewno warto spróbować. Martwi mnie to, co powiedział ci ten facet od walki z dopingiem.

– Flaubert, z AMA – sprecyzowała.

Thomas skinął głową. Zjadł już prawie całą kanapkę.

– Chcesz jeszcze jedną? – zapytała Laura z uśmiechem.

Pokręcił głową.

– Skończyłem tak szybko, żeby zaatakować deser. Nie jestem w stanie się oprzeć czekoladzie – powiedział po ostatnim kęsie. – Jak mówiłem, ten człowiek z AMA odebrał nam nadzieję na znalezienie śladów EPO u zmarłych dziewczyn. Z policyjnego punktu widzenia nie zebraliśmy żadnych dowodów. Hulk się nie myli...

– Nie nazywaj go tak, jest bardzo sympatyczny – upomniała go Laura.

– Sierżant Fontaine się nie myli – sprostował Thomas, a Laura skinęła aprobująco głową – kiedy dowodzi, że niczego nie mamy. Sprawa nie istnieje. To naturalne zgony.

– Ale mamy zeznania wujka Iriny, który bezczelnie przyznaje, że Una i jego bratanica stosowały doping. Jest farmaceutą, musi wiedzieć, kto dostarczał im tych substancji. Poza tym pozostała jeszcze kwestia jego nagłego odejścia z Poche.

– Masz rację – Thomas rozparł się wygodnie na kanapie z kieliszkiem wina w dłoni. – Zanim uznamy sprawę za zamkniętą, musimy przycisnąć Pietrowa.

– Trzeba też porozmawiać z menedżerem.

– Jest na mojej liście. Dzwoniłem do niego dwa dni temu, ale powiedział, że przebywa poza krajem – wyjaśnił Thomas. – To śliski facet i bardzo wygadany. Sprawdziłem go, nic na niego nie ma. Zawsze znajdzie jakąś wymówkę, żeby się z nami nie spotkać, i nie mogę go do tego zmusić. Nie wiem, będę naciskał… Chociaż mam pewną informację, która ci się spodoba: jego najlepszy przyjaciel nazywa się Hugo Keller.

– Nic mi nie mówi to nazwisko.

– Jasne. Ale to się na pewno zmieni, kiedy ci powiem, że to syn prezesa międzynarodowej korporacji Poche.

– No proszę! Co za przypadek!

W drugim pokoju zadzwoniła komórka Laury.

– Przepraszam, pójdę sprawdzić kto to.

– Spokojnie, w tym czasie zabiorę się za croissanta.

Thomas ugryzł kawałek rogalika; na tacę opadły małe płatki ciasta francuskiego. Wyciągnął się na kanapie i zamknął oczy. Myśli z ostatnich dni zapełniły mu głowę niczym olbrzymie czarne chmury, które nadciągnęły, by okryć cieniem jego życie. Wiedział, że trwa w letargu, czekając, aż problemy same się rozpłyną i stracą znaczenie. Miał świadomość tego, że sam siebie okłamuje, ale do tej pory to działało. Praca przykrywała uczucia, które kiedy wypływały na powierzchnię, zadawały bezlitosne ciosy. Ból go zaskoczył. Nie wiedział, jak się z nim obchodzić. W przeszłości wybrał ucieczkę, teraz takie rozwiązanie wydawało mu się niemożliwe. Zdrada Maire, śmierć Uny… Odkrycie, że jest ojcem, kiedy nie mógł już nic z tym zrobić. To wszystko go przerastało. Drugi raz w życiu zaszło coś, co zagroziło zbroi, w której chronił się przez wszystkie te lata. Najbardziej bał się nocy, kiedy zostawał sam; wtedy nie było żadnego kąta, w którym mógłby się schować. Żałował, że zaraz po przyjeździe do Stanów Zjednoczonych nie zadzwonił do Maire, był zbyt młody, za bardzo tchórzliwy. Może gdyby to zrobił, sprawy potoczyłyby się inaczej i Una nadal by żyła. Zżerały go wyrzuty sumienia.

– Już jestem – powiedziała Laura. – To mój kolega ze szpitala, Julien, technik. Przyszły wyniki badań toksykologicznych Iriny, niczego nie wykazały. Tak też myślałam… Ale musiałam spróbować.

Opadła na kanapę i parsknęła.

– Czasami niektóre substancje mogą się ukrywać na odczycie wykresu w punktach odpowiadających maksymalnym i minimalnym wartościom, zwłaszcza jeśli ich koncentracja jest bardzo niska. Można by je zbadać, gdybyśmy wiedzieli, czego szukamy.

Laura zobaczyła, że Thomas patrzy na nią niewidzącym wzrokiem, który przenika przez jej ciało. Instynktownie odwróciła głowę, żeby sprawdzić, co go tak interesuje; szyba w oknie odbiła jej twarz.

– Thomasie, wszystko w porządku?

– Tak, tak, wybacz… Byłem myślami gdzie indziej, ale cię słuchałem. – Thomas wstał, usiadł na brzegu kanapy. – Sądzę, że powinniśmy jeszcze raz wszystko przemyśleć. Inaczej trzeba będzie to zostawić.

– Mówisz poważnie? – zapytała Laura z niedowierzaniem.

– Jak najbardziej.

– Twój szef wywiera na ciebie nacisk?

– W żadnym wypadku. Co więcej, dziś rano zrelacjonowałem mu, czego się dowiedzieliśmy, i okazał duże zainteresowanie.

– W takim razie…?

– To kwestia zdrowego rozsądku. Sam zaangażowałem się w tę sprawę, poprosiłem szefa o pozwolenie na przyjazd tutaj, a on załatwił niezbędne formalności. Zatrudniłem cię nawet w charakterze asystentki. Musiałaś rzucić swoją pracę, ze szkodą dla szpitala…

– Do czego zmierzasz? – przerwała mu Laura.

– Chodzi mi o to, że ponoszę odpowiedzialność za to śledztwo, w związku z czym powinienem nabrać trochę dystansu do całej sprawy i stawić czoła faktom.

Laura zmarszczyła brwi, wyraźnie rozgniewana.

– A fakty są takie, że niczego nie mamy – ciągnął Thomas. – Chciałbym powiedzieć co innego, ale bym skłamał. Mamy sześć martwych dziewczyn, powielających ten sam schemat. Nawet gdyby przyczyną ich śmierci okazał się doping, sama słyszałaś, co powiedział mi mój przyjaciel George – to żadne przestępstwo. Tak samo jest, kiedy ktoś umiera z przedawkowania. Nie są podejmowane żadne kroki. Choćbyśmy odkryli, kto podawał im EPO, kara, jaką dostanie ta osoba, będzie minimalna, bo to lekarstwo, a nie narkotyk.

– Wobec tego dlaczego zgodziłeś się na śledztwo? Czyżbyś nie miał nic innego do roboty? A może się nudziłeś?

– Nie złość się, Lauro, w głębi duszy wiesz, że mam rację.

W odpowiedzi pokręciła głową. Wstała i zaczęła sprzątać po kolacji. Widać było, że jest zła. Szybko zgarnęła na tacę serwetki, kieliszki, butelkę po winie i okruszki chleba. Czubkiem stopy otworzyła drzwi do kuchni. Rozległ się głośny hałas, po czym pojawiła się w salonie ze ścierką. Próbowała ukryć niezadowolenie, ale była to przegrana bitwa: jej oczy miotały iskry gniewu. Wyglądała przepięknie.

– Lauro, Lauro… zostaw to i usiądź na chwilę. Proszę.

Kiedy szła w stronę kanapy, poczuła, że ogarniają ją mieszane uczucia. Cieszyła się, że nie urządziła sceny, ale była też na siebie zła, że tak wyraźnie uzewnętrzniła swoje emocje. To śmieszne, żeby musiała walczyć ze łzami. Nie lubiła tej swojej nowej twarzy. Uspokoiła się i usiadła naprzeciwko Thomasa.

– Zamieniam się w słuch – powiedziała zrezygnowanym tonem, ze wzrokiem wbitym w podłogę i łokciami na kolanach.

– Lauro, próbuję wprowadzić do tego wszystkiego trochę zdrowego rozsądku. Wiem, że te przypadki są powiązane i że łączy je coś nieczystego, ale nie powinniśmy zapominać, że na razie nie mamy żadnych dowodów – wyjaśnił Thomas. – Jeśli się zgodzisz, możemy wyznaczyć sobie jakiś rozsądny termin, i w zależności od rezultatów naszego śledztwa postanowimy wtedy, czy warto ciągnąć dalej tę sprawę. Dla mnie to też frustrujące, ale czasami twarda rzeczywistość bierze górę. Nie mogę wiecznie mieszkać w hotelu, a ty nie możesz mieć tak długiej przerwy w pracy.

Laura podniosła wzrok. Thomas próbował wyczytać w jej zielonych oczach, o czym myśli; nie potrafił odgadnąć, dlaczego reaguje tak bardzo emocjonalnie.

– Masz rację, zgadzam się z tobą, po prostu straszny ze mnie uparciuch i bronię się przed odstąpieniem od ścigania winnych procederu, który jest sprzeczny ze wszystkimi moimi zasadami.

– A twoje zasady to…

– Że za zło się płaci, tym bardziej jeśli zostało wyrządzone tuż pod moim nosem.

– Okay, podzielam je – zgodził się Thomas. – Dajmy sobie dwa tygodnie. Jeśli w tym czasie nie zdobędziemy żadnego prawdziwego dowodu, udławimy się naszymi zasadami.

Laura przytaknęła jak mała dziewczynka, którą właśnie skarcono.

– Jutro zabiorę wiersze do analizy grafologicznej i przejrzę raporty Interpolu, może dowiem się czegoś o rosyjskiej mafii.

– Zgoda. Ja pojadę do Montreux i złożę kolejną wizytę farmaceucie. Podejrzewam, że ma jeszcze sporo do powiedzenia.

Po tych słowach uznali spotkanie za zakończone. Laura odprowadziła Thomasa do drzwi. Kiedy je otworzyła, uderzył w nich lodowaty wiatr.

– Mieszkanie w górach ma to do siebie, że powietrze zawsze pachnie śniegiem – powiedziała.

– Podoba mi się twoje miasteczko.

– Miasto to miasto…

Thomas zamknął suwak brązowej skórzanej kurtki i wyszedł w mrok nocy.

– Dziękuję za kolację, umiecie o siebie zadbać w tym miasteczku – rzucił na pożegnanie i odwrócił się do niej plecami.

Laura z uśmiechem obserwowała wysoką postać znikającą w ciemnościach.

Leżała na fotelu ginekologicznym rozebrana od pasa w dół; pupa wystawała jej trochę za brzeg. Opierała rozłożone nogi na metalowej podpórce. Pielęgniarka powiesiła na wysokości jej pasa papierową kurtynkę, która zasłoniła Laurze widok. Oddychała z trudem i było jej zimno. Chwyciła się mocno obiema rękami, jej paznokcie przybrały jasnofioletowy kolor.

Doktor Moller, atrakcyjny i sympatyczny jak zawsze, wszedł do gabinetu, uśmiechając się z zadowoleniem.

– Dzień dobry, doktor Terraux, widzę, że jest pani gotowa. Jak się pani czuje?

– Dzień dobry. Przykro mi, ale jestem na skraju załamania nerwowego. Poza tym nie mogę się rozgrzać, mam ciało zimne jak lód.

– Proszę się nie przejmować, to normalne, nerwy czasami płatają nam figle. Środek zwiotczający mięśnie, który podała pani pielęgniarka, lada chwila powinien zacząć działać. Saro – powiedział, zwracając się do kobiety – przynieś, proszę, koc elektryczny. Zobaczy pani, że za kilka minut poczuje się lepiej.

– Dziękuję, doktorze.

– Tymczasem wyjaśnię pani, co zrobiliśmy ze spermą dawcy. Rozpoczęliśmy proces kapacytacji poprzez wyodrębnienie z plazmy nasienia plemników o dużej ruchliwości. To one posiadają najlepsze warunki do zapłodnienia komórki jajowej.

Pielęgniarka przykryła Laurę kocem elektrycznym. Był ciepły. Kobieta natychmiast poczuła efekt, jej ciało się rozluźniło.

– Lepiej?

– Tak, dziękuję.

– W takim razie przystępujemy do sztucznego zapłodnienia. Doktor Moller wprowadził jej do pochwy wziernik. Laura poczuła w środku zimno metalu.

– Teraz przygotowuję się do przeniesienia spermatozoidów – wyjaśnił. – Chcę, żeby nabrała pani powietrza za pomocą przepony tak wolno, jak będzie pani w stanie, a potem wypuściła je ustami.

Laura widziała jedynie czarne włosy doktora, papierowa zasłona zakrywała resztę.

– Zgoda, jestem gotowa.

Lekarz wprowadził jej do pochwy cieniutką plastikową rurkę z cewnikiem. Kiedy znalazła się w okolicy jajowodów, przelał nasienie dawcy do macicy.

– Już po wszystkim – oznajmił, wyciągając rurkę i wziernik. – Teraz musi pani poleżeć przez kilka minut z nogami w górze, a potem może pani wrócić do domu.

– Myślałam, że to będzie bardziej skomplikowane.

– Ależ skąd, to prosta i bezbolesna metoda. Teraz proszę spokojnie odpocząć.

Zostawili ją samą w pokoju. Dzieci ze zdjęć na ścianach patrzyły na nią przyjaźnie. Odwróciła wzrok, nie chciała robić sobie zbyt dużych nadziei. Odkąd sięgała pamięcią, zawsze chciała być matką, ale teraz miała mętlik w głowie. Wszystko było takie niesamowite, nie wyobrażała sobie siebie z niemowlęciem na rękach. Albo z dwojgiem. Chociaż uprzedzono ją, że istnieje duża możliwość ciąży wielopłodowej, wystarczająco trudno było jej się oswoić z myślą, że zajdzie w ciążę, żeby jeszcze myśleć o dwójce dzieci. W ciągu ostatniego roku potrzeba macierzyństwa narastała, na próżno usiłowała zwalczyć tę obsesję. Czasami próbowała sama się odwieść od tego zamiaru, myślała o nieustannej uwadze, jakiej wymaga dziecko: o bezsennych nocach, pieluchach, przecieranych zupkach, wpływie, jaki mogło to mieć na jej pracę. Ale wszystko traciło znaczenie wobec cudu, jakim było wydanie na świat życia. Nawet miłość mężczyzny nie mogła przewyższyć tego uczucia.

Po dziesięciu minutach do gabinetu wrócił lekarz.

– Może się już pani ubrać, doktor Terraux. Nie wystąpił żaden problem. Przez kolejne piętnaście dni musi pani wkładać sobie do pochwy po dwie tabletki progesteronu, które wspomogą implantację zapłodnionej komórki czy komórek w macicy. Jeśli po tym czasie nie dostanie pani okresu, powinna pani zrobić test ciążowy. Jeżeli wynik będzie pozytywny, proszę zadzwonić, wykonamy USG, żeby sprawdzić, ile komórek się zagnieździło.

Kiedy Laura wyszła z kliniki, słoneczny dzień ustąpił już miejsca przedwczesnym ciemnościom. Pomyślała, że dotrze do apteki Vasil, zanim lunie deszcz. Powietrze pachniało wilgocią, atmosfera była naładowana elektrycznością, zbliżała się burza. W oddali dostrzegła błysk, chwilę potem zagrzmiało. „A niech to – pomyślała – nie zdążę".

Zmarszczyła brwi i zdecydowanym krokiem ruszyła naprzód. Zerwał się silny wiatr, który spychał ją na lewą stronę. Nagle powietrze znieruchomiało, miała wrażenie, że wszystko zamarło, jakby całe miasto wstrzymało oddech. Wykorzystała tę chwilę niepewnego spokoju, żeby ruszyć biegiem po zboczu w stronę starego miasta. Tym razem skorzystała z windy, by oszczędzić sobie pokonywania długich odcinków schodów. Wielkie krople zaczęły znaczyć nawierzchnię ulicy mokrym tatuażem. Niebo rozdarła ogromna błyskawica, zwiastując to, co nadciągało. Laurę otoczyły groźne postacie. Cienie drzew, lamp i balustrad zabarwiły się na upiorny biały kolor. Grzmot, który nastąpił po błyskawicy, zahuczał w jej uszach. Deszcz padał już strumieniami i chociaż starała się iść pod balkonami i okapami dachów, niezbyt ją chroniły. Kiedy wreszcie dotarła do apteki, była przemoczona do suchej nitki.

Jej wizytę oznajmił dźwięk dzwonka. Małe kropelki spływały jej z włosów po twarzy i znikały w dekolcie. Pietrow stał po prawej stronie, z nosem przyklejonym do szyby wystawowej. Początkowo jej nie rozpoznał, spojrzał na nią z niedowierzaniem, myśląc, kim jest ta zuchwała dziewczyna, która odważyła się wyjść z domu w taką pogodę. Ulewa nie mogła nikogo zaskoczyć, niebo zapowiadało ją od kilku godzin.

– Przykro mi – przeprosiła Laura – moczę podłogę.

W tym momencie Pietrow już wiedział, że to ta wścibska baba.

– Proszę się nie przejmować. Przyniosę pani ręcznik.

– Dziękuję, to bardzo miłe z pana strony.

Aptekarz wrócił z nieskazitelnie białym ręcznikiem. Laura zdjęła mokry żakiet i przewiesiła go przez stojak na parasole. Potem wytarła sobie włosy. Sukienka przylgnęła jej do ciała – przeciągnęła po niej ręcznikiem, bezskutecznie próbując się wysuszyć. Było jej niezręcznie i zaczynała odczuwać zimno.

– Czego sobie pani życzy? – zapytał ostro Pietrow.

– Poproszę o to lekarstwo. – Pokazała mu receptę na progesteron.

Wujek Iriny rzucił okiem na kartkę, po czym wszedł za ladę. Otworzył długą, wąską szufladę i wyciągnął pomarańczowo-białe pudełko.

– Jest pani w ciąży?

– Nie wiem… mam taką nadzieję.

Nie wiedząc czemu, zaczęła szlochać. Na początku cicho i dyskretnie, potem z jej oczu popłynęły strumienie łez. Zakryła twarz ze wstydu, chciała ukryć zażenowanie tym, że płacze w obecności nieznajomego.

– Proszę mi wybaczyć, nie wiem, co się dzieje.

Pietrow wyszeptał po rosyjsku jakieś słowa, których Laura nie zrozumiała, ale które wydały jej się uprzejme.

– Niech pani wejdzie do środka i zdejmie te mokre ubrania, przeziębi się pani.

Pełna wdzięczności poszła za nim. Próbowała obetrzeć ręcznikiem pozostałości po tej eksplozji łez.

– Proszę posłuchać, na prawo od kuchni jest… to znaczy był pokój mojej bratanicy. Myślę, że zostało coś, co mogłaby pani na siebie włożyć.

– Dziękuję, bardzo dziękuję.

W odpowiedzi Pietrow skinął głową.

Pokój Iriny był iście spartański. Światło wpadało przez małe okienko. Burza nie łagodziła wrażenia klaustrofobii. Laura zapaliła lampkę rzucającą deprymujący blask. Obejrzała gołe ściany pozbawione wszelkich ozdób, na których zachowało się jedynie kilka rozproszonych śladów i pinezek, świadków szczęśliwszych dni. Umeblowanie składało się z małego łóżka, przykrytego zrobioną na szydełku kapą z innej epoki, i szafy. Otworzyła ją i wyjęła pierwsze rzeczy, które wpadły jej w ręce: spodnie od dresu i koszulkę. Rozebrała się z ulgą, wytarła ręcznikiem i włożyła ubrania Iriny. Kiedy weszła do saloniku, Pietrow przygotował już kawę. Pachniała cudownie.

– Przepraszam, mógłby mi pan dać jakąś torbę na mokre ubrania?

– Mam lepszy pomysł, powieśmy je przy piecu. Zobaczy pani, że za chwilę będą suche.

Laura przytaknęła z ulgą, bo rzeczy Iriny były na nią za małe i wszędzie ją uciskały. Postawiła przy ceramicznym piecu krzesło i powiesiła na nim swoje ubrania; bieliznę położyła w bardziej dyskretnym miejscu.

– Chce pani odrobinę koniaku do kawy?

Laura na moment się zawahała. Lekarz radził jej, żeby nie piła alkoholu, ale nie potrafiła odmówić filiżanki gorącej kawy z kropelką koniaku.

– Tak, dziękuję, bardzo chętnie.

Przygotował to samo dla niej i dla siebie.

– Proszę mi powiedzieć prawdę, dlaczego pani przyszła? – zapytał.

– Bo śmierć pańskiej bratanicy pozostanie bezkarna.

– Widzę, że wraca pani z tą samą śpiewką – powiedział z rezygnacją w głosie.

– Myślę, że coś pan przede mną ukrywa, i nie jestem w stanie zrozumieć dlaczego.

– Proszę wypić kawę, ostygnie pani – poradził paternalistycznym tonem.

Kobieta posłuchała. Kawa była bardzo mocna i gorąca. Laura czuła, jak w jej ciało wstępuje ciepło. „Tak samo jak weszło we mnie nasienie", pomyślała. Miała w brzuchu motyle. Może w tej chwili w jej wnętrzu dokonywał się cud życia. A co ona robi, zamiast brać w domu gorącą kąpiel? Pije kawę z koniakiem, puszczając mimo uszu rady lekarza. Nagle poczuła, że jest nieodpowiedzialna. Powinna była wrócić do domu prosto z kliniki, ale skoro już tu przyszła, lepiej, żeby nie traciła czasu.

– Myślę, że pańska bratanica brała EPO w dużych dawkach – powiedziała, wracając do tematu. – Jej krew stała się gęsta jak błoto. Biedaczka nie miała żadnej szansy na przeżycie. Niegodziwcy, którzy podawali jej hormon, bez żadnych skrupułów potraktowali ją jak zwierzę. Miała przed sobą całe życie, a pan ją opuścił. Pozostawił ją na pastwę mafiosów. Wystarczyłaby tylko jedna analiza krwi, żeby sprawdzić hematokryt. To by ją ocaliło.

Zamilkła, czekając na reakcję farmaceuty. Pietrow wydawał się koncentrować na kawie. Widząc, że siedzi nieporuszony, ciągnęła dalej:

– Pan o tym wiedział i wolał odwracać wzrok, albo co gorsza to pewnie właśnie pan dostarczał środki dopingujące tym… mordercom. Bo tym właśnie są, mordercami, a pan brał w tym wszystkim udział, prawda?

– Nie.

– To ja otworzyłam ciało pańskiej bratanicy w sali sekcyjnej. Nie wyobraża pan sobie, co poczułam, wyglądała tak młodo i krucho. Szkoda jej, była taka ładna…

– Proszę sobie iść.

– Może pan spać w nocy? Bo ona jeszcze nie znalazła spokoju, żąda sprawiedliwości.

– Niech mnie pani zostawi…

– Rozprowadzał pan EPO?

– Powtarzam pani, że nie! – krzyknął Pietrow, uderzając pięścią w stół.

Jego odpowiedź była tak kategoryczna, że zabrzmiała fałszywie nawet w jego własnych uszach. W ten sposób reaguje osoba winna. Zbladł. Spojrzał Laurze w oczy i zobaczył w nich tylko niedowierzanie. Oboje wiedzieli, że skłamał. Wstał zawstydzony, nie mógł wytrzymać jej wzroku.

– Proszę posłuchać, jestem starym człowiekiem, który nie ma już za bardzo o co walczyć.

– To niech pan walczy o pamięć swojej bratanicy. Niech pan zrobi, co trzeba, żeby ich złapać.

– Pani miesza mi w głowie, niech mnie pani zostawi, proszę, chcę odpocząć.

– Ma pan szczęście, że może odpoczywać, bo Irina Pietrowa, urodzona dwudziestego ósmego lutego tysiąc dziewięćset osiemdziesiątego szóstego roku, nie może spocząć w pokoju.

– Wystarczy…

Laura widziała, że pancerz Pietrowa powoli się kruszy, to była jej szansa, żeby go dobić i zatopić. Wstała i podeszła do mężczyzny.

– Jedna tabletka aspiryny, mogli dawać jej co wieczór aspirynę i by przeżyła – nalegała. – Te bydlaki nie zasługują na to, żeby ich chronić. Powierzył im pan swoją bratanicę, a oni oddali ją panu martwą.

– Ja dawałem im leki – wyznał Pietrow pokonany.

– Słucham?

– Ja byłem dystrybutorem.

Ciało Laury stężało. W jej głowie tłoczyło się mnóstwo pytań.

– Kto dostarczał je panu? – zapytała. – W jakim laboratorium były produkowane? Gdzie?

– Nie mogę teraz odpowiedzieć – szepnął farmaceuta. – To miejsce nie jest bezpieczne.

– W takim razie kiedy?

– Muszę zebrać dowody, bez nich niczego nie zdziałamy… Jeśli zaczną coś podejrzewać, zniszczą… – Strach sprawiał, że mówił z wyraźniejszym rosyjskim akcentem, Laura ledwo go rozumiała. – Ja zadzwonię. Niech pani mi zaufa. Przysięgam na grób mojej bratanicy. A teraz proszę, niech się pani ubierze i odejdzie.

Laura przebrała się najszybciej, jak potrafiła. Wujek Iriny pożyczył jej czarny parasol w małe białe listki. Nadal padało, kiedy wyszła na ulicę i ruszyła w stronę samochodu. Niebo nie wróżyło niczego dobrego. Otworzyły się jakieś drzwi, Laura odskoczyła w bok przerażona. Przyspieszyła kroku. Nagle poczuła, że ktoś za nią idzie. Odwróciła się gotowa stawić mu czoła, ale zobaczyła tylko staruszkę, która osłaniała się przed deszczem plastikową torbą z supermarketu założoną na głowę. Kobieta wyprzedziła ją ze zdumiewającą szybkością i włożyła klucz do zamka w jednych z drzwi. Po powrocie do domu Laura poczuła się śmieszna, a do tego męczyły ją mdłości. Wszystko to wydało jej się nierealne. Żołądek zaprotestował hałaśliwie. Przypomniała sobie, że od śniadania nie miała niczego w ustach, wypiła tylko kawę z koniakiem w aptece. Przez chwilę starała się nie myśleć. Zrobiła sobie tost z serem topionym i poszła z nim do łazienki, gdzie napełniła wannę gorącą wodą i pianą. Kiedy się w niej zanurzyła, wydała gardłowy pomruk zadowolenia.

Po kąpieli postanowiła włączyć komputer i doczytać raport, który wysłał Alain Neuilly. Próbowała skontaktować się z Thomasem, ale jego telefon był poza zasięgiem. „Gdzie on się podziewa?", pomyślała; z niecierpliwością czekała, żeby podzielić się z nim nowymi informacjami. Poirytowana wróciła do raportu. Po przeczytaniu kilku stron trafiła na coś ciekawego:

W styczniu 2009 roku minęło dwadzieścia lat od wypuszczenia na rynek pierwszej EPO, w związku z czym wygasł patent na tę substancję. Laboratoria antydopingowe są zaniepokojone możliwością produkcji EPO generycznych. Jak inne leki odtwórcze, będą fabrykowane w krajach Trzeciego Świata, z niską kontrolą jakości i dwudziestoprocentowym marginesem błędu, jeśli chodzi o dawkę substancji czynnej. Ich wykrycie stanowi nowe wyzwanie.

Lekarstwa wypisywane na receptę, które krążą w sieci, mają różne stopnie szkodliwości. W najlepszym wypadku zawierają wskazaną substancję czynną, ale w nieznaczących ilościach, lub są niegroźne jako zwykłe wypełniacze. Mogą także zawierać mąkę, sól lub przeterminowane składniki.

– Straszne – powiedziała Laura na głos. Wydawało jej się szaleństwem, że ludzie kupują takie leki w Internecie. Czytała dalej.

Sandro Donati, włoski specjalista do walki z handlem środkami dopingującymi, przypomina nam, że wielkie koncerny farmaceutyczne produkują więcej niektórych substancji, niż jest w stanie wchłonąć legalny rynek. Tak stało się z EPO czy z hormonem wzrostu, które wciąż pozostają nie do wykrycia. Dla ich producenta pozytywne wyniki kontroli antydopingowych podczas Tour de France i rozgłos, jaki zdobyła CERA, oznaczają ogromną reklamę w grupie społecznej o dużej sile nabywczej, zainteresowanej spożyciem tych substancji; miliony znanych sportowców, biegaczy czy kolarzy bez wahania skorzystają z każdej metody, byle poprawić swoją wydolność. Nie wiedzą, że Aranesp czy CERA są przeznaczone do leczenia anemii, ale widzieli, jak Riccardo Riccò i Leo Piepoli wystrzelili podczas wspinaczki na Hautacam.

Laura nagle poczuła zmęczenie. Spojrzała na zegarek i zobaczyła, że jest już wpół do drugiej i zaraz będą „Chirurdzy". Marzyła, żeby położyć się na kanapie, przykryć kocem i poleniuchować przez resztę popołudnia. Odsunęła zasłonę, żeby sprawdzić, czy przeszła burza. Niebo nadal było ciemne i nie wygląda na to, żeby miało się przejaśnić. Nagle pod oknem mignął jakiś cień. Laura podskoczyła i instynktownie się cofnęła. Opanował ją irracjonalny strach. Stała bez ruchu, próbując wyostrzyć zmysły. Usłyszała w kuchni jakiś hałas. Czyżby ktoś znajdował się w środku? Powoli poszła do wyjścia, ani na moment nie spuszczając wzroku z drzwi do kuchni. Przekręciła klucz i nacisnęła klamkę. Wyszła na zewnątrz i ruszyła przed siebie. Nie zatrzymała się do chwili, aż dom zniknął jej z oczu.

35

Laura nie mogła opanować drżenia. Podczas gdy sierżant Fontaine sprawdzał jeden po drugim pokoje w jej domu, ona bezskutecznie próbowała odzyskać spokój. Usłyszała hałas w łazience i choć z jednej strony wiedziała, że to wytwór wyobraźni, z drugiej była pewna, że ktoś ukrywa się w jakimś kącie i czeka na odpowiednią okazję.

– Wszystko jest w porządku – zapewnił sierżant, kiedy wrócił z piętra. – Na żadnym z okien nie ma śladów włamania.

Fontaine zauważył, że Laura cała się trzęsie. Była przemoczona. Wyszła w środku burzy, szukając pomocy, i nie zatrzymała się do chwili, aż dotarła na komisariat. Niepewnie stała na nogach. Zobaczył, że opiera się o poręcz kanapy, żeby nie upaść. Było mu jej żal.

– Doktor Terraux, zaczekam w salonie, aż się pani wysuszy i przebierze. Nie ma powodów do zmartwienia. Jest pani bezpieczna, wierzy mi pani?

Laura skinęła głową i spojrzała na niego z wdzięcznością.

– Wiem, że zachowuję się śmiesznie i że nie istnieje żadne logiczne wytłumaczenie mojej reakcji, ale naprawdę sądziłam, że coś mi grozi. Ja... nie wiem, jak to lepiej wytłumaczyć.

– Cokolwiek to było, już minęło. Teraz ja tu jestem i odejdę dopiero wówczas, gdy się pani lepiej poczuje.

– Dziękuję.

Kiedy wchodziła po schodach do sypialni, odwróciła się i zapytała:

– Jak ma pan na imię?

– Patrick.

– Patrick, ładnie.

Dziesięć minut później zeszła ubrana w proste spodnie i bawełnianą koszulkę z długim rękawem.

– Muszę przeprosić pana za moje zachowanie, sierżancie.

– Proszę mówić mi Patrick.

– Panie Patricku, zareagowałam jak mała dziewczynka i bez powodu przeszkodziłam panu w pracy, to niewybaczalne.

– Doktor Terraux...

– Lauro.

– W porządku, pani Lauro. W naszej pracy mamy do czynienia z przeróżnymi sprawami i mogę panią zapewnić, że pani wezwanie było dużo bardziej uzasadnione niż wiele z tych, z którymi się na co dzień spotykamy.

– Na przykład...

– Na przykład ktoś wyniósł śmieci przed wyznaczoną godziną i dzwoni do nas sąsiadka, żebyśmy przyjechali to sprawdzić.

Oboje się uśmiechnęli.

– A teraz chciałbym zadać pani kilka pytań. Jak wyglądała osoba, którą pani widziała?

Laura zmarszczyła czoło, usiłując przypomnieć sobie wszystkie szczegóły.

– Mignęła mi tylko przez moment, ale spróbuję. Biały mężczyzna w średnim wieku, około czterdziestki, ciemne włosy, wzrost...

Zawahała się i podeszła do okna, z którego zobaczyła intruza.

– Przeszedł tędy, pod oknem, więc musiał nadejść od strony ganku... Przypuszczam, że miał jakiś... metr siedemdziesiąt parę. Pamiętam ślady na policzkach, takie po ostrym młodzieńczym trądziku.

– O rety! Byłaby pani dobrą policjantką. Może pani coś dodać? Nie wiem... jakiś tatuaż, kolczyk, piercing?

Laura pokręciła głową.

– Pamięta pani, co miał na sobie?

– Przykro mi, to był moment, patrzyłam tylko na jego twarz.

– Rozpoznałaby go pani, gdyby go ponownie zobaczyła?

– Tak – odpowiedziała bez wahania.

Sierżant wstukał dane do swojego iPhone'a i przesłał je do komisariatu.

– Kiedy kończy pan dyżur? – zapytała nagle Laura.

– O trzeciej, w tym tygodniu mam poranną zmianę.

– Jadł pan już obiad?

– Nie, jeszcze nie. Przez tę burzę mieliśmy sporo zgłoszeń o zalanych piwnicach i garażach, a do tego kilka wypadków drogowych. Szczerze mówiąc, to był bardzo pracowity ranek.

– W takim razie zaczekam na pana i zjemy razem, odpowiada to panu?

– Odpowiada to mało powiedziane, będzie mi bardzo miło – odparł sierżant zadowolony, że spotkało go takie szczęście.

– Czyli do zobaczenia za... – Laura spojrzała na zegarek – kwadrans.

– Do zobaczenia – pożegnał się i wyszedł.

Laura została sama w domu. Początkowo była wystraszona, ale szybko się opanowała. Weszła do kuchni i napełniła garnek wodą. Kiedy woda zaczęła wrzeć, dodała do niej soli, oliwy i wsypała makaron. Pomieszała i zostawiła, żeby się zagotował. Wlała na patelnię sporą ilość oliwy, posiekała czosnek i podsmażyła go na małym ogniu. Kiedy zaczął nabierać koloru, dorzuciła wyjęte z zamrażalnika małże. Po chwili spróbowała jedną, smakowała przepysznie; brakowało tylko świeżej, drobno posiekanej pietruszki. Spaghetti *a la marinera* było gotowe.

– Wyśmienite! – wykrzyknął z zadowoleniem Patrick.

Laura siedziała zamyślona z nawiniętym na widelec makaronem, którego nawet nie tknęła.

– Nadal prześladuje panią to, co się stało? – zapytał sierżant.

– Nie, nie, już mi przeszło. – Odłożyła widelec i dodała: – Byłam dziś w aptece wujka Iriny. Przyznał, że to on rozprowadzał środki dopingujące. Stwierdził bardzo tajemniczo, że apteka nie jest bezpiecznym miejscem i nie możemy tam o tym rozmawiać. Powiedział, że zbierze dowody potrzebne do oskarżenia winnych, a potem się ze mną skontaktuje.

– Ależ to niezwykle poważne i, rzecz jasna, karalne!

Laura przytaknęła w zamyśleniu, po czym napiła się wody i powiedziała:

– To hańba, sprowadzał leki po to, żeby były używane jako doping, między innymi przez jego własną bratanicę. Chociaż zastanawiam się nad tym cały czas, nie jestem w stanie zrozumieć motywów jego działania.

– Niewykluczone, że robił to już wcześniej, a Irina po prostu skorzystała z sytuacji.

– Możliwe, że zaczął działać dla tej siatki, odkąd nagle rzucił pracę w Poche.

– Myślę, że może mieć pani rację. Tak czy owak w takich przypadkach nie są ważni posłańcy, ale ci, którzy tworzą całą infrastrukturę do produkcji zakazanych substancji.

– Musi istnieć jakieś miejsce, gdzie wytwarza się te środki, ktoś zawozi je do apteki, są jacyś lekarze, którzy je podają. Niewykluczone, że kraj, w którym produkowane są te leki, znajduje się tysiące kilometrów stąd – dodała Laura.

– Zgadzam się z panią, szczerze wątpię, żeby produkowano je w Szwajcarii. Tutejsze prawo jest bardzo surowe. Najprawdopodobniej są wytwarzane w krajach, powiedzmy, bardziej elastycznych pod względem prawnym. W każdym razie jutro skontaktuję się z kierownikami wydziałów w poszczególnych kantonach i poinformuję ich o tym, czego się pani dowiedziała.

Podczas rozmowy sierżant patrzył na Laurę jak ktoś, kto podziwia dzieło sztuki – z przyjemnością i zachwytem. Stresował się w jej obecności, żeby to ukryć, ściskał mocno kieliszek z winem. Na moment spuścił z niej wzrok i spojrzał na swoje coraz bielsze kostki palców; uznał je za wystarczający dowód zdenerwowania. Pomyślał dziecinnie, że Laura na pewno domyśli się jego uczuć, postanowił więc mówić dalej, żeby odwrócić jej uwagę.

– Możemy przeszukać hale, które wyglądają na opuszczone, fabryki, nie wiem… Każde podejrzane miejsce, w którym mogłoby się mieścić nielegalne laboratorium. Zadzwonię też do kolegów z Montreux i poproszę, żeby potraktowali priorytetowo przeszukanie apteki i reszty pomieszczeń.

Laura słuchała go uważnie. Trzymała łokcie na stole, twarz podparła dłońmi. Patrick pomyślał, że mógłby bez znudzenia patrzeć na nią przez cały dzień. Zdobył się na wysiłek i skierował wzrok na talerz z makaronem.

Thomas dotarł do Leukerbadu, który się znajdował o godzinę drogi samochodem od Monthey. Gdy tylko wjechał do miasteczka, z trzech stron otoczyły go wysokie góry. Imponujące skalne masywy w kształcie podkowy osłaniały raj niezdominowany przez miłośników relaksu i sportu. Do tego spokojnego miejsca nie dotarły jeszcze tłumy. Łatwo można było się znaleźć na pustkowiu, posłuchać ciszy lub odgłosów przyrody: wody w strumykach, szmeru ptasich skrzydeł i wiatru. Leukerbad zawdzięczał swoją wyjątkowość czterem milionom litrów wód termalnych tryskającym z gór, osiągającym temperaturę nawet siedemdziesięciu stopni.

Thomas miał o piętnastej spotkanie z Frankiem Stone'em. Menedżer zadzwonił do niego i niespodziewanie wyraził gotowość umówienia się na rozmowę. Pod warunkiem, że Thomas przyjedzie do Leukerbadu, gdzie Stone miał przebywać przez kilka dni.

Zaparkował przed Lindner Leukerbad wznoszącym się na wysokości tysiąca czterystu metrów, który wchodził w skład kompleksu trzech hoteli połączonych ze sobą pod ziemią. Można w nich było korzystać z liczących dwanaście i pół tysiąca metrów kwadratowych term stanowiących także największe uzdrowisko w Europie.

Zostawił bagaże w zarezerwowanym pokoju i zszedł do baru restauracji Sacré Bon. W wielkim kominku trzaskały olbrzymie drwa, dyskretne dźwięki pianina tworzyły odprężającą atmosferę. Odszukał wśród gości mężczyznę w jaskrawożółtej koszulce polo; siedział przy oszklonym tarasie.

– Dzień dobry. Pan Frank Stone?

– Tak, to ja. Pan musi być Thomasem Connorsem.

Podali sobie dłonie, po czym Thomas dosiadł się do jego stolika. Kiedy Frank skinął ręką, kelner usłużnie ruszył w ich stronę.

– Poproszę *café noisette* – zamówił Thomas. Stone pił sok pomidorowy.

Wyobrażał sobie menedżera jako grubego gościa z cygarem w ustach, tymczasem ten wyglądał świetnie, był opalony i w dobrej formie fizycznej.

– Widoki stąd są zjawiskowe. Alpy tuż przed naszymi oczami – powiedział Thomas.

– Zapewniam pana, że nie ma nic lepszego niż relaks w saunie z widokiem na imponujący skalisty łańcuch Gemmi otaczający

Leukerbad. Kiedy tylko pozwala mi na to praca, zawsze tu uciekam. Moje plecy i kolano są mi za to wdzięczne.

– Co panu dolega?

– Miałem wypadek na motorze, wie pan, bezmyślność młodości.

Kelner pojawił się, niosąc na tacy kawę i ciasteczka.

– Przyjechałem w związku ze śmiercią Iriny Pietrowej. Zdaje się, że był pan jej menedżerem.

– Zgadza się. Duża strata.

– Mamy uzasadnione powody, żeby sądzić, iż zmarła z powodu środków, które zażywała, by poprawić swoje sportowe osiągnięcia.

– Nic mi o tym nie wiadomo. Ja jedynie szukałem jej sponsorów, zapisywałem ją na zawody i tak dalej.

– Czyli obcy jest panu świat dopingu?

– A czym jest dla pana doping? Bo istnieje dużo jego rodzajów, o których nikt nie mówi. Na przykład doping technologiczny.

– Szczerze mówiąc, nigdy o nim nie słyszałem.

– Wiele osób przypisuje lawinę światowych rekordów podczas ostatniej olimpiady w Pekinie kostiumowi pływackiemu LZR Racer opracowanemu przez firmę Speedo przy współpracy z NASA, a wypróbowanemu przez wielokrotnego mistrza Michaela Phelpsa – wyjaśnił Stone. – Zainwestowano trzy lata pracy i miliony dolarów w testowanie i udoskonalenie stroju pływackiego, którego potem używali mistrzowie i rekordziści igrzysk olimpijskich. Kosztuje od pięciuset do siedmiuset dolarów.

– Naprawdę wydali tyle pieniędzy na kostium? – zapytał Thomas z niedowierzaniem. – Aż trudno w to uwierzyć.

Stone przytaknął zdecydowanym ruchem głowy.

– Mogę podać panu inny przykład. Amerykańska firma Nike stworzyła strój sportowy, w skład którego weszły skarpetki, rękawiczki i rękawy osłaniające wykonane z materiału z wgłębieniami podobnymi do tych na piłeczce golfowej. W porównaniu z gołą skórą rękawiczki i rękawy zmniejszały opór wiatru o dziewiętnaście procent, a skarpetki o dwanaście. W Pekinie używało go wielu amerykańskich lekkoatletów, a także Rosjanka Tatiana Lebiediewa.

– Rzeczywiście, pamiętam tamte stroje – przyznał Thomas.

Frank pociągnął łyk soku i mówił dalej:

– Weźmy koszykówkę. Nike ubrał swoje gwiazdy NBA w stroje o trzydzieści jeden procent lżejsze od poprzednich, wykonane z materiału ułatwiającego ochładzanie ciała. Kobe'iemu Bryantowi założono buty USA Nike, które ważą znacznie mniej niż te dostępne na rynku. – Słowom Franka towarzyszyły teatralne ruchy rąk. – Niech mi pan powie, kto może sobie na to wszystko pozwolić? Ile rekordów jest wynikiem takich właśnie osiągnięć technologicznych? Proszę zerknąć na klasyfikację medalową z Pekinu, kraje z pierwszej dziesiątki należą do najpotężniejszych na świecie: Chiny, Stany Zjednoczone, Rosja, Wielka Brytania, Niemcy, Australia, Korea Południowa, Japonia, Włochy i Francja. Rowery torowe czy szosowe, broń szermiercza, przyrządy do gimnastyki artystycznej, coraz bardziej wyszukane i drogie, są w zasięgu jedynie sportowców z pierwszego świata albo wyjątkowych lekkoatletów z trzeciego, sponsorowanych dla reklamy przez potężne marki.

– Świat, który mi pan opisuje, jest bardzo odległy od powszechnej wizji sportu.

– Ach, gdyby pan wiedział…

– Chcę zrozumieć, co skłania zdrowych sportowców, mających przed sobą całe życie, do wprowadzania do organizmu substancji, które mogą ich nawet zabić.

– Pieniądze i sława. Lekkoatleci to towar. Pod skrótem TOP, The Olympic Partner, kryje się elitarna grupa ojców chrzestnych Ruchu Olimpijskiego, takich jak Coca-Cola, Visa, Panasonic, Kodak, McDonald's czy Samsung. Wszyscy oni słono zapłacili za to, żeby móc przez cztery lata używać obok swojego logo pięciu kół olimpijskich. – Stone przemawiał z pasją, co chwila zmieniając pozycję, jakby było mu niewygodnie. – Globalny rachunek za sponsoring cyklu olimpijskiego wyniósł osiemset sześćdziesiąt sześć milionów dolarów. W kolejnym cyklu obejmującym igrzyska zimowe w Vancouver i letnie w Londynie dyrektor marketingu MKOl zarobi na sprzedaży praw do transmisji telewizyjnych trzy miliardy osiemset milionów dolarów.

– To barbarzyństwo! – wykrzyknął Thomas ze zdumieniem.

– Nie, to biznes. Kiedy Michael Phelps zdobył swój ósmy złoty medal, Pizza Hut zaoferowała mu darmową pizzę i spaghetti przez cały rok. Producenci nowego napoju PureSport zbudowali swoją pierwszą kampanię reklamową na wyczynach „Rekina z Baltimore", a firma Kellogg's wypuściła na rynek opakowanie płatków z twarzą bohatera z Pekinu. Z dnia na dzień pływak dostał propozycje zagrania w filmie, reklamach jedzenia dla psów, ubrań i lalek. Ma podpisane kontrakty reklamowe ze Speedo, Omegą, Hiltonem i ATT. Speedo zapłaciło mu milion dolarów za pobicie rekordu siedmiu złotych medali Marka Spitza z igrzysk w Monachium.

– To wyjątkowe przypadki – stwierdził Thomas.

– Owszem, ale każdy sportowiec uważa, że cząstka sławy zarezerwowana jest dla niego. Dalej pan uważa, że nie warto zaryzykować?

Thomas uznał to za bardzo prostackie uzasadnienie.

– Myślę, że nie warto – odpowiedział szorstko.

Chmury zasłoniły szczyty, które momentalnie zniknęły z pola widzenia.

– Agent Michaela Phelpsa, Peter Carlisle, powiedział „The Wall Street Journal", że sukces w Pekinie przełoży się na fortunę wartą około stu milionów dolarów. Eksperci od marketingu mówią o zarobkach wynoszących nawet trzydzieści milionów dolarów rocznie.

– Frank dopił swój sok i poprosił kelnera o butelkę wody.

Thomas myślał o handlu sportowcami. Byli wyzyskiwani przez dużą grupę ludzi, którzy potem bez skrupułów się ich pozbywali. Wielu z nich nie znało niczego innego poza sportem; nie mieli ukończonych studiów ani innych środków, by zarobić na życie. Co mogli zrobić? Pomyślał ze smutkiem, że nie pozostawał im zbyt duży wybór. Uświadomił sobie, że to sportowiec jest jedyną osobą ponoszącą konsekwencje stosowania dopingu.

– Proszę posłuchać, nie zamierzam robić panu wykładu. Jestem menedżerem. Zgarniam pewien procent tego, co zarabiają moi sportowcy. Nie uważam się za świętego, ale dbam o moje dzieciaki. Jak większość pracuję dla pieniędzy; jeśli któryś z moich lekkoatletów postanawia stosować doping, nie zabraniam mu tego.

– Tak po prostu? Bez wyrzutów sumienia?

– Proszę nie wyciągać błędnych wniosków, to oni podejmują decyzję, ja się do tego nie wtrącam. Nie wiem, jak ani gdzie to robią.

Większość marzy o zostaniu Usainem Boltem. Agenci Bolta negocjują kontrakty warte dziesięć milionów dolarów. Podczas niedawnego mityngu lekkoatletycznego w Zurychu wejściówek zabrakło na tydzień przed tym, jak Bolt włożył kolce, żeby pobiec na stadionie Letzigrund. Główny organizator zapewniał, że nigdy żaden atleta nie brał tyle pieniędzy za udział w zawodach, nawet Carl Lewis, którego stawki osiągały w dobrych czasach sto milionów dolarów. A tymczasem moim dzieciakom płacą grosze...

Frank zamilkł zamyślony, podobnie jak Thomas, który wpatrywał się w krajobraz za szybą, dumając nad tym, co usłyszał. Mimowolnie wziął głęboki oddech, jakby chciał zatrzymać na chwilę w płucach czyste powietrze z zewnątrz.

– Co pan powie na przechadzkę? – zaproponował Frank Stone.

– Znam trasę, która się panu spodoba. Poza tym wyświadczyłby mi pan przysługę. Nie znoszę spacerować sam. Wiem, że dziwnie to brzmi w ustach faceta w moim wieku, ale...

– Ja też lubię chodzić. – Thomas przystał na jego propozycję.

– Odkąd tu przyjechałem, nęci mnie ta okolica.

Frank dopisał napoje do swojego rachunku i wyszli na zewnątrz.

– Niespełna kilometr od głównego placu jest sześciusetmetrowe wiszące przejście. To ładna trasa.

Dotarli do kładki zawieszonej niecałe cztery metry nad korytem rzeki. Wydawało się, że mogą dotknąć stopami wartkiego nurtu. Brązowe cętki rdzy na ścianach wąwozu wskazywały na żelazistość ciepłych wód, które wypływały ze szczelin w skałach kotliny Dalaschlucht.

– Tutaj zaczynają się warstwy skalne, którymi wody termalne płyną do Leukerbadu! – zawołał Frank, przekrzykując huk rzeki.

Ze ścian pokrytych mchem tryskały małe gorące źródełka. W końcu dotarli do wiszącego mostu prowadzącego do wodospadu. Tam zaczynała się wąska ścieżka okrążająca górę. Widoki zapierały dech w piersiach.

– To Daubensee, jezioro wyjątkowej dziewiczej urody – wyjaśnił Frank.

Rozległą, otwartą dolinę otaczały olbrzymie skały. Niżej, w Spitelmatte, rozciągało się prawdziwe morze kwiatów.

– Cudowne! – wykrzyknął Thomas.

Usiedli na jednym z pagórków, żeby odpocząć.

– To najlepsza pora roku na odwiedzenie tego miejsca. Zimą śnieg uniemożliwia podziwianie tego widowiska przyrody.

Jakby się umówili, przez moment obaj trwali w milczeniu. Thomas był za nie wdzięczny. Jego zmysłami zawładnęła siła natury. Kiedy chwilę potem Frank wrócił do rozmowy, niechętnie zmusił się, żeby go słuchać.

– Wiem, że jak większość widzów ma pan wyidealizowany obraz sportu, i w pewnej grupie wiekowej faktycznie taki jest. Na przykład dla sportowców amatorów. Ale tam, gdzie są pieniądze, nie może być czystej gry. Mogę pana o tym zapewnić.

– Czuję się rozczarowany.

– Podczas szesnastu dni igrzysk firmy Nike i Adidas rywalizowały między sobą równie zaciekle co lekkoatleci, żeby udowodnić swoją wartość i podbić wielomilionowy chiński rynek. Tajną bronią amerykańskiej marki byli Kobe Bryant, Liu Xiang i Ronaldinho. Koncern niemiecki ubrał między innymi rekordzistkę Jelenę Isinbajewą, gwiazdę futbolu Leo Messiego i mistrzynię pływacką Brittę Steffen. Adidas zainwestował w igrzyska sto dziewięćdziesiąt milionów dolarów, Nike – sto pięćdziesiąt.

– Widzę, że medal olimpijski przynosi dużo pieniędzy.

– To wielka wystawa sklepowa. Dlatego bogate kraje kupują zawodników. Stany Zjednoczone przyjechały do chińskiej stolicy z trzydziestoma trzema naturalizowanymi sportowcami. Gruzja wynajęła brazylijskich graczy do siatkówki plażowej. Nie wiem, czy pan zwrócił uwagę, jak wiele twarzy w reprezentacjach Wielkiej Brytanii, Francji, Holandii, Portugalii, Niemiec, Bahrajnu, Kataru i innych państw świadczy o naturalizowaniu i kupowaniu sportowców. Drenaż sportowych talentów z ubogich krajów jest nie do powstrzymania.

– Co robią MKOl i międzynarodowe federacje?

– Niewiele. Bogate państwa zdobywają niektóre medale bez specjalnego wysiłku, kradnąc talenty dzięki potędze książeczki czekowej.

– A co dzieje się z większością sportowców, z tymi, którzy nie osiągają poziomu gwiazd? – chciał wiedzieć Thomas.

– Nic, egzystują. Czytałem w gazecie historię Masuda Aziziego, chłopaka, który po olimpiadzie wrócił do Afganistanu. Zakwalifikował się jako jeden z jedenastu tysięcy sportowców, którzy pojechali do Pekinu. Teraz zabiega o pomoc w swoim kraju i modli się, żeby żadna bomba nie zniszczyła starej betonowej bieżni, na której trenuje, kiedy może.

– Wzruszające… – powiedział Thomas sceptycznie. – Tak naprawdę usprawiedliwia pan straszliwe rzeczy. Myślę, że wykorzystujecie sportowców, używacie ich do własnych celów, wyciskacie jak cytryny i zmuszacie do stosowania dopingu. – Wstał. – Wiem, że jest pan przyjacielem Hugona Kellera, syna magnata farmaceutycznego, twórcy niektórych z produktów najczęściej używanych jako doping. Zbyt wiele zbiegów okoliczności.

– Obraża mnie pan – powiedział Frank Stone wyraźnie dotknięty i wrzucił do wody kamyk.

– Niech mi pan wybaczy – przeprosił Thomas. – Rolex, który nosi pan na prawym nadgarstku, i sygnet z wielkim kamieniem z pańskiego palca wskazującego z nawiązką opłaciłyby karierę sportową tego afgańskiego chłopaka.

– Nie ma pan pojęcia, o czym mówi. Śmierć Pietrowej była dla mnie strasznym ciosem…

– Dla pańskiego konta bankowego – przerwał mu Thomas. – Bo z tego, co mi wiadomo, dziewczyna dobrze rokowała.

– Fakt, była niesamowita.

– Znał pan Unę Kowalenko?

– Z widzenia, nie reprezentowałem jej. Przeczytałem o jej śmierci w gazetach. Bardziej poruszył mnie zgon Ariszy Wołkowej. To ja kupiłem jej bilet i załatwiłem formalności, żeby sprowadzić ją do Szwajcarii.

– No proszę! A więc to pan ulokował ją w tej norze?

Frank zatrzymał się i z wyrzutem spojrzał na Thomasa.

– Nie ma pan pojęcia, jak wygląda nora. W porównaniu z miejscem, w którym mieszkała wcześniej, to był apartament w Ritzu. Nie ma pan prawa tak mówić. To są zawody, musimy grać według narzuconych zasad. W Pekinie objawili się nowi olimpijscy bogowie. Ich wyczyny oczarowały świat, wzbudziły zazdrość, ludzie zapomnieli o wojnach, głodzie i braku nadziei. A to, o czym nie wiedzieli, nie miało dla nich żadnego znaczenia. – Przerwał, widząc, że Thomas nie zwraca na niego uwagi. – Słucha mnie pan, panie Connors?

– Tak, słucham pana.

– Sport został połknięty przez rynek, oglądamy coraz mniej talentu i wysiłku. To era technologii i widowiska. Żegnaj, etyko! – wykrzyknął teatralnie. – Olimp opanowali najemnicy, patrzą na nas z góry, oklaskiwani przez publiczność.

Thomasa zalał gniew. Zanim odpowiedział, musiał odetchnąć kilka razy, żeby się uspokoić.

– Wiem jedynie, że Irina i Arisza nie żyją, i mogę pana zapewnić, że to się tak nie skończy. Ktoś za to zapłaci – ostrzegł ochrypłym głosem.

Frank minął go i poszedł dalej swoją drogą.

– Najpierw musi pan udowodnić, że to nie były naturalne zgony, co jak przeczuwam, będzie niezwykle trudne, mając na uwadze wyniki sekcji zwłok.

Thomas zadzwonił do Laury z hotelowego pokoju. W głosie, który odezwał się po drugiej stronie linii, można było wyczuć ulgę.

– Thomasie, nareszcie! Gdzie się podziewałeś?

– Przepraszam, zadzwonił do mnie menedżer Iriny. Zatrzymał się na kilka dni w Leukerbadzie, więc nie zastanawiałem się długo, wsiadłem w samochód i teraz tu jestem.

– Już z nim rozmawiałeś?

– Tak, ale niedużo z niego wyciągnąłem. Niewiele więcej ponad to, co już wiedzieliśmy. Przedstawił się jako anioł stróż swoich sportowców. Szczerze mówiąc, nie podoba mi się i myślę, że jest zamieszany w całą tę sprawę. Kiedy wygrywają jego lekkoatleci, wygrywa on. Bardzo proste równanie.

– Widzę, że nie jesteś zadowolony.

– Ani trochę, nie ma jak podejść tego całego Franka. Do diabła! – powiedział ze złością. – Potrzebujemy dowodów, a widzę, że tą drogą bardzo trudno będzie je zdobyć. Całe szczęście, że to miejsce jest oszałamiające – dodał spokojniej, podziwiając z tarasu widoki. – Zamierzam to w pełni wykorzystać; zostanę tu dwa dni, do niedzieli. Ty też zrób sobie wolne w weekend.

– Dzięki, szefie, bo sobie na to zasłużyłam. Rozmawiałam po raz drugi z wujkiem Iriny. Po gwałtownej wymianie zdań przyznał w końcu, że to on rozprowadzał leki.

– Doskonała wiadomość, Lauro. Mamy już początek nitki. A kto mu je dostarcza?

– Tego nie powiedział. Kazał mi zaczekać, aż zbierze dowody.

– Był zdenerwowany?

– Dosyć, prawie nie rozumiałam, co mówi.

Thomas nie odpowiedział, nie podobało mu się to wszystko. Laura z kolei wolała nie wspominać o popołudniowym incydencie z mężczyzną pod oknem. Ponieważ oboje zamilkli, pozostało im jedynie przerwać połączenie.

Jak co noc od rozmowy z Maire Thomasowi trudno było zasnąć. Spojrzał na zegarek – wskazywał drugą w nocy. Thomas spróbował opróżnić głowę z myśli o sprawach, na które już nic nie mógł poradzić. Bronił się przed dramatyzowaniem sytuacji. Chciał być tym samym człowiekiem co wcześniej. W ciągu dnia niemal mu się to udawało, ale w nocy... W nocy wokół jego poduszki krążyły duchy, wchodziły do łóżka, tańczyły aż do świtu. Najgorsze ze wszystkiego było odkrycie, jak mało znaczyło życie, które do tej pory uważał za idealne. Pamiętał, co poczuł, siedząc na ławce przed domem Maire – że mógłby być przy niej szczęśliwy. Zobaczył siebie z powrotem w Irlandii, mieszkającego na wsi, uprawiającego własny ogródek. Teraz zrozumiał, że wcześniej usilnie odrzucał takie myśli. Przechowywał tamtą chwilę niczym skarb: słońce, leżące na ziemi płatki niecierpków, dłonie pachnące koperkiem. Pomyślał o swoim mieszkaniu w Nowym Jorku, tak bardzo uporządkowanym i pustym. Nigdy nie uważał go za dom, podobnie jak poddasza w Lyonie; łatwo przyszłoby mu to wszystko dla niej zostawić. „Moim domem jest jej skóra", pomyślał ze złością. Wstał zdesperowany. Włożył hotelowy szlafrok i kapcie, po czym wyszedł z pokoju.

Noc otoczyła go swoją ciszą. Wszędzie panował spokój. Zmęczony spojrzał na szczyty gór wznoszące się przed jego oczami. Księżyc rzucał światło na wieczne śniegi i nadawał scenerii nierealny, oniryczny wygląd. Thomasowi wydawało się, jakby wszystko, co widział, było jedynie złudzeniem. Na widok tego nieziemskiego spektaklu na moment wstrzymał oddech. Zdjął szlafrok i zanurzył się nago w jednym z naturalnych basenów. Para unosiła się niczym dym i zlewała z ciemnością. Budynek za jego plecami oświetlało jedynie kilka latarni. Spojrzał na głębokie, bezkresne niebo pełne gwiazd. Poruszyło go uświadomienie sobie, jak bardzo jest mały.

36

Zaledwie sto kilometrów od miejsca, gdzie zatrzymał się Thomas, Janik obserwował z okna las. Poranek był bezchmurny, jak w rześkie letnie dni. Korony drzew kołysały się w rytm uderzeń wiatru, gwizdały, jakby chciały ostrzec przed nadchodzącym niebezpieczeństwem. W prześwicie lasu widać było opactwo. Sama myśl o Blancu mroziła Janikowi krew w żyłach. Krew, która wkrótce miała opuścić jego ciało. Droga do klasztoru wydała mu się dłuższa niż za pierwszym razem. Między szczytami krążył orłosęp. W ramach jednego z europejskich projektów postanowiono zasiedlić Alpy gatunkami, które z nich zniknęły, kiedy na początku XIX wieku myśliwi wybili górskie zwierzęta, przekonani, że w nocy zamieniają się w demony. Wytrzebili w ten sposób niemal doszczętnie koziorożce, orłosępy, orły przednie, rysie, wilki i niedźwiedzie. Ale podjęty w ostatnich latach program ponownego zasiedlania przyniósł pozytywne efekty. Jaskinie, nory i skały odzyskały dawnych mieszkańców.

Wiatr poruszał teraz niskimi gałęziami drzew, towarzysząc Janikowi w drodze. Chłopak powtarzał sobie, że powinien się cieszyć, w takie dni słońce poprawia humor, nie mógł się jednak pozbyć myśli o igle, którą przekłują mu skórę. Dotarł do opactwa. Drzwi otworzył mu mężczyzna w fartuchu.

– Proszę za mną. Od dzisiaj będziesz chodził tą drogą. Musisz się tu często pojawiać na oznaczenie wskaźnika hematokrytu.

Tym razem nie weszli do domu Blanca, co uspokoiło Janika. Wciąż pamiętał unoszący się w powietrzu smród zgniłych jajek. Okrążyli opactwo przyklejeni do jego murów. Minęli bramę; spod fragmentów kamiennych płytek wyrastał bluszcz. W końcu dotarli do ścieżki prowadzącej do włazu.

Magik siedział przy stole. Wydawał się spokojny.

– Witaj, Janiku. Zaczynamy. To mój współpracownik – powiedział, wskazując mężczyznę, który otworzył mu drzwi. – Zajmie się twoimi zabiegami. Wkrótce zobaczysz, że nie mówi za dużo, ale jest najlepszy w swoim fachu. Oddaję cię w dobre ręce.

Mężczyzna nie tracił czasu na powitania. Założył winylowe rękawiczki i zebrał sprzęt potrzebny do transfuzji.

– Rozbierz się od pasa w górę i usiądź na kozetce.

– Co mi będziesz robił? – zapytał chłopak zdenerwowany.

– Zmierzę ci ciśnienie.

– Tak, ale pobierzesz też krew, prawda? – Janik zaczął obgryzać paznokcie.

– Pobierzemy ci dziewięćset mililitrów krwi i zamrozimy ją w temperaturze minus osiemdziesięciu stopni Celsjusza.

– O kurde!

– Połóż się i zaciśnij mocno dłoń.

– Trochę się boję igieł.

– Niedługo przywykniesz.

Igła weszła w żyłę. Janik zamknął oczy, na widok krwi przewracało mu się w żołądku.

– Przyciśnij mocno gazę.

– Już po wszystkim? – zapytał niecierpliwie. Chciał jak najszybciej skończyć, czuł się dziwnie. Przebiegł wzrokiem salę, szukając czegoś, co wyglądałoby znajomo, przyjaźnie, ale przedmioty, które go otaczały, nie miały w sobie krzty duszy.

– Tak, na dziś to wszystko. Możesz się ubrać.

Mężczyzna otworzył pokrywę metalowego cylindra, z którego wyleciała lodowata para. Zapisał coś na kartce i spojrzał na zegarek.

– Chodź ze mną.

Opuścili laboratorium i przeszli do małego pomieszczenia, w którym był stół z kilkoma stosami papierów i nowoczesnym komputerem. Za monitorem siedział Magik. Na regałach za jego plecami znajdowały się opisane segregatory. Janik przeczytał na nich: „Urko", „Nibelung", „Kirby", „Cro-Magnon". „Co za dziwaczne nazwy!", pomyślał. Magik przesunął krzesło na kółkach i zza monitora wychynął jego uśmiech.

– No to mamy już twoją krew pełną czerwonych krwinek.

– I co teraz?

– Teraz czekamy. Pozwolimy, żeby twój organizm odzyskał swoje parametry w naturalny sposób. Ten proces trwa od pięciu do siedmiu tygodni.

– A później?

– Kiedy się przekonamy, że wróciłeś do pierwotnych poziomów hemoglobiny, żelaza i czerwonych krwinek, wykonamy transfuzję.

– Przetoczycie mi naraz całą tę krew? – zapytał Janik; chciał znać wszystkie szczegóły.

– Nie, to byłoby ryzykowne. Gdybyśmy przetoczyli ci tyle krwi, szybko wzrosłoby ciśnienie i mógłby powstać zakrzep. Usuniemy osocze i zostawimy same czerwone krwinki.

– Mniej więcej ile?

– Jakieś trzysta mililitrów.

– Co to da?

– Przez ponad trzy miesiące będziesz miał parametry takie jak hemoglobina czy czerwone krwinki na najwyższym dozwolonym poziomie.

– Czy to niebezpieczne?

– Bynajmniej. Udzielimy ci prostych wskazówek, kiedy przyjdziesz na transfuzję. Musisz tylko ściśle się ich trzymać. A właśnie, jak idą treningi?

– Zacząłem już biegać po pół godziny i nic mnie nie boli.

– Pozwolimy ci potrenować przez kilka tygodni i zaczniemy kurację z hormonem wzrostu i EPO, ale wcześniej musimy mieć pod kontrolą hematokryt, żeby zobaczyć, jak reaguje twój organizm.

– Będę musiał się kłuć?

– Skoro już o tym wspominasz, załatw sobie małą lodówkę – przypomniał Magik, zanim odpowiedział na pytanie.

„Taką jak ta, którą przywiózł ze sobą Wiktor, kiedy przyjechał do ośrodka – pomyślał Janik. – Na pewno oprócz napojów izotonicznych i koktajli chłodził tam także inny rodzaj płynów".

– Tak, będziesz musiał się kłuć. Ale wszystko w swoim czasie.

– Nie wiem, czy będę w stanie. Panicznie boję się igieł.

Janik spuścił głowę, zawstydzony, że wyznał swój sekret.

– Dasz radę. Zapewniam cię – powiedział Magik, żeby go uspokoić.

Odkąd poznał Magika, prześladowała go pewna myśl. A co jeśli, jak sugerował glina z Interpolu, Irina stosowała doping? A co jeśli przyszła do tego laboratorium i wstrzyknęli jej lekarstwo, które ją zabiło?

37

Laura spuściła głowę i zapatrzyła się na swój brzuch. Wyobraziła sobie, że w tym momencie w jej ciele może się rozwijać życie. Chociaż od dawna bez przerwy o tym myślała, teraz taka możliwość wydawała jej się mniej prawdopodobna niż kiedykolwiek; była tak abstrakcyjna, że nie potrafiła jej sobie przyswoić. Z czułością pogłaskała się po brzuchu. Uważała, że po tak długim dniu ma obowiązek trochę się porozpieszczać. Zanim zasnęła, ze wszystkich sił zapragnęła być w ciąży.

Była ciemna noc, kiedy Oleg Pietrow zbierał próbki ostatniej EPO w swojej małej kuchni. Owinął probówkę w folię bąbelkową. Wyciągnął z zamrażalnika pojemnik z białego korka, w którym znajdowała się zamrożona krew jego bratanicy. Konieczny był pośpiech, w przeciwnym razie do niczego się nie nada. Wypełnił plastikową torbę kostkami lodu, włożył między nie próbki, zawiązał torbę i poszukał kluczy do samochodu. Był zaledwie kilka kroków od drzwi, kiedy usłyszał jakiś hałas.

Znieruchomiał. Instynktownie wstrzymał oddech. Cisza. Słyszał tylko tykanie zegara w salonie. Dalej stał w miejscu. Powoli, nie wiedząc, na co się natknie, ostrożnie ruszył naprzód. Najpierw jeden krok, potem drugi. Pomacał ścianę w poszukiwaniu kontaktu. Nagle zmienił zdanie. Nie był już taki pewien, czy chce zapalać światło. Postanowił tego nie robić. Nie mógł wyjść głównymi drzwiami, naprzeciwko których stał zaparkowany samochód; gdy je otworzy, rozlegnie się dzwonek i zdradzi jego obecność. Cofnął się. Wtedy wyczuł za sobą ruch i odwrócił głowę. Zza kanapy wyszedł jakiś cień, jednym susem znalazł się na środku pokoju. Pietrow nie widział go wyraźnie, ale był to młody mężczyzna, silny i bardzo umięśniony. Nieznajomy stanął naprzeciwko aptekarza i posłał mu dziwny uśmiech.

– Oddaj mi torbę, dziadku.

Miał ochrypły, nieco gardłowy głos, na dźwięk którego farmaceutę przeszedł dreszcz.

– Nie.

– Czyżbyś nie wiedział, że mogę cię zabić, a potem ci ją zabrać? Powinieneś mieć trochę oleju w głowie, dziadku.

– Nie boję się umrzeć.

Nie przestając się uśmiechać, mężczyzna zrobił kilka kroków, niczym drapieżnik osaczający swoją ofiarę. Pietrow zrozumiał, co go czeka; odpowiedzialni za śmierć jego bratanicy pozostaną bezkarni, wszystko skończy się tam, gdzie miało swój początek, w aptece Vasil. Cofnął się nieco.

Mężczyzna dyskretnie, bez pośpiechu podchodził do farmaceuty. Zdawał się czerpać przyjemność z tej sytuacji.

– No dalej, bądź grzeczny i oddaj mi to, co trzymasz w rękach.

Starzec cofał się tak długo, aż przeszedł do apteki. Nie spuszczając wzroku z mężczyzny, ominął ladę i dalej cicho przesuwał stopy w stronę drzwi.

– Proszę, proszę, dziadek chce żyć… Okłamałeś mnie, łajdaku.

Mężczyzna znalazł się w dwóch susach przed Pietrowem. Ten patrzył wystraszony, jak poprawia skórzane rękawiczki, najpierw na lewej, potem na prawej dłoni. Nagle wystawę zalało światło, oślepiło napastnika, który instynktownie zasłonił oczy rękami. Pietrow skorzystał z okazji i otworzył drzwi. Dźwięk dzwonka rozdarł pełną napięcia ciszę. Aptekarz zdał sobie sprawę, że to były światła radiowozu. Pobiegł za nim, ale nie zdołał go dogonić; oczywiście, był na to za stary. Ukrył się w krzakach ogródka. Miały olbrzymie kolce, które przeszywały mu ciało jak igły. Przebiły ubranie i zagłębiły się w skórę. Nie miało to dla niego znaczenia, dopóki przyciskał do siebie białą plastikową torbę w czerwone paski.

Nie wiedział, jak długo tam przebywał, stracił poczucie czasu. Próbował wstać, ale jego zimne kości nie zareagowały. Każdy ruch był torturą, kolce wchodziły jeszcze głębiej w ciało. Zaczął się poklepywać po zdrętwiałych nogach, by przywrócić krążenie. Kiedy uznał, że jest gotowy, policzył do trzech, ukląkł, uczepił się gałęzi i wstał. Mocno przycisnął do siebie torbę i bez zastanowienia pobiegł na poszukiwanie taksówki, która zawiozłaby go do domu doktor Terraux.

38

Wiosnę w Les Diablerets przerywały zwykle ostre podmuchy wiatru wiejącego od gór. Powodowały ten sam efekt co powiew powietrza wpadającego przez otwarte okno do ogrzanego pokoju. Czasami towarzyszyły im wyładowania elektryczne, wypełniające niebo energią i docierające do ziemi w postaci grzmotów i błyskawic.

Jednego z takich wietrznych kwietniowych popołudni, kiedy wydawało się, że wróciła zima, Janik wyruszył z ośrodka do laboratorium. W połowie drogi zaczął drżeć. Wicher potrząsał gałęziami drzew i przenikał przez kark do jego ciała. Tkanka tłuszczowa ewidentnie nie wystarczała, by zamortyzować te lodowate powiewy. Nad lasem, po drugiej stronie górskiej ściany, wciąż rozlegały się grzmoty. Burza miała wkrótce pokonać skalisty mur i dotrzeć do doliny. Musiał przyspieszyć, jeśli nie chciał się wystawić na gniew natury i stać łatwym celem dla piorunów. Wydłużył krok, w końcu dotarł do bramy. Chmury rozbijały się o skaliste iglice Quille du Diable i pogrążały w ciemnościach dolinę. Pomyślał o Blancu. Nagle ogarnął go tego rodzaju lęk, jaki wywołują książkowe i filmowe horrory. Przywykł do samotności, towarzyszyła mu przez wiele lat, jednak strach był czymś zupełnie innym. Odczuwał go przed wyścigami, wiązał się z możliwością porażki. Strachem napawał go Blanc, strachem napawał go stan jego matki; to, że Irina mogła umrzeć z powodu środków dopingujących, napawało go przerażeniem.

Milczący mężczyzna wcisnął przycisk na pilocie. Laboratorium niemal tonęło w mroku. Poprowadził go do kozetki.

– Zaczniemy od hormonu wzrostu – powiedział zdecydowanym tonem. – Jest najtrudniejszy do wstrzyknięcia.

Wyjął z szuflady mały neseser.

– To będzie twój podręczny zestaw. Jak widzisz, jest podzielony na dwie przegródki. Po lewej stronie masz watę, spirytus i mydło. Po prawej – strzykawki, igły i pojemnik na te, które zużyjesz.

– Widzę, że pomyśleliście o wszystkim.

Kiedy Janik przyglądał się strzykawce i igłom, przypomniał sobie, jak Ethan uprzedzał go ze szpitalnego łóżka, że taki moment kiedyś nadejdzie; tym razem nie poczuł się winny. Podjął decyzję i nic ani nikt nie skłoni go do zmiany zdania.

– To, gdzie będziesz się wkłuwał, zależy od doświadczenia i ilości wstrzykiwanych płynów. Na początek radzę ci, żebyś robił sobie zastrzyki w pośladki albo w nogi.

– Słucham?

– Tak, dla wygody. Z ręką jest trudniej.

Mężczyzna wstał i zniknął w ciemnościach. Rozległ się odgłos otwieranych drzwi. Wrócił, trzymając w dłoni ampułkę.

– Co to?

– Zwykła surowica. Najpierw przygotowujesz spirytus, watę, ampułkę i dwie strzykawki. Zrób to sam.

Janik otworzył neseser.

– Kiedy już będziesz miał wszystko przyszykowane, potrząśnij kilkakrotnie ampułką, żeby dobrze wymieszać zawartość; potem potrzymaj ją pod ciepłą wodą z kranu, to ułatwia wstrzyknięcie i zmniejsza ból.

Janik wykonał polecenie.

– Teraz odłam szyjkę ampułki i zdejmij osłonkę z igły. Włóż igłę do ampułki i ciągnij za tłok, aż wessiesz cały płyn.

– W strzykawce zostało trochę powietrza – ostrzegł Janik.

– To normalne – zapewnił mężczyzna. – Wyceluj igłą w sufit i postukaj lekko w strzykawkę, aż powietrze pójdzie w górę. Potem pozbędziesz się go, wciskając tłok.

– Wyciekło trochę płynu – powiedział Janik, całkowicie skupiony na przyswojeniu sobie tych wszystkich informacji. Jego nowa, świeżo zainaugurowana psyche dobrze się spisywała.

– Nie szkodzi. Gdyby mimo wszystko w strzykawce zostały pęcherzyki powietrza, potrzymaj ją igłą do góry jeszcze przez minutę albo trochę dłużej, aż wzniesie się całe powietrze, i powtórz operację.

– A teraz co mam robić? – zapytał Janik po minucie.

– Nałóż zatyczkę na igłę i wybierz miejsce, w które się wkłujesz. Na przykład tutaj. – Mężczyzna wskazał górną część prawego uda. – Ważne, żebyś rozluźnił nogę.

– To chyba dość trudne?

Tym razem umysł spłatał mu psikusa. Drżała mu ręka. Janik zdał sobie sprawę, że osiągnięcie celu będzie go kosztowało więcej wysiłku, niż myślał na początku.

– Teraz przemyj to miejsce spirytusem. – Pomocnik zdawał się nie zwracać na niego uwagi. – Ważne, żebyś szybko się wkłuł. Pole pozostaje sterylne przez bardzo krótki czas.

Janik wahał się przez chwilę. Pomyślał jednak o Irinie, o ojcu, o matce, a przede wszystkim o latach, kiedy nie robił nic innego poza bieganiem – jego wysiłek poszedłby na marne, gdyby się teraz wycofał.

– Zrób tak jak ja, jeden mocny strzał. – Pomocnik chwycił strzykawkę i udał, że wbija sobie igłę w spodnie.

Janik próbował go naśladować, ale igła nie weszła w skórę.

– Nie jestem dobry w te klocki – przeprosił.

Musiał przezwyciężyć strach przed strzykawkami. Nabrał powietrza, jego płuca wypełniły się jak baloniki. Odzyskał częściowo spokój i przestała mu drżeć ręka. Powtórzył operację, tym razem igła weszła bez problemów. Odetchnął z ulgą.

– Teraz pociągnij trochę za tłok, jeśli pojawią się bąbelki, to znaczy, że poszło dobrze. Jeśli zobaczysz krew, wyciągnij igłę, zmień kąt i wbij ją jeszcze raz.

– Jest krew.

Janik spanikował i zaczął szybko oddychać, jakby w pokoju nie było wystarczająco dużo powietrza.

– Nic się nie stało – uspokoił go asystent. – To znaczy, że wkłułeś się w małe naczynko krwionośne. Oddychaj wolniej, w przeciwnym razie grozi ci hiperwentylacja.

– Niech to! Co za pech! – wykrzyknął Janik, starając się ukryć strach.

– Naciskaj tłok powoli, płyn może przerwać włókna mięśniowe.

– Kurde! Faktycznie trzeba uważać – powiedział bliski utraty opanowania.

– Kiedy wstrzykniesz już cały płyn, wyciągnij igłę, przyłóż wacik nasączony spirytusem, który sobie wcześniej przygotujesz, i lekko go przyciśnij – pouczył go pomocnik Magika.

– Igła jest już na zewnątrz! – krzyknął Janik, u kresu wytrzymałości.

– Możesz rozmasować sobie bolące miejsce dłonią. Nie dotykaj niczym igły. Załóż osłonkę i schowaj ją do pojemnika. Przyniesiesz nam go, kiedy będzie pełen.

– Chyba wszystko załapałem.

Noga Janika pulsowała w kilku miejscach z bólu, przez moment miał wrażenie, że się dusi. Nie był wcale pewien, czy przebrnie przez te zabiegi.

Nie musiał robić przerwy po ciężkim treningu. Czuł się jak na kolejce górskiej. Kiedy był na dole i przestawał się poruszać mocą bezwładu, jakaś niewidzialna siła chwytała go za stopy, wciągała znów na szczyt i ponownie zrzucała w dół zbocza z maksymalną prędkością. I tak codziennie. W miarę jak poprawiał swoje czasy na treningach, odzyskiwał pewność siebie. Było w tej miksturze coś magicznego, co zamieniało tego, kto jej spróbował, w superbohatera. Janik czuł, że może wszystko. Kiedy jego wyniki stały się lepsze, zaczął wierzyć, że nie ma dla niego żadnych ograniczeń. To było doznanie nieporównywalne z niczym innym. Spełnienie marzeń nie zależało już od jego talentu, wystarczyło zaczekać, aż nadejdzie dzień oznaczony w jego kalendarzu kilkoma kreskami.

Przed pójściem spać skreślał kolejną datę i powtarzał sam sobie, jaki jest dobry.

39

Niedziela zaczęła się dobrze. Po wczorajszej burzy niebo było
bezchmurne. Laura otworzyła na oścież okna i do domu
wtargnęło ciepłe, wilgotne powietrze. Przespała całą noc, czuła się
wypoczęta i pełna energii. Postanowiła spędzić dzień w piżamie,
trochę posprzątać, poczytać, pooglądać telewizję. W południe, gdy
wyjęła z suszarki ostatnią upraną rzecz, zadzwoniła do apteki Vasil.
Z rosnącym napięciem czekała na połączenie, słyszała sygnał, ale
nikt nie odbierał po drugiej stronie linii. Rozczarowana brakiem
odpowiedzi, odłożyła słuchawkę. Pragnęła wierzyć, że Pietrow dotrzyma obietnicy i dostarczy jej dowody potrzebne do schwytania
handlarzy.

Piosenka Amy Winehouse rozbrzmiewała w całym domu. Kiedy Laura słuchała niektórych z jej utworów, zawsze ogarniał ją żal,
że ta dziewczyna już nie żyje. Zrobiła sobie kanapkę, wzięła jabłko
i wyszła na zewnątrz. Popołudnie było ciepłe. Gdy usiadła na ganku, zauważyła, że w ogrodzie urosła wysoka trawa. Obiecała sobie,
że po obiedzie coś z tym zrobi. W zamyśleniu wyrywała chwasty,
kiedy słońce przesłonił jakiś cień. Wystraszona podniosła wzrok
i zobaczyła Thomasa.

– Proszę, proszę, ale z ciebie ogrodniczka! Chyba otwieranie
zwłok idzie ci lepiej niż kopanie dołków.

– Jak tu wszedłeś?

– Nie odrywałem palca od dzwonka przy bramie przez jakieś
pięć minut, potem dzwoniłem kilka razy na komórkę, a w końcu
podszedłem od tyłu i przeskoczyłem przez płot.

– To nielegalne.

– Nielegalne jest to, jak traktujesz ogród. Daj mi grację – poprosił.

Zdjął sweter i położył go na tekowym stole. Laura podała mu narzędzie, a Thomas w kilka minut fachowo poradził sobie z chwastami.

– Przydałaby ci się tutaj owca albo koza, ścięłaby trawnik, a przy okazji go nawiozła. A w tym kącie – dodał – posadziłbym kilka krzaczków pomidorów. Przez cały dzień jest tu słońce, bez zbytniego wysiłku we wrześniu mógłabyś zebrać przepyszne owoce.

Laura słuchała go z uśmiechem. Thomas rolnik? Nigdy by nie pomyślała!

– I co jeszcze powinnam twoim zdaniem zrobić? – zapytała go rozbawiona.

– Nie śmiej się, szkoda, żeby na takiej powierzchni rosło tylko jedno drzewo. Powinnaś posiać rośliny, które nie wymagają dużo wody, w ten sposób nie będziesz musiała nawet podlewać. Śródziemnomorskie gatunki, jak begonie, irysy czy laki dobrze znoszą brak wilgoci. – Nagle zamilkł, wyjął z wiklinowego koszyka sekator i zaczął ścinać gałęzie żywopłotu wystające na ulicę.

– Powinnaś zasiać wonne zioła, bardzo ładnie pachną i przydadzą ci się w kuchni.

– Wątpię – powiedziała. – Nie umiem gotować.

Thomas przerwał i spojrzał na Laurę. Była w piżamie, włosy związała w koński ogon. Spodnie na wysokości kolan zdobiły dwie okrągłe plamy z błota.

– Masz jakieś wieści od wujka Iriny? – zapytał nagle.

– Żadnych. Dzwoniłam niedawno, ale nikogo nie zastałam. W sumie dziś niedziela, apteka jest zamknięta. Nie musi odbierać telefonu.

Ubiegłej nocy Thomas zasnął dopiero nad ranem, obudził się bardzo późno. Po śniadaniu połaził bez celu po okolicach Leukerbadu. Podczas samotnej przechadzki pośród jodeł i sosen podjął decyzję, że zatrzyma ludzi odpowiedzialnych za śmierć Uny – nieważne, ile czasu mu to zajmie, w końcu ich znajdzie.

– Wracając do poprzedniego tematu, *mademoiselle* Terraux, była pani w stanie skończyć medycynę, zrobić specjalizację i zostać szefową oddziału, a nie nauczyła się pani gotować? To nie do przyjęcia.

– Nie miałam czasu na takie głupoty – powiedziała Laura usprawiedliwiającym tonem. – Preparowanie zwłok zawsze wydawało mi się ciekawsze niż krojenie warzywek – dodała z dumą.

– Co masz na myśli, mówiąc o preparowaniu? Podejrzewam, że chodzi ci o wyciąganie flaków, piłowanie czaszek, otwieranie serc… Bardzo trafne porównanie z tymi warzywkami… – odparował Thomas ze złośliwym uśmiechem. – Ponieważ przypuszczam, że pomysł z kozą nie przejdzie, co powiesz na ścięcie trawy kosiarką?

– Nie mam kosiarki – odpowiedziała wyniośle.

– To jak ją ścinasz?

– Tym.

Laura pokazała mu nożyczki o długich ostrzach ułożonych pod kątem prostym.

– Ale… to przedpotopowe narzędzie.

– Wy, Jankesi, nie macie pojęcia o środowisku. Potrzeba tylko trochę czasu i cierpliwości.

– Chwileczkę, chwileczkę, po pierwsze, nie jestem Jankesem, tylko Irlandczykiem, a po drugie, wydaje mi się niemożliwe, żeby w pełni rozkwitu ery technologicznej lekarz sądowa na kierowniczym stanowisku w tak ważnym szpitalu – powiedział przesadnie wolno, podkreślając ostatnie słowa – używała narzędzia z epoki brązu. Muszę to zobaczyć.

Laura uklękła i zaczęła ścinać trawę.

– Zajmie ci to całą wieczność!

– Zazwyczaj ścinam fragmentami. Myślałam, żeby dziś oczyścić ten kawałek pod wierzbą.

– Tak… Zdaje się, że kuchnia i ogrodnictwo zajmują w twoim życiu takie samo miejsce. Ale możemy zawrzeć układ, ty przeczytasz raport, który wysłał mój szef, a ja coś ugotuję i zajmę się ogrodem.

– Mówisz poważnie?

– Jak najbardziej.

Laura z ulgą odłożyła nożyczki do koszyka. Pokonała dwa schodki wiodące na ganek i zniknęła w głębi domu. Wyłączyła odtwarzacz i poszła do sypialni. Tam zobaczyła swoje odbicie w lustrze. Przyglądała mu się z przerażeniem. Piżama w żółto-białe paski, którą na sobie miała, przypominała obrus i była o kilka rozmiarów za duża. Rzut oka na twarz uświadomił jej, że się nie umyła – w lewym oku miała ropę. Co sobie pomyślał Thomas? On, który zawsze wyglądał jak żywcem wzięty z okładki magazynu… Szybko się rozebrała i weszła pod prysznic. Kwadrans później była ubrana w granatowe rurki z szeroką gumą w pasie i bawełnianą marynarską koszulkę. Umalowała delikatnie oczy odrobiną cienia i szarym tuszem, potem nałożyła róż na policzki i czerwony błyszczyk na usta. Z zadowoleniem obejrzała efekty. Włosy zostawiła spięte spinką, tak jak je zebrała, żeby wziąć prysznic. Zeszła na ganek z laptopem.

– Wysłałem ci e-maila z raportem – powiedział Thomas.

Skinęła głową. Założyła okulary przeciwsłoneczne i usiadła przed komputerem.

– Czuję się jak właścicielka ziemska. Z wysokości ganku patrzę na moje pola i pilnuję, żeby moi niewolnicy dobrze pracowali.

Thomas otarł pot wierzchem dłoni i się uśmiechnął.

– Tak jest, *bwana*. A właśnie, jutro jadę do Lyonu. Nie było mnie w biurze od jakiegoś czasu, chcę osobiście sprawdzić, jak się mają sprawy.

– Zgoda, ale teraz koniec gadania i do roboty, w przeciwnym razie poczuję się zmuszona wyciągnąć bat.

– Masz bat? – zapytał Thomas i rzucił jej figlarne spojrzenie.

Laura popatrzyła na niego ze zdziwieniem, próbując odkryć, czy mówił poważnie. Z jego szelmowskiej miny wywnioskowała, że tak. Jakie były jego seksualne upodobania, skoro sądził, że ma bat?

– To żart, Thomasie.

– Tak też myślałem…

Wrócił do pracy. W miejscu, gdzie kończył się żywopłot i zaczynał biały drewniany ganek, znalazł plastikową torbę zawiązaną na supeł.

– Wydaje mi się, że zapomniałaś wynieść śmieci – powiedział, pokazując worek.

Laura wychyliła się i zobaczyła białą torbę w czerwone paski.

– Boże! Co za obrzydlistwo! To nie moje. Zawsze używam worków na śmieci. Pewnie jakiś łobuz wrzucił to do mojego ogrodu. Poza tym torba jest zabłocona i brudna. Zostaw, potem wyniosę ją do pojemnika na śmieci.

– Jak pani rozkaże, dziedziczko. – Thomas upuścił torbę na ziemię. – Potrzebuję jednej rzeczy, zaraz wracam – powiedział nagle. Przeciął salon i wyszedł głównymi drzwiami. Chwilę później pojawił się z długim przyrządem z wystającą na końcu żółtą plastikową linką.

– Można wiedzieć, co to takiego?

– Zaraz zobaczysz.

Zszedł do ogrodu, założył gogle ochronne i włączył dziwną miotłę. Przyrząd wydał z siebie ogłuszający hałas, a żółta linka zaczęła się obracać w zawrotnym tempie.

– To podkaszarka! Pożyczyłem ją od twojego sąsiada! – zawołał.

Na oczach zdziwionej Laury wysoka trawa zniknęła jak za dotknięciem czarodziejskiej różdżki.

Zachodzące słońce przypominało duży pomarańczowy balon. Thomas i Laura obserwowali z ganku, jak kończy się dzień. Mieli na kolację sałatkę, deskę serów, pasztety oraz chleb z orzechami i rodzynkami. Odgłos łyżeczek mieszających gorącą czekoladę pogrążył ich w przyjemnym spokoju.

– Mogę ci zadać osobiste pytanie? – rzuciła Laura.

Thomas przytaknął, bujając się w fotelu.

– Jesteś żonaty?

Była tego ciekawa, odkąd go poznała.

– Chociaż to bardzo niedyskretne pytanie, odpowiem ci. Jestem rozwiedziony.

– Co się stało? – zapytała, pragnąc dowiedzieć się więcej.

– To stare dzieje. Poznaliśmy się na uniwersytecie. W tamtym momencie byłem zdesperowany, dużo zostawiłem za sobą. Myślałem, że ją kocham, ale tylko jej potrzebowałem. W związkach moment ma ogromne znaczenie. A ona pojawiła się we właściwym, kiedy czułem się najbardziej bezbronny. To, co teraz widzę wyraźnie jako relację z góry skazaną na porażkę, wtedy wydawało mi się idealne. Nie wyszło, ja wdałem się w romans z o dwadzieścia lat starszą ode mnie wykładowczynią z uniwersytetu. Ona w końcu go odkryła. To była pomyłka, jak wiele innych…

– Mieliście dzieci?

302

Laura zobaczyła, że ciało Thomasa tężeje. Rysy jego twarzy stwardniały, usta wykrzywił grymas.

– Nie, nie mam dzieci.

Pociągnął łyk czekolady i znów zaczął się bujać w fotelu. Zapadła cisza, dla Laury była bardzo kłopotliwa, nie miała jednak odwagi zadawać mu kolejnych pytań.

– A ty wyszłaś za mąż? – zainteresował się Thomas.

– Ja? Ależ skąd. Nigdy nie chciałam mieć męża.

– Nie było w twoim życiu nikogo, dla kogo byś się wahała? – zapytał z niedowierzaniem.

– Mario. Kiedy oboje skończyliśmy medycynę, postanowiliśmy spróbować wolontariatu i wyjechaliśmy jako lekarze do Afryki.

– No proszę! Nieustraszona pani doktor!

– Powiedziałam mu, że pojechałabym za nim na koniec świata, a on wziął to dosłownie. Polecieliśmy do Mali. To było okropne doświadczenie. Niedożywienie, AIDS, dzieciobójstwa, zaciekły męski szowinizm... Pracowaliśmy od świtu do zmierzchu w strasznych warunkach klimatycznych. Można było przez tydzień karmić niedożywione dziecko, bez żadnego rezultatu. Podejrzewaliśmy, że nie poprawia mu się z jakiegoś innego powodu niż brak żywności, na przykład AIDS, ale nie mieliśmy nawet możliwości zrobienia testów na HIV. Po trzech miesiącach skończyła się nam umowa i wróciliśmy do Szwajcarii. Mieszkaliśmy razem, podróżowaliśmy, cieszyliśmy się życiem, aż któregoś dnia Mario oznajmił, że zaproponowali mu pracę w Kongu i zamierza ją przyjąć. Wiedziałam, że to nie oni go szukali, by złożyć mu propozycję wyjazdu, lecz on o niego zabiegał i już jakiś czas temu porozsyłał CV za moimi plecami.

Laura mówiła, patrząc na ostatnie promienie słońca kryjące się między górami. Jej oczy błyszczały jak dwa szlachetne kamienie, a włosy przypominały ogień. Thomas spoglądał na nią oczarowany. W tym momencie wyglądała jak bogini, która zeszła z Olimpu, piękna, wyniosła, niepasująca do tego ganku i do tego świata.

– Nie chciałam z nim jechać, najgorsze było, że Mario o tym wiedział. Więc to, co brałam za prawdziwą miłość, skończyło się w ciągu tygodnia, bo tyle czasu zajęło mu zabranie swoich rzeczy.

Od tamtej pory miałam kilka przygód, ale już nigdy nie poczułam tego, co do Maria.

– Żaden inny mu nie dorównywał.

– Właśnie.

Spojrzeli na siebie z uśmiechem. Thomas przysunął się trochę bliżej Laury. Doleciał ją jego zapach. Nieświadomie przymknęła na moment powieki, żeby poczuć go intensywniej. Potem spojrzała w ciemne, udręczone oczy Thomasa. Nie mogła zaprzeczyć, że ciągnęły ją w przepaść niczym dwie czarne dziury. Dała się ponieść chwili i go pocałowała. Usta Thomasa były miękkie, Laura powoli, zmysłowo dotykała ich swoimi wargami. Poczuła podniecenie, chciała więcej.

– Thomasie… masz usta stworzone do całowania.

– Nie wiem, czy to komplement i czy powinienem ci za niego podziękować.

– Dlaczego tak mówisz? – zapytała, nie rozumiejąc jego uwagi.

– Bo całowanie nie należy do rzeczy, które najbardziej lubię robić.

Zdała sobie sprawę, że ton jego głosu uległ zmianie, był ostrzejszy. Odsunęła się trochę.

– Spotykasz się z kimś? – zapytała, wyraźnie zirytowana jego chłodnymi słowami.

– Z nikim. Nie chcę mieć nic wspólnego z kobietami. Ani z miłością, zobowiązaniami i innymi historiami kojarzącymi się ze związkiem.

– W takim razie czego chcesz?

– Wyłącznie relacji opartej na seksie.

Laura odruchowo głośno przełknęła ślinę, jakby dławiła ją ość.

– Zgorszyłem cię.

– Bynajmniej.

– Nie potrafisz kłamać.

– To, co powiedziałeś, jest dziecinne i hedonistyczne. Założyłeś maskę Casanovy, ale mnie nie oszukasz. Tak naprawdę wszyscy potrzebujemy towarzystwa. Bycie samotnym wilkiem już wyszło z mody.

– To twój problem. Jeśli chcesz tak myśleć, żeby móc mnie uważać za dobrego człowieka, pasującego do twoich wartości i zasad, to sobie tak myśl, ale jesteś w błędzie. Nie oczekuję ani nie pragnę, żeby pojawiła się kobieta, która ocali mnie przed samotnością. Co więcej, nudzą mnie historie w stylu „i żyli długo i szczęśliwie". Jeśli trochę pogrzebiesz, zawsze coś w nich śmierdzi.

– Tak bardzo ją kochałeś? – zapytała Laura bez zastanowienia. Thomas podskoczył na fotelu. Nie spodziewał się takiego pytania. Spojrzał na zegarek i wstał.

– Wybacz, Lauro, jest już późno, a ostatnio nie najlepiej sypiam. Wrócę do hotelu – zdecydował nagle.

– W porządku – odpowiedziała zaskoczona.

– Porozmawiamy jutro. A jeśli nie zadzwoni do ciebie wujek Iriny, trzeba mu będzie złożyć wizytę. To jedyny wiarygodny trop, jaki mamy.

Laura przytaknęła, nie patrząc na Thomasa. Odwróciła się do niego plecami i zaczęła sprzątać po kolacji.

– Zaczekaj – powiedział – ja to zrobię.

– Nie ma takiej potrzeby, jesteś zbyt zmęczony – odpowiedziała z wyrzutem.

– Jeśli uraziły cię moje komentarze, przepraszam. Nie chciałem, żebyś stworzyła sobie romantyczny obraz mojej osoby. Poza tym nigdy nie mieszam pracy i przyjemności.

– Thomasie, jesteś nieco zarozumiały. Myślisz, że ponieważ jestem sama i wolna, szukam mężczyzny, do którego mogłabym się przyssać jak pijawka. Ale zapominasz o czymś oczywistym: jestem kobietą niezależną, dobrze sytuowaną, atrakcyjną i zadowoloną ze swojej samotności. Kiedy powiedziałam ci, że wszyscy potrzebują towarzystwa, niekoniecznie miałam na myśli związek.

– Co w takim razie? – zapytał Thomas od progu.

– Czy ja wiem… Przyjaciół, dzieci, psy, koty, rodzinę, tego rodzaju relacje.

– Aha, tego rodzaju relacje. Z tego, co wymieniłaś, wybieram psa. Jest chyba idealny na samotność. A ty co wybierasz?

– Wszystko oprócz mężczyzny.

– Pani doktor jest wymagająca, tego się spodziewałem.

Thomas wszedł do salonu i skierował się do głównego wejścia. Laura podążyła za nim, zostawiła w kuchni tacę i odprowadziła go do drzwi.

– Dziękuję za kolację i za ogród, jest nie do poznania.

– Nie ma za co, cała przyjemność po mojej stronie. To ja dziękuję za pocałunek, był pokrzepiający.

Laura trzasnęła drzwiami. „Pokrzepiający? Co, do diabła, chciał powiedzieć przez «pokrzepiający»? Jak można określić pocałunek jako pokrzepiający?", pomyślała ze złością. Nie mógł być bardziej żałosny. „Wybieram psa", powiedziała, przedrzeźniając Thomasa.

Zgarnęła energicznie okruchy chleba, które spadły na podłogę ganku, żeby nazajutrz nie pojawiło się na stole pełno mrówek. Nagle przypomniała sobie o przyprawiającej o mdłości plastikowej torbie, która nadal leżała przy żywopłocie. Wściekła zeszła z ganku, wzięła ją dwoma palcami za uszy i wstrzymując oddech, wrzuciła do ulicznego kontenera na odpady organiczne.

40

Janik od kilku dni miał dreszcze i gorączkę, ale nikomu o tym nie mówił. Dopiero kiedy któregoś wieczoru zauważył, że jego mocz zabarwił się na czerwono, postanowił odwiedzić Magika. Niebo było szare, dął wilgotny wiatr. Les Diablerets rozciągały się pod sklepieniem nieba niczym olbrzymia studnia otoczona górami. W drodze do opactwa Janik stracił poczucie czasu, w jego głowie pomieszały się wszystkie wyprawy z ośrodka do laboratorium i z powrotem. Nie było tygodnia, żeby nie wspinał się tym prześwitem w lesie po magiczną miksturę. Wyobrażał sobie siebie samego otoczonego dziennikarzami, którzy pytali: „Czym są spowodowane te kosmiczne postępy?".

Magik zobaczył Janika przez kamerkę wycelowaną w wejście z jednej z bocznych ścian. Otworzył właz.

– Pójdźmy tędy. Jedna z dziewczyn ma teraz zabieg, nie można jej przeszkadzać.

Weszli do gabinetu. Janika bolała głowa. Szczegółowo opowiedział po kolei o wszystkich objawach.

– Nie masz się czym martwić. To normalne. Twoje ciało bez przerwy wytwarza białko, więc czasami reaguje objawami typowymi dla grypy.

– Ale sikam krwią!

– To przez nadmiar żelaza. Weź to, zobaczysz, że jutro poczujesz się lepiej.

Janik pomyślał, że nic nie wie o życiu Magika. Jedynie tyle, że czuwa pod telefonem dwadzieścia cztery godziny na dobę w razie, gdyby zaistniał jakiś problem. Zastanawiał się, co robi, kiedy nie siedzi w laboratorium ani nie jest na zawodach, czy ma rodzinę, czy należy do jakiejś organizacji. Do tego dochodziła jeszcze ta dziwna relacja z Blankiem. Ciekawiło go, gdzie się poznali i jak doszło do zainstalowania w opactwie laboratorium.

Nagle Janik znieruchomiał. Magik mówił z takim samym akcentem jak Irina. Czyżby się znali? Przypomniał sobie nazwy, które widział na segregatorach, i powtórzył je w myślach. Czy któraś miała coś wspólnego z nią? Może była imieniem jej zwierzątka albo przezwiskiem kogoś z rodziny? Nie powinien siedzieć z założonymi rękami. Ale co mógł zrobić? Magik nie zdradzi mu nazwisk innych lekkoatletów. Był tylko jeden sposób, żeby to sprawdzić: musiał to zbadać na własną rękę.

Słońce skryło się za góry. Janik prowadził z opuszczonymi szybami. Noc nadchodziła w pośpiechu, przyjaciółka wszystkich, którzy potrzebują odpoczynku po ciężkim dniu treningów. Niektóre gwiazdy migały krótkotrwałym, ledwo dostrzegalnym blaskiem. Mięśnie jego nóg także zdawały się miotać iskry powodujące lekki ból.

W takich chwilach, kiedy był sam, znów zadawał sobie niewygodne pytania. Te pytania towarzyszyły mu, gdy kładł się spać, ale znikały wraz z nastaniem nowego poranka.

41

Thomas dotarł do Lyonu późnym rankiem. Na jego piętrze panowała gorączkowa krzątanina: gwar dobiegający z mnóstwa małych pokoi, telefony, urzędnicy pijący kawę w korytarzu... Stwierdził, że jego pojawienie się wywołuje szepty słyszalne nawet wśród codziennych biurowych hałasów.

– Gdzie jest Rose? – zapytał po przywitaniu się z Charles'em, swoim zastępcą na czas trwania śledztwa.

– Odeszła nagle dwa dni temu, jako powód podała jakieś problemy ze zdrowiem.

Zdobył adres – Rose mieszkała w Croix Rousse, dawnej strefie robotniczej powstałej wokół fabryk włókienniczych. Ta dzielnica na przedmieściach Lyonu rozwinęła się dzięki handlarzom jedwabiem. Założyli ją, by umknąć przed surowym lyońskim prawem, które kazało zamykać na noc bramy i zabraniało wstępu do miasta. Wybudowali także słynne *traboules*, korytarze i przejścia w budynkach, które umożliwiały przedostawanie się z jednej ulicy na drugą. Połączyły one stary Lyon z Croix Rousse, żeby można było transportować cenny jedwab bez narażania go na niszczące działanie deszczu.

Nacisnął dzwonek w zniszczonym budynku; w kącie przy drzwiach piętrzyły się puste butelki i plastikowe pojemniki. Jakiś dziecięcy głos zapytał przez domofon:

– *Allô?*

– Przepraszam, czy mieszka tutaj Rose Deveroux?

Zdenerwowana Rose ustawiała spodki pod filiżankami. Kuchnię wypełniał zapach kawy z cynamonem. Dźwięk głosu szefa wyprowadził ją z równowagi. Nadal drżała i chociaż próbowała to ukryć, splatając mocno dłonie, jej ruchy były wymuszone, jak u robota.

– Ja... Pewnie się pani zastanawia, co tu robię – zaczął Thomas.

Rose nie odpowiedziała, koncentrowała się na skomplikowanym zadaniu, jakim było wlanie kawy do filiżanek bez poplamienia obrusa w stokrotki. Chłopiec, który podniósł słuchawkę domofonu, siedział w salonie przed telewizorem pochłonięty oglądaniem kreskówki.

– Dziś rano, kiedy przyszedłem do biura, poinformowano mnie, że pani już tam nie pracuje, i szczerze mówiąc, nie jestem w stanie tego zrozumieć. Jeśli rzeczywiście jest pani chora, wystarczyło poprosić o zwolnienie i po sprawie. W czasach kryzysu porzucanie takiej pracy jak ta, którą miała pani, to szaleństwo.

Thomas nie wiedział, jak przejść do nurtującej go kwestii: czy Rose zrezygnowała z pracy z powodu tego, co się między nimi wydarzyło. Patrzył, jak przynosi cukierniczkę i maślane ciasteczka, po czym siada w milczeniu przy stole.

– Nie jest mi tak źle. Przed południem opiekuję się tym chłopcem. W przyszłym tygodniu zacznę inną pracę, będę wieczorami dotrzymywała towarzystwa jakiemuś starszemu panu. Jeśli nie znajdę niczego innego, wrócę na wieś do rodziny.

– Gdzie mieszka pani rodzina? – zapytał, czując ulgę, że może porozmawiać o jakichś błahostkach.

– W Berzé-la-Ville. Zajmują się uprawą winorośli, beaujolais. Pracują w spółdzielni.

Thomas patrzył na mały wir, który tworzyła w filiżance jego łyżeczka, gdy mieszał cukier w kawie. Rose spojrzała na niego ze smutkiem. Próbowała wyryć sobie w pamięci tę twarz, która miała wkrótce zniknąć z jej życia. Tyle razy o tym marzyła! Siedzą razem w kuchni, z filiżankami kawy w dłoniach, opowiadają o sobie, o swoich pragnieniach, o tym, jaki był głupi, że tak późno zdał sobie sprawę, że ona jest kobietą jego życia... Przez moment cieszyła się tą chwilą, chciała, żeby trwała, żeby się nie rozwiewała, miała nadzieję, że Thomas wypowie magiczne słowa, na które tak długo czekała, by jej życie odwróciło się o sto osiemdziesiąt stopni i obrało nowy kurs.

– Swoją drogą, bardzo dobra kawa. Nigdy nie piłem kawy z cynamonem – rzucił Thomas.

Nie miał pojęcia, o czym myśli Rose. Próbował znaleźć jakiś odpowiedni temat do bezpiecznej rozmowy. Uznał, że mogliby podyskutować o winach, w końcu tym zajmowała się jej rodzina. Natychmiast przekonał się do tego pomysłu, jego tchórzliwy sposób rozumowania zwykle pozwalał mu z łatwością wygrać każdą partię.

– Po co pan przyszedł? – zapytała niespodziewanie Rose.

Nie był na to przygotowany.

– Chciałem tylko wiedzieć, jak się pani czuje.

Zaraz pożałował swoich słów, niewłaściwego sposobu, w jaki je wypowiedział – jakby skrywał się za nimi. Przez chwilę dane mu było obserwować na twarzy Rose, jaki wywołały efekt. Poczuł się winny, bo nie umiał jasno przedstawić przyczyn swojej wizyty.

– To kłamstwo – wyrzucił z siebie nagle. – Sądzę, że zwolniła się pani z powodu incydentu podczas tamtej imprezy. Myślę, że uznała pani, iż musi odejść, bo znalazła się pani w niezręcznej sytuacji, postanowiła więc pani zniknąć, zanim wrócę do pracy. Mam wyrzuty sumienia, w żadnym momencie nie obarczałem pani odpowiedzialnością za to, co się stało.

– Ja… – zaczęła Rose.

– Podejrzewam – ciągnął Thomas, nie dając jej dojść do słowa – a raczej wiem, że nie pomogłem pani w uwolnieniu się od poczucia winy. Uprzedzam, że nie pozwolę, żeby porzuciła pani pracę na stanowisku mojej osobistej sekretarki. Jest pani najlepszą asystentką, jaką kiedykolwiek miałem, i jeśli będzie pani obstawała przy tym, żeby odejść, musi pani wiedzieć, że głęboko mnie to dotknie. Tak więc błagam panią, żeby jeszcze raz przemyślała pani swoją decyzję.

Thomas przerwał. Był zaskoczony swoją przemową, ale zarazem zadowolony.

Wstał, sięgnął po marynarkę, a wkładając ją, dodał:

– Jest pani cudowna, proszę mnie nie opuszczać.

Rose odważyła się przez moment otwarcie spojrzeć mu prosto w oczy. Ogarnęło ją nieodparte pragnienie, by wyznać Thomasowi miłość, ale po chwili zastanowienia postanowiła zachować milczenie. Mogła jedynie spuścić głowę i przytaknąć jego słowom, które brzmiały szczerze.

Kiedy została sama, powietrze nadal przypominało o jego zapachu, o jego obecności. Na samo wspomnienie jęków i smaku skóry Thomasa przeszedł ją dreszcz. Zrezygnowana zadzwoniła do córki staruszka i przeprosiła, że nie będzie mogła przyjąć tej pracy.

Zmywając filiżanki po kawie, pomyślała, że zachowa swoje wyznanie miłosne na inny moment, który bez wątpienia kiedyś nadejdzie.

42

Po ostatniej wizycie u Magika gniew zatruł ciało Janika niczym jad. Była niedziela. Mrok nocy czynił jego myśli jeszcze czarniejszymi, postanowił więc nie czekać i pójść do opactwa. Porywisty wiatr od gór niósł ze sobą ciepło bijące od skał. Las budził w nim grozę: krzaki poruszane wichrem, niespokojne gałęzie, które jak gigantyczne szpony kołysały się w rytmie porywów. Nie potrafił nie ulec tej atmosferze, trzaskom i dziwnym odgłosom. Poczuł wzburzenie, które kilka metrów dalej zamieniło się w strach. Musiał wyjść spośród tych cieni, jeśli nie chciał dać za wygraną. Wreszcie zobaczył, że jest już niedaleko opactwa.

Kilkakrotnie zastukał kołatką. Blanc nie odpowiadał. Postanowił okrążyć dom. Podszedł do niepozornych drewnianych drzwi na tyłach budynku.

– Blanc, to ty?

– Stać! – wykrzyknął znany mu głos. – Kto się tu kręci?

– To ja, Janik.

Dozorca wyszedł z ciemności, trzymał w dłoni latarkę.

– Skąd ci przyszło do głowy, żeby zjawić się tu o takiej godzinie?

– Muszę cię o coś zapytać – odpowiedział Janik, próbując odzyskać hart ducha. – Szukałem cię w ośrodku.

– Byłem zajęty – odparł Blanc zdecydowanym tonem. – Czego chcesz?

Chłopak zamilkł na moment, przełknął ślinę, czekając, aż znowu wzbierze w nim gniew. Był przekonany, że ten mężczyzna musi mieć choć odrobinę zdrowego rozsądku. Wreszcie zdobył się na odwagę.

– Chodzi o Irinę.

– Mówiłem ci już, że zabrał ją diabeł, ale mi nie uwierzyłeś.

Duszę Janika znów zalała złość.

– Przychodziła na zabiegi?

Blanc podniósł ostrzegawczo palec i podszedł do niego. Twarz starca oświetlał blask latarki.

– W tej chwili słucha nas diabeł – szepnął mu na ucho. – Nie masz pojęcia, do czego jest zdolny. Nie zamierzam o niczym ci opowiadać. Nie będę tym, który rozpęta jego gniew.

Janik pomyślał, że Blanc się z nim droczy, ale kiedy spojrzał mu w oczy i zobaczył jego poważną twarz, zrozumiał, że starzec święcie wierzy w to, co mówi. W tym momencie zdał sobie sprawę, że dozorca ukrywa przed nim prawdę, i poczuł się tak, jakby jakiś mały zatruty odłamek wchodził mu prosto w serce.

Blanc zniknął tam, skąd przyszedł, a Janik stał nieruchomo, patrząc zagubionym wzrokiem, pewien, że nie odkryje powodu śmierci Iriny. Nagle doświadczył jasności umysłu, która nie miała nic wspólnego z uczuciami. Irina musiała przywieźć ze swojego kraju coś więcej niż siłę woli i ślepe posłuszeństwo wobec trenerów. Blanc w jakiś sposób to odkrył. Starzec sądził, że zabił ją diabeł. „Ale czy jego obsesja nie mogła zostać wykorzystana przez kogoś innego?", myślał.

Przez moment mignęła mu przed oczami twarz Franka Stone'a.

43

Telefon zadzwonił w środku nocy i przerwał głęboki sen Thomasa. Potrzebował chwili, by zrozumieć, że obudził go dźwięk komórki. Po omacku zapalił lampkę i spojrzał na wyświetlacz, który wibrował, rozjaśniał się i gasł. Szybko odebrał.

– George, na Boga! Wiesz, która godzina?

– Czyżby nie było o pięć godzin wcześniej niż w Waszyngtonie?

– Pomyłka.

– Czasami mieszają mi się te wszystkie strefy czasowe... Mógłbyś żyć jak inni moi znajomi, tu, w Stanach Zjednoczonych, to bardzo duży kraj, dla wszystkich wystarczy miejsca. Ale nie, ty musiałeś wyjechać na to zadupie. No nic, skoro już się obudziłeś, nie ma o czym mówić.

– Przysięgam, że mi za to zapłacisz. Nie wiem jak, ale zapłacisz.

– Już ci zapłaciłem, bo oddałem się całym sercem i całą duszą twojej sprawie i sprawdziłem kilka drobiazgów. – Zrobił przerwę.

– Zamierzasz tu wrócić?

Thomas usiadł na łóżku.

– To takie ważne?

– Aha.

– No już, opowiadaj...

– Okay. Perła w koronie nazywa się Repoxygen. To terapia genowa do zwalczania anemii opatentowana przez laboratoria Oxford BioMedica. Robiono doświadczenia na myszach, które wychodziły z anemii i odzyskiwały normalny poziom czerwonych krwinek. Według strony internetowej laboratorium Repoxygen znajduje się jeszcze w fazie badań przedklinicznych, czyli nie może być zastosowany u ludzi. Sprawdziliśmy jednak, że jest już dostępny na czarnym rynku i używają go lekarze sportowi pozbawieni skrupułów.

Dzięki niemu organizm może stale pobierać EPO – wyrecytował George jednym tchem.

Thomas nie mógł wyjść ze zdumienia. Rozwiały się resztki snu.

– To jakieś science fiction.

– Bynajmniej. Już w dwa tysiące szóstym roku odbył się proces przeciwko Niemcowi Thomasowi Springsteinowi, trenerowi i partnerowi lekkoatletki Grit Breuer, która często trafiała na podia podczas światowych zawodów w biegach na czterysta metrów. W e-mailu okazanym jako dowód w sprawie Springstein prosił holenderskiego lekarza Bernda Nikkelsa o informacje, jak zdobyć Repoxygen.

– W dwa tysiące szóstym roku? Mówiłeś przecież, że nie daje się go ludziom.

– Zawsze znajdą się jacyś pomyleńcy. Wprowadzenie DNA do ciała sportowca za pomocą nieaktywnego wirusa może zaburzyć kod genetyczny i sztucznie poprawić osiągnięcia lekkoatletyczne, zwiększając masę mięśniową i przepływ krwi – wyjaśnił George. – A to wabik dla bezmózgowców, chociaż nie daje żadnych gwarancji, bo nieznane są skutki uboczne.

– Trudno uwierzyć, że to wszystko prawda – stwierdził Thomas, sięgając po notes leżący na szafce nocnej, żeby zapisać kilka rzeczy.

– Ale tak jest. W dodatku jedynym sposobem na odkrycie oszustwa byłoby wykonanie przed zawodami biopsji tkanki mięśniowej i poddanie próbki skomplikowanym badaniom genetycznym. A to, rzecz jasna, nie zostałoby dobrze przyjęte przez sportowców.

– W porządku, a czego się dowiedziałeś?

– Powęszyłem trochę i dostałem cynk, który bardzo dobrze rokuje. DEA zorganizuje obławę w południowej części Nowego Jorku. Powiedziano mi, że jest tam nielegalne laboratorium produkujące leki. Prowadzą je twoi znajomi, Rosjanie. Pomyślałem, że będziesz zainteresowany.

– Zaraz kupię bilet do Nowego Jorku – powiedział Thomas. – Zadzwonię, jak tylko będę miał rezerwację.

– Kiedy przylecisz, przekonasz się, że nie ma nic lepszego niż powrót do domu.

– Na pewno. Dzięki, George.

– Nie ma za co. Sam widzisz, ile trzeba zrobić, żeby zobaczyć się z przyjacielem.

Samolot z Zurychu wylądował na lotnisku JFK o dziewiątej rano. Thomas wsiadł w pierwszą wolną taksówkę i udał się prosto do siedziby DEA.

Obławę przeprowadzono o świcie; chociaż George wolałby, żeby Thomas w niej uczestniczył, z obawy przed wyciekiem informacji przyspieszyli całą akcję. Wysłano METS, mobilne siły wsparcia wyspecjalizowane w tego rodzaju operacjach, które zazwyczaj organizowały akcje na obszarach wiejskich i w małych ośrodkach miejskich o ograniczonych możliwościach zwalczania przestępczości zorganizowanej. Było to poważne wyzwanie, tym bardziej kiedy miało się do czynienia z mafią ze Wschodu.

Wprawdzie lotnisko dzieliło od miasta zaledwie siedemnaście kilometrów, natężenie ruchu było jednak tak duże, że dostanie się do centrum zajęło Thomasowi ponad pół godziny.

– A niech to, George! – wykrzyknął na widok przyjaciela, przypinając sobie identyfikator do klapy marynarki. – Ależ ty straciłeś co najmniej pół kilograma…

– Ja też się cieszę, że cię widzę, cholerny Francuziku.

Zwarli się w serdecznym uścisku. Od spotkania w Lyonie nie mieli okazji, żeby się zobaczyć. Thomas uświadomił sobie, że tęskni za starym kumplem.

– Jak podróż? – zapytał George.

– Wspaniale. Przespałem cały lot.

– A stewardesy?

– Okropne, do tego wszystkie z obrączkami na palcach – odparł z kpiną.

– Widać, że kryzys czyni spustoszenia we wszystkich branżach. Redukują nawet najpotrzebniejszy personel. Nie wiem, dokąd nas to zaprowadzi – westchnął George.

– Jak poszła obława? Znaleźliście coś? – zapytał Thomas, zmieniając temat.

George z uśmiechem podniósł kciuk na znak, że operacja zakończyła się sukcesem.

– Chodźmy do mojego tymczasowego gabinetu.

Poprowadził go szerokim, długim korytarzem do jednych z ostatnich drzwi. Pokój był mały, kwadratowy, o jasnoszarych ścianach, wyposażony w biurko, komputer, aparat telefoniczny i metalową szafę na dokumenty. Ekspres tej samej marki co kawa reklamowana przez George'a Clooneya stanowił w tym pomieszczeniu jedyny luksus. Nie było okien, zamiast nich wzdłuż dolnej części ściany umieszczono małe kratki wentylacyjne.

– Przygnębiające miejsce – mruknął Thomas, rozejrzawszy się dookoła.

– Ale praktyczne. Chodź, siadaj, wszystko ci opowiem.

Thomas posłuchał.

– Chcesz kawy? *Ristretto*, *lungo*, *cosi?*

– Jeśli nie masz mleka, wolę jakąś słabą – odpowiedział Thomas, reagując uśmiechem na nieoczekiwane wyrafinowanie przyjaciela.

– Wobec tego jedna kapsułka kawy *cosi*, intensywność trzy. Słodzisz?

– Tak, poproszę dwie łyżeczki.

George wyjął brązową kapsułkę i włożył ją do ekspresu. Po chwili zapach kawy wypełnił pokoik, który jak za dotknięciem czarodziejskiej różdżki stał się trochę przytulniejszy.

– Złapaliśmy wszystkich – powiedział George. Podał mu filiżankę i usiadł.

Thomas pokiwał głową z aprobatą.

– Znaleźliśmy rzędy worków gotowych do załadowania na ciężarówki. Kompletnie ich zaskoczyliśmy. Niczego się nie spodziewali. Nie wyobrażasz sobie, jak mieli to wszystko zorganizowane… To był stary magazyn z używanymi oponami. Z zewnątrz nie rzucał się w oczy, wokół znajduje się mnóstwo identycznych budynków, ale w środku… Och, przyjacielu! Zrobili z niego nowoczesne laboratorium.

– Jak na to wpadliście?

– Przez zużycie prądu. Rachunek był zbyt wysoki jak na zwykły magazyn, w którym niczego się nie produkuje. Zatrzymaliśmy pracowników laboratorium, dwóch kierowców, którzy czekali w ciężarówkach, trzech osiłków ładujących worki, a co najlepsze, herszta i jego dwóch goryli. Co do towaru, dopiero za kilka dni będziemy wiedzieli, ile skonfiskowaliśmy.

– Było tego aż tyle?

– Nawet sobie nie wyobrażasz. Ta operacja to prawdziwy sukces.

– Któryś z zatrzymanych coś zeznał?

– Nie, i żaden tego nie zrobi. Ukraińskim pracownikom pewnie nawet nie przyszło to do głowy. Są zdyscyplinowani, ze starej radzieckiej szkoły, z tych co to przeszli przeszkolenie wojskowe.

– George zobaczył, że Thomas kiwa głową i krzyżuje ramiona. – Nie sposób było cokolwiek z nich wyciągnąć. Poza tym na pewno im grozili zabiciem kogoś z ich rodziny, żeby nie puścili pary z ust. Z szefami wschodnich mafii nie ma żartów. Dokonanie egzekucji, nawet na Ukrainie, to dla nich żaden problem. Zajrzą pod każdy kamień. Są zimni, wyrachowani, a co najgorsze, bardzo inteligentni. Zobaczysz ich szefa, już sam jego widok budzi szacunek. Nie znoszę mieć do czynienia z takimi ludźmi – podsumował George, bawiąc się kablem telefonu. – Moja jedyna nadzieja w herszcie. Nie sądzę, żeby chciał spędzić kilka lat w więzieniu, liczę na to, że przystanie na jakiś układ. Jeśli chcesz, możemy złożyć mu wizytę.

Thomas zgodził się z ulgą, miał wrażenie, że gabinet z minuty na minutę robi się coraz mniejszy i zaraz go zgniecie.

Filmy wiernie odtwarzają wygląd pokoju przesłuchań. Jedną ze ścian zajmowała w całości duża szyba. Thomasowi trudno było przywyknąć do tego, że on może widzieć dokładnie całe pomieszczenie, a zatrzymany patrzy jedynie na własne odbicie. W środku siedział przykuty kajdankami do krzesła mały człowieczek, który z powodu szczupłej sylwetki i niskiego wzrostu od tyłu wyglądał jak chłopiec. Miał jasne włosy obcięte po wojskowemu; blada twarz kontrastowała z pełnymi, intensywnie czerwonymi wargami. Był bez koszulki, na jego nagim torsie odznaczały się rzędy żeber. Thomasa zdziwiło, że nie ma żadnych tatuaży.

– Iwan Puskin – przeczytał George z jednej z kartek – urodzony w Tallinie trzydzieści osiem lat temu. W wieku czternastu lat opuścił dom, włóczył się po ulicach, kradnąc co się dało, do czasu, aż go przyskrzynili. Spędził dwa lata w poprawczaku, z którego uciekł. Został znowu zatrzymany, tym razem za zamordowanie kobiety, i posłany do więzienia w Kijowie. Po dziewięciu latach wyszedł warunkowo. Wiadomo, że służył jako najemnik w Czeczenii, potem wrócił do swojego kraju. Nie mamy informacji, czym się tam zajmował, ale w tym czasie skończył anglistykę i studiował fizykę.

– George uniósł brew, by wyrazić niedowierzanie.

– Prawdziwy przykład zwycięstwa nad samym sobą – zażartował Thomas. Widać było, że czuje się niekomfortowo; nie lubił aresztów ani pokoi, w których przesłuchiwano podejrzanych. W jednej chwili zamieniały człowieka w zwierzę zapędzone w pułapkę.

– A to skurwysyny…! Mówiłem ci, że są sprytni – skwitował George i spojrzał na Thomasa, szukając u niego zrozumienia. – Aż do dziś nie miał więcej problemów z prawem. Nasi agenci poinformowali mnie, że przyjechał do Stanów Zjednoczonych legalnie, na stypendium naukowe. A to dobre! Jego trop urywa się cztery lata temu. Od tamtej pory uważa się go za jednego z szefów rosyjskiej mafii. Prawdopodobnie odpowiada za śmierć co najmniej pięciu rodaków, których znaleziono w lutym dwa tysiące jedenastego roku zakutych w kajdanki i spalonych.

– Niezłe ziółko! – wykrzyknął Thomas.

Jeden z kolegów George'a podszedł do nich i szepnął:

– Prowadzimy przesłuchanie od siedmiu godzin, ale nic nie powiedział. Moglibyśmy wsadzić go na jakiś czas do celi, może tam zrozumie, co czeka go przez kolejne lata, i zdecyduje się współpracować.

– Dobry pomysł – powiedział George. – Ale strzeżcie go jak oka w głowie. Chcę dla niego celi monitorowanej przez dwadzieścia cztery godziny na dobę.

Mężczyzna przytaknął. Wydał rozkaz swoim towarzyszom, którzy weszli do pokoju. Thomas zobaczył, jak trzech policjantów otacza Rosjanina, odpina kajdanki od krzesła i zapina mu je ponownie na nadgarstkach. Iwan Puskin ruszył w jego stronę; Thomas instynktownie przywarł do szklanej ściany, żeby go przepuścić. Kiedy zatrzymany znalazł się tuż przed nim, przystanął, i na chwilę, która dla Thomasa trwała wieczność, ich spojrzenia się skrzyżowały; wzrok Puskina był zimny i ostry. Potem Iwan się uśmiechnął. Po kręgosłupie Thomasa przeszedł dreszcz.

44

Podczas samotnych seansów medytacji Janikowi ukazywały się jak w przebłyskach pamięci chwile z przeszłości spędzone u boku Iriny. Przypominał sobie drobne szczegóły, dotyczyły zwłaszcza aspektów osobowości, które uważał za najciekawsze, jak harmonijne ruchy przyjaciółki czy powściągliwość w doborze słów. Wykorzystywał mechanizm, który kilka lat wcześniej służył mu do wyobrażania sobie erotycznych spotkań z dziewczynami. Teraz Irina była jedyną bohaterką jego fantazji. Czasami czuł wstyd albo wyrzuty sumienia, kiedy indziej budziło się w nim niepohamowane pożądanie. Wspomnienia dopadały go wszędzie. Odkrył, że ta obsesja pomaga mu w osiąganiu celów. Podczas treningów pamięć o Irinie była dla Janika tym, czym jest dla charta metalowy zając, pchała go do przodu. Myślał o niej, kiedy robił sobie w łazience zastrzyki w nogi i powstrzymywał się, by nie krzyczeć, gdy igła przebijała mu skórę. Myślał o niej w środku nocy, gdy budził go alarm w pulsometrze, ostrzegając, że ma bardzo niskie tętno i jeśli się trochę nie pogimnastykuje, krew przestanie mu płynąć w żyłach. Oczywiście nikomu o tym nie powiedział. Kiedy wygrywał jakiś wyścig, spoglądał w niebo i dedykował zwycięstwo Irinie – może go obserwowała jako wyjątkowy widz.

Janik uważał, że może wycisnąć swoje ciało aż do ostatniej kropli talentu. Jakże się mylił! Uległ namowom Franka, tego Franka, który budził w nim wstręt. Zrobił to dla Iriny, żeby opłacić prywatną klinikę dla matki, żeby współzawodniczyć na równi z innymi. Uderzył pięścią w ścianę. Jak miał odmówić podium na mistrzostwach Europy? Zdobycie medalu wydawało mu się teraz takie łatwe. Ethan miał rację we wszystkim, co powiedział w szpitalu. Janik znów walnął w ścianę, tym razem z większą wściekłością. Musiał przestać myśleć albo oszaleje. „To niesprawiedliwe, to niesprawiedliwe", powtórzył niczym złe echo.

45

Laurę obudził krótki SMS od Thomasa, w którym wyjaśniał, że w związku ze śledztwem leci do Nowego Jorku.
– W takim razie powodzenia – powiedziała na głos urażona. Nie zadał sobie trudu, żeby do niej zadzwonić, ani nie zaproponował, żeby mu towarzyszyła, nawet się nie pożegnał. Nadal czuła na ustach dotyk jego warg. Rzuciła się w jego ramiona jak idiotka, nie bacząc na konsekwencje. Pomyślała o jego dłoniach i szerokich, silnych barkach; bez wątpienia pociągał ją przede wszystkim fizycznie. Do tego dochodziły przewrotność i rozwiązłość, którym nie potrafiła się oprzeć. Zdecydowanie chciała z nim pójść do łóżka. Przestała się oszukiwać – po tym, co zaszło dzień wcześniej, trudno było zaprzeczać faktom. Może część winy ponosiły hormony i to, że od kilku miesięcy z nikim nie spała; z drugiej strony podobało jej się to, co powiedział Thomas o relacji z kobietą opartej wyłącznie na seksie. Naiwnie zinterpretował jej reakcję jako wstyd, podczas gdy tak naprawdę poczuła podniecenie. Postanowiła, że pójdzie z nim do łóżka, jak tylko skończą śledztwo, a ona wróci do pracy w szpitalu.

Zeszła do kuchni. Wyciskając sok z pomarańczy, wolną ręką wybrała numer Pietrowa. Jakiś kobiecy głos uprzejmie poinformował, że telefon jest wyłączony lub poza zasięgiem. Zamyślona wypiła na stojąco sok, po czym podeszła do kalendarza, by skreślić kolejny dzień. Było to jak bieg z przeszkodami, z metą zaznaczoną dużym zielonym kółkiem. Poczuła, jak w jej żołądku tworzy się pajęczyna nerwów. Instynktownie pogładziła ręką brzuch. Wiedziała, że to kwestia wyobraźni, ale czasami miała wrażenie, że tam w środku coś rośnie. Po jej policzku spłynęła ukradkiem łza. Otarła ją drżącą dłonią. Wzruszała się na samą myśl, że może zostać matką.

Było późno, kiedy skończyła czytać raport Neuilly'ego. Zjadła coś i pospiesznie wyszła z domu, by udać się do apteki wujka Iriny. Wzięła taksówkę. Kiedy dojechała do *vieille ville* w Montreux, taksówkarz zauważył, że zamknięto drogę.

– Pani wybaczy, ale dalej nie pojedziemy. Jedyna ulica, którą moglibyśmy się dostać na miejsce, została wyłączona z ruchu. Jeśli pani pozwoli, wysadzę panią tutaj, bliżej nie dam rady.

– W porządku, proszę się nie przejmować, dalej pójdę pieszo.

Laura skręciła w stronę deptaka. Przy wlocie ulicy zobaczyła żandarma stojącego z założonymi rękami. Ruszyła w jego kierunku.

– *Excusez-moi*, mógłby mi pan powiedzieć, co się stało? – zapytała.

– Wybuchł pożar.

– Gdzie?

– Przykro mi, proszę pani, ale jeśli nie mieszka pani na tej ulicy, nie mogę pani przepuścić ani udzielić więcej informacji.

– Wie pan, czy znajdę tu gdzieś sierżanta Fontaine'a? Mógłby pan zadzwonić i zapytać? Jestem doktor Terraux, lekarz medycyny sądowej ze szpitala Chablais.

– Chwileczkę – odpowiedział po chwili wahania.

Policjant odwrócił się i wcisnął guzik na ramieniu. Wykręcił szyję, żeby porozmawiać przez walkie-talkie umieszczone na górnej części jego piersi. Odpowiedź musiała być twierdząca, bo przepuścił Laurę za żółtą barierkę, która zagradzała uliczkę.

– Znajdzie pani sierżanta Fontaine'a za następnym rogiem po prawej stronie.

– *Merci beaucoup*.

Oczom Laury ukazała się iście dantejska scena. Poczuła dreszcz, który zatrzymał na moment bicie jej serca i zmroził dłonie. Apteka Vasil była spalona. Laura odruchowo zasłoniła usta dłonią.

Fontaine szedł jej na spotkanie zdecydowanym krokiem.

– Kiedy doszło do pożaru? – zawołała Laura z daleka.

Sierżant zaczekał z odpowiedzią, aż znalazł się przy niej.

– Dziś w nocy. O trzeciej ktoś zadzwonił na numer alarmowy z ostrzeżeniem o pożarze. Kiedy przyjechali strażacy, niewiele można już było zrobić, ogień pochłonął większą część domu.

– A pan Pietrow?

Patrick pokręcił głową.

– W aptece nie znaleziono żadnego ciała. Miejsce pobytu farmaceuty nadal nie jest znane. Wiemy natomiast, że to było celowe działanie. Budynek został oblany olejem napędowym i podpalony racą rzuconą z zewnątrz.

Ruszyli razem w stronę apteki. Służby ratunkowe już odjechały. Chodnikiem nadal płynęły strumyki wody. Kilka osób wychylało się z okien, szepcząc między sobą. Grupka ciekawskich stojących u wylotu ulicy oglądała ze zdziwieniem to, co zostawił po sobie ogień.

– Chodziliśmy od drzwi do drzwi, wypytując sąsiadów. Ze względu na porę, w której wybuchł pożar, trudno się będzie czegokolwiek dowiedzieć. Zobaczymy. Trzeba zaczekać.

Laura skinęła głową ze wzrokiem wbitym w to, co do niedawna było domem Iriny.

– Jak pan myśli, co się stało z Pietrowem?

– Szczerze mówiąc, na razie nie mamy żadnej hipotezy. Zawiadomieni zostali wszyscy policjanci. W garażu nie było samochodu, więc podaliśmy im rysopis Pietrowa i szczegóły dotyczące pojazdu. Skontaktowaliśmy się ze wszystkimi szpitalami i przychodniami w okolicy. Jak już mówiłem, dowiedzenie się czegoś wymaga czasu.

Laura szła dalej. Dotarł do niej zapach, jaki zwykle towarzyszy pożarom – gęsty odór palonego plastiku. Przeszła pod taśmą ogradzającą miejsce przestępstwa, smród dymu był coraz silniejszy. Popiół fruwający w powietrzu przyklejał jej się do skóry, pod stopami chrzęściło szkło. Szła jak zahipnotyzowana. Trudno jej było uwierzyć, że stała tu kiedyś apteka Vasil. Ziemię pokrywały poczerniałe od sadzy błoto i woda. Zewnętrzne mury wznosiły się dumnie, osmolone dymem; płomienie zniszczyły dach, pozostały jedynie czarne belki, które wcześniej ciągnęły się wzdłuż sufitu. Meble praktycznie zniknęły, przynajmniej w ich pierwotnej formie; wszędzie walały się kawałki spalonego drewna tworzące dziwne figury. Laura z trudem oddychała, usta wypełnił jej smak węgla.

Kiedy zaniosła się gwałtownym kaszlem, sierżant objął ją w talii i delikatnie wyprowadził na zewnątrz.

– Chodźmy, pani Lauro, tu nie ma już nic do oglądania.

Zmartwiona wróciła do domu. Coś źle poszło, a teraz mogło być już tylko gorzej.

„A przeklęty Thomas siedzi sobie w Nowym Jorku", pomyślała ze złością. Nie mogła zrozumieć, dlaczego nie ma go tam, gdzie jest potrzebny.

Dzień w Wielkim Jabłku upłynął raczej pod znakiem porażek niż zwycięstw. Nie zrobili postępów, jeśli chodzi o przesłuchiwanie zatrzymanych. Policyjne śledztwo toczyło się dalej. Na konferencji prasowej George dał upust swojej aktorskiej wenie, Thomasowi zaś nie pozostawało nic innego, jak trzymać się na uboczu. Postanowili coś zjeść, zanim Thomas pojedzie do hotelu, w którym obaj wynajmowali pokoje. Chciał wziąć prysznic i trochę się przespać.

Na Czterdziestej Czwartej Ulicy, za Międzynarodowym Centrum Fotografii, znajdowało się Café Un Deux Trois. Lokal, w którym zawsze panował duży ruch, zachował urok restauracji z epoki: kanapy obite brązową skórą, okrągłe stoliki ze starymi drewnianymi krzesłami, kryształowe żyrandole i kolumny wykończone kapitelami z motywami roślinnymi, które Thomasowi podobały się najbardziej.

– Dziś odpuszczam sobie dietę – zadeklarował uroczyście George. – Ale nie waż się o tym wspomnieć Catherine.

– Masz moje słowo. – Żeby podkreślić wagę chwili, Thomas podniósł prawą rękę, jakby przysięgał przed sądem.

– Pajac z ciebie.

– Nie mogę się powstrzymać, żeby cię nie naśladować.

Usiedli niedaleko baru, przy stoliku nakrytym nieskazitelnie białym obrusem, z materiałowymi serwetkami i małą świeczką na środku.

– Jako że to nie jest romantyczny obiad, zabieram ją – powiedział George, sięgając po świeczkę. – Przyprawiają mnie o ciarki, przypominają mi horrory, które oglądałem jako dziecko.

– Chyba żartujesz.

– Wcale nie. Zresztą zostawiam takie akcesoria dla ciebie i twoich zdobyczy.

Podszedł kelner, żeby przyjąć od nich zamówienie. Nie musieli zaglądać do menu, obaj już wcześniej wiedzieli, na co mają ochotę.

– Dla mnie *Bœuf Bourguignon* i zielona sałata – powiedział Thomas.

– Ja poproszę hamburgera z baraniny z curry, kminkiem i kolendrą – dodał George.

– A co do tego? – zapytał kelner. – Cebulki perłowe i podsmażane grzyby czy frytki?

George wahał się przez chwilę, spojrzał na swój brzuch i westchnąwszy, wybrał frytki. Thomas zamówił do picia butelkę pinot noir, a George coca-colę.

– Mam dla ciebie sensacyjną wiadomość, która wkrótce zostanie upubliczniona – powiedział podekscytowany George.

– O co chodzi?

– Kiedy kolarzowi Floydowi Landisowi odebrano w dwa tysiące dziesiątym roku zwycięstwo w Tour de France, ujawnił, że Lance Armstrong stosuje środki dopingujące.

– Niemożliwe. Armstrong to narodowy bohater, nie tylko wygrał z rakiem, ale i założył fundację do walki z tą chorobą. Widziałem, jak pedałuje z którymś prezydentem, zamierzał nawet kandydować w wyborach na gubernatora Teksasu.

– Tak, tak, ale nie wiesz, że FBI uwierzyło Landisowi. Powierzyło kierowanie śledztwem agentowi federalnemu Jeffowi Novitzky'emu. Ten Novitzky to urodzony myśliwy, kiedy wywęszy zdobycz, już jej nie odpuści. Z pomocą innych agentów federalnych przesłuchał wszystkie osoby związane z Armstrongiem. Przedstawił swoje dowody ławie przysięgłych w Los Angeles, która zdecydowała o umorzeniu sprawy.

– Do czego zmierzasz? – zapytał Thomas zaintrygowany, próbując wina.

– Otóż agenci nie dali za wygraną i dalej zbierali zeznania, między innymi masażysty, który oświadczył, że Armstrong wstrzykiwał sobie kortyzon, czy innych kolarzy, którzy przysięgli, że brał EPO i testosteron oraz że przetaczano mu krew.

Kelner przyniósł potrawkę mięsną z pieczarkami w sosie z czerwonego wina i gotowane ziemniaki dla Thomasa oraz hamburgera dla George'a. Amerykanin w zamyśleniu przyglądał się swojemu daniu.

– Nie ma nic lepszego niż hamburger – powiedział. – Spójrz, co za rozmiar, co za kolor, co za zapach...

Thomas się uśmiechnął – jego przyjaciel przypominał dziecko przed bożonarodzeniową wystawą.

– I co teraz będzie?

– Nie wiem. Sąd federalny go uniewinnił, ale myślę, że kiedy sprawa dotrze do opinii publicznej, Lance Armstrong będzie skończony. Wkrótce odbiorą mu siedem zwycięstw w Tour de France, a wtedy wybuchnie skandal.

– Niesamowite. Ale z tego co wiem, w testach antydopingowych nigdy nie wyszedł mu pozytywny wynik – powiedział Thomas.

– Właśnie. Choć wiadomo, że stosował doping co najmniej od dwa tysiące piątego roku. Wcale mnie nie dziwi, że zwykli ludzie traktują podejrzliwie zawodowych sportowców. Na przykład koszykarzom NBA czy piłkarzom ligi hiszpańskiej w ogóle nie bada się krwi. Tym pierwszym dlatego, że sprzeciwia się temu ich związek zawodowy, a federacja tych drugich argumentuje, że kontrole są bardzo drogie – wyjaśnił George, zanim zabrał się za swojego hamburgera.

– W takim razie nikomu nie wyszedł pozytywny wynik na EPO?

George miał usta pełne frytek, Thomas musiał zaczekać, aż je połknie, żeby usłyszeć odpowiedź.

– Otóż to. Z jakichś niezrozumiałych powodów piłka nożna i koszykówka nie zostały objęte programem paszportu biologicznego wprowadzonym przez UCI i Międzynarodową Federację Lekkoatletyczną przy współpracy Światowej Agencji Antydopingowej.

– Co to jest paszport biologiczny? – zapytał Thomas, krojąc mięso.

– To w kryminalistyce model predykcyjny podobny do tego, którego CSI używa do identyfikacji DNA na miejscach przestępstw. Program komputerowy przechowuje wyniki badań krwi i moczu robionych sportowcowi. Kiedy system wykrywa znaczącą zmianę w historii biologicznej, informacja jest przesyłana odpowiednim władzom – wyjaśnił George, maczając frytkę w sosie.

– Uważam, że każdy wyczynowiec powinien mieć taki paszport, a temu, który by odmówił, należałoby zakazać udziału w oficjalnych zawodach – orzekł Thomas.

– Całkowicie się z tobą zgadzam.

– Wracając do Armstronga, UCI nie przeprowadzała kontroli?

– Armstrong ofiarował UCI pewną sumę pieniędzy. Mówi się też, że przekupił laboratorium, kiedy po wyścigu w Szwajcarii wyszedł mu pozytywny wynik.

– Ładny mi bohater narodowy!

– No dobrze, Thomasie, chyba już pora porozmawiać o poważnych sprawach. Opowiedz mi ze szczegółami, jak to było z tym twoim trójkątem.

Hotel Dylan znajdował się między Madison Avenue i Park Avenue, na wprost największego dworca świata, Grand Central Station. Thomasowi podobało się połączenie klasycyzmu i hotelowego designu, coś pomiędzy pośpiechem ulic Wielkiego Jabłka a relaksem w fotelu przed grzejącym kominkiem. Wydawał się tajemniczym miejscem, osłoniętym przez Rockefeller Center, Times Square i Empire State Building.

Po powrocie do pokoju pomyślał, żeby zadzwonić do Laury, ale miał jej niewiele do powiedzenia, postanowił więc przełożyć rozmowę na następny dzień. Jego decyzja mogła też mieć związek z jej niespodziewanym pocałunkiem. Został postawiony w niezręcznej sytuacji. Już samo myślenie o tym psuło jego stosunki z lekarką, dotąd idylliczne. Nigdy nie dopuszczał, by jego osobiste relacje nakładały się na zawodowe. Konsekwencją przekroczenia tej granicy był koniec obu. Uznał, że mógłby poradzić sobie bez niej, jako że śledztwo toczyło się wolno i bez większych postępów. Był zmęczony, nie chciał myśleć o Laurze, Maire czy Unie, marzył jedynie o porządnym prysznicu i krótkiej drzemce.

Obudził się wystraszony. W pokoju panowała cisza. Otworzył oczy w ciemności i po kilku sekundach zrozumiał, gdzie się znajduje. Wstał z łóżka i nagi podszedł do okna. Blade światło padające z nieba zabarwionego różnymi kolorami zmierzchu pacyfikowało uporządkowany chaos, jaki panował o tej porze dnia na Manhattanie. Czuł się dobrze, wypoczęty. Stał bez ruchu, obserwując przechodzących ludzi, którzy poruszali się w przyspieszonym tempie niczym mrówki mające jakąś misję do spełnienia. Spojrzał na zegarek i ze zdziwieniem odkrył, że spał dwie godziny.

Włączył wiadomości. Po chwili przypomniał sobie o Ginie, sąsiadce z Greenwich Village. Nie miał wątpliwości, że dzięki niej lata, które spędził w Nowym Jorku, były przyjemniejsze. Znakomicie naśladowała Marilyn w klubie w Upper West Side. Jej obfite kształty w połączeniu z olbrzymimi piersiami sprawiały, że ludzie odwracali za nią głowę na ulicy. Poruszała biodrami przy każdym kroku, wyznaczając rytm stukotem cienkich szpilek. Nie wychodziła z domu bez pomalowania na czerwono ust i przyklejenia do twarzy pieprzyka. Przed wyjazdem do Lyonu Thomas podarował jej wszystkie swoje rośliny. Wybrał numer, ale nikt nie odbierał. Zostawił jej wiadomość na automatycznej sekretarce, informując, że jest w mieście i chciałby ją zobaczyć. Zamierzał się ogolić, ale w końcu uznał, że wcale nie jest mu źle z jednodniowym zarostem – nadawał mu wygląd twardziela i artysty. Założył ciemnoszary garnitur i białą koszulę. Do spotkania z George'em miał półtorej godziny i wiedział, jak spędzić ten czas.

Wszedł do Central Parku od strony Piątej Alei, bramą Vanderbilt znajdującą się między ulicami Sto Czwartą Wschodnią i Sto Piątą Wschodnią. Conservatory Garden należał do jego ulubionych miejsc w Nowym Jorku. Był to elegancki ogród o powierzchni sześciu akrów pełen fontann, drzew ozdobnych i różnorodnych kwiatów, głównie tulipanów i azalii. Thomas planował maksymalnie wykorzystać czas, zanim pojawi się strażnik z informacją, że zamykają. Ogród dzielił się na trzy części: jedną zaprojektowano w stylu angielskim, drugą we włoskim, trzecią we francuskim. Część środkowa – ogród włoski – była olbrzymim trawnikiem z fontanną na jednym z krańców. Gdy tylko Thomas znalazł się w środku, czas stanął w miejscu, stopniowo znikały hałasy nowojorskiej ulicy. Zwolnił kroku, by dostroić się do otoczenia. Charakterystyczny dla tego miasta frenetyczny chód, jakim poruszał się przed chwilą, tu wyglądał śmiesznie, był nie na miejscu. Skierował się w stronę południowego ogrodu angielskiego, słynącego z dużej różnorodności wiecznie zielonych drzew i skupisk narcyzów. Z zachwytem patrzył z daleka na zbocze porośnięte falującą, świeżo skoszoną trawą. Drobne owady latały w kółko w słabych promieniach niknącego słońca. Przepełniał go panujący w ogrodzie spokój. Zobaczył mężczyznę siedzącego przy niewielkim stawie stworzonym na cześć pisarki Frances Hodgson Burnett, autorki „Tajemniczego ogrodu". Miał na sobie dżinsy i białą koszulę, dobrze widoczną w mroku. Nieznajomy obserwował go z zainteresowaniem, otwarcie, nie silił się nawet, żeby to ukryć. Thomas nie mógł wyraźnie przyjrzeć się jego twarzy, ale zauważył, że jest niskiego wzrostu, ma ciemne włosy i kilka kilogramów nadwagi. Nie spuszczając go z oczu, ruszył w stronę ławki. Mężczyzna nie zareagował, gdy spostrzegł, że Thomas idzie w jego stronę, ale Thomas wiedział, że uważnie mu się przygląda – poczuł ciężar jego spojrzenia. Przyspieszył kroku, był już blisko nieznajomego.

Mężczyzna nagle wstał i zniknął między krzewami. Thomas nie mógł pozwolić, żeby facet mu uciekł, nie dowiedziawszy się wcześniej, dlaczego go śledzi. Puścił się za nim biegiem. Jego włoskie półbuty nie bardzo się nadawały do pościgu po trawie, kilka razy się poślizgnął i niemal przewrócił. Mógł przyspieszać dopiero w częściach ogrodu położonych w cieniu, gdzie było mniej trawy, a więcej ziemi. Nieznajomy mignął mu przez moment, w zapadającym mroku jego biała koszula była niczym latarnia. Zapuścił się do małego lasku w ogrodzie francuskim złożonego z setek buków i jesionów. Gałęzie splatały się ze sobą, nie przepuszczając słabego światła. Korzenie najstarszych drzew wychodziły z ziemi, by zawładnąć tym miejscem. Thomas potknął się, chwycił niską gałąź, żeby nie upaść; nie wytrzymała, pękła z głośnym, suchym trzaskiem. Zanim wylądował na ziemi, przytrzymał się pnia. Kiedy odzyskał równowagę i podniósł wzrok, po mężczyźnie nie było już śladu.

Ruszył dalej, choć teraz nie bardzo wiedział, w którą stronę pójść. Kilkakrotnie wydawało mu się, że widzi w mroku przelotny błysk, ale musiał to być efekt światła albo wytwór jego własnej wyobraźni. Zamknął oczy, próbując wyłowić szelest potrącanych liści lub jakiś inny hałas, który zdradziłby nieznajomego, na przykład trzask gałęzi. Niczego takiego nie usłyszał. Po kilku minutach wyszedł z lasu, przeciął esplanadę ogrodu angielskiego i opuścił Conservatory Garden północną bramą. Nagle, bez uprzedzenia, wróciły hałas i zgiełk. Oszołomiony stanął na chodniku. Odetchnął głęboko. Zastanawiał się, gdzie zniknął mężczyzna i dlaczego go obserwował. Usiadł na ławce, ignorując przetaczający się przed nim tłum. Przecież sobie tego nie wymyślił. Z jakiegoś powodu, którego nie rozumiał, ten człowiek go śledził. A to wcale mu się nie podobało. Powinien jak najszybciej zadzwonić do George'a i poinformować go o całym zajściu.

Kiedy Thomas wyszedł z parku, Piątą Aleją jechało powoli czarne luksusowe audi; znajdowało się akurat na wysokości Sto Piątej. Zwolniło jeszcze bardziej. Przyciemniane tylne szyby zaczęły się opuszczać, mężczyzna w białej koszuli uniósł lewy kącik ust w złowieszczym uśmiechu.

46

Blanc wszedł do kuchni. Niósł torby wypełnione suszonymi ziołami leczniczymi. Otworzył drzwiczki prowadzące do pomieszczenia aptecznego. Kiedy wsypał zawartość do drewnianych misek, pokój wypełnił aromat werbeny cytrynowej, kopru włoskiego, mięty, melisy i głogu. Z nostalgią pomyślał, że żaden z nich nie dorównuje zapachowi Hanny Berg, wybranki diabła. Oddzielił liście od łodyg i zamknął zioła w porcelanowych pojemnikach. Dziadek nauczył go, że dziewanna jest dobra na kaszel, krwawnik leczy rany, a nagietek lekarski zwalcza skurcze żołądka.

Rano, kiedy zdejmował rośliny z suszarki, wymyślił początek wiersza dla Hanny Berg. Za każdym razem, kiedy mijał ją w korytarzu, zamykał oczy i rozszerzał nozdrza, próbując wychwycić jej zapach. Mgliste wspomnienie tego aromatu przetrwało wyryte gdzieś w mózgu Blanca – musiał się pospieszyć, jeśli chciał je oddać w wierszu, zanim zupełnie zniknie.

Delikatne, ulotne wrażenie, które przy mnie trwa
wciąż smakuje mi tobą,
wciąż jest przy mnie twój mocny, powracający zapach,
wdycham go od razu, spragniony po długiej nieobecności.

Usiadł, zdecydowany dokończyć wiersz. Nie należało kazać diabłu czekać.

47

Noc była spokojna i ciemna. Powietrze stało, dźwięki, nawet odgłos wody uderzającej o pomost, dochodziły przytłumione. Jezioro rozciągało się pod niebem bez księżyca, czarne i tajemnicze. Chłopak przystanął na chwilę, żeby odpocząć, po czym wrócił do pedałowania. Pas sosen nie pozwalał mu dostrzec celu podróży. Dziesięć minut później dotarł do plaży. Ukrył rower w krzakach razem z czerwonymi płóciennymi trampkami i zjechał na bosych stopach z małej wydmy. Miał na czole latarkę, która oświetlała miejsce, gdzie powinien zrobić kolejny krok, ale niewiele więcej. Piasek był zimny – przyjemnie masował podeszwy zmęczone długim pedałowaniem. Sophie jeszcze nie przyszła. Zachciało mu się zamoczyć nogi, podszedł więc do jeziora. Ziarnka piasku ustąpiły miejsca małym ostrym kamyczkom, które wbijały mu się w stopy. Pierwsza fala zakryła mu kostki i niemal zmoczyła spodnie, które wcześniej sobie podwinął. Woda była lodowata, pierwszy kontakt z nią sprawił, że wstrzymał oddech, ale po chwili przyzwyczaił się do niskiej temperatury. Rozpryskiwał wodę zadowolony, widać było, że niedawno przestał być dzieckiem. Od czasu do czasu odwracał głowę, żeby sprawdzić, czy pojawiło się światło, a wraz z nim – Sophie.

Podniósł się wiatr i przegnał najczarniejsze chmury. Nagle, jak za sprawą czarodziejskiej różdżki, rozbłysnął księżyc będący w pierwszej kwadrze. Chłopaka ogarnęły wątpliwości; może mieli się spotkać w lasku sosnowym? Wiedział, że po prawej stronie od miejsca, w którym się znajduje, jest wąska ścieżka. Z trudem przeszedł po kamykach na piasek. Przeciął plażę i zaczął wchodzić dróżką biegnącą między skałami, które przypominały ogromne posągi na wpół zagrzebane w piasku. Słaby srebrnawy blask księżyca odsłaniał groźne cienie. Chłopak skierował latarkę na stopy, żeby widzieć, gdzie je stawia. Snop światła padł na kawałek materiału po jego prawej stronie. Powodowany ciekawością, zboczył z drogi. Wtedy go zobaczył.

Zniekształcona twarz wpatrywała się w niego z uwagą. Spoglądał na nią jak sparaliżowany, strach mieszał się w nim z niedowierzaniem. Nawet w najgorszych koszmarach nie wyobraziłby sobie twarzy takiej jak ta, którą miał teraz przed sobą. Nie mógł oderwać wzroku od zwłok. Leżały w naturalnym zagłębieniu terenu, częściowo zasypane piaskiem i przykryte byle jak trawą. Zmarły spoczywał na plecach z twarzą zwróconą ku chłopakowi, miał zapadnięte oczodoły, gałki wyszły mu na wierzch. Przypominały plastikowe oczy, które sprzedawano w sklepach ze śmiesznymi rzeczami. Kupił sobie kiedyś takie, miały zieloną tęczówkę, grube niebieskie żyły i przyczepione do oprawki okularów sprężyny, na których poruszały się w przód i w tył. Te oczy nie były wcale śmieszne. Nieboszczyk miał na policzku głęboką ranę. Do krwi wypływającej z rozcięcia przykleiło się trochę trawy. Chłopak poczuł niemal nieodpartą chęć, by podejść i ją usunąć.

Nagle opanował go strach. Nie pamiętał, żeby widział jakiekolwiek ślady na plaży, ale był odpływ. Nie sądził, by woda dotarła aż do miejsca, gdzie znajdowały się zwłoki, ale prawdopodobnie zmyła odciski stóp. Podejrzewał, że morderca dotarł tu tą samą drogą co on. Po plecach przeszły mu ciarki. Może nadal czyhał pod osłoną nocy, ukryty wśród drzew w oczekiwaniu na kolejną ofiarę. Powoli zawrócił. Igły, które opadły z sosen, wbijały mu się w bose stopy. Miał pewność co do jednego: jeśli morderca nadal tu jest, nikt nie przyjdzie mu z pomocą. Zdobył się na odwagę i puścił biegiem do miejsca, gdzie ukrył rower, jakby gonił go diabeł. Zdecydowanie nigdy nie zapomni swojej nieudanej randki z Sophie.

Laura odebrała telefon, zrywając się z łóżka jak wypchnięta niewidoczną sprężyną.

– Zaleziono zwłoki Olega Pietrowa – powiedział sierżant Fontaine poważnym tonem. – Prowadzący sprawę śledczy dokonał wstępnych oględzin, w tej chwili ciało jest przewożone na sekcję do szpitala Chablais. Czekam już na nie na miejscu.

– Przyczyna zgonu... – szepnęła Laura; była niemal w szoku.

– Nie jest naturalna, prawie na pewno został zamordowany. Zwłoki znalazł chłopak, który umówił się ze swoją dziewczyną w pobliżu lasku sosnowego w La Tour-de-Peilz.

– Jest kwadrans po szóstej... Za pół godziny będę w szpitalu. Proszę im powiedzieć, żeby nie zaczynali sekcji przed moim przybyciem. Nie wiem, kto ma dyżur, w każdym razie niech poczeka.

Laura przerwała połączenie, nie pożegnawszy się z Fontaine'em. Jak lunatyczka poszła do łazienki i otworzyła kurek prysznica. Mimo strumieni ciepłej wody nie przestała się trząść.

Za dwadzieścia siódma szła już korytarzami szpitala w kierunku sali sekcyjnej. Fontaine odjechał, gdy otrzymał przez radio wiadomość, że znaleziono samochód farmaceuty. Laura z ulgą zobaczyła, że dyżur ma Henry, a Julien pomaga mu jako technik.

– Dzień dobry, szefowo. Czemu zawdzięczamy tę przyjemność? – zapytał Julien zadowolony, że ją widzi.

– Jeśli nie macie nic przeciwko temu, chcę wam pomóc przy sekcji. Jak wiecie, ma związek ze sprawą, którą badam.

– Dzień dobry, doktor Terraux – przywitał się lekarz. – Będzie nam bardzo miło, jeśli nam pani pomoże. Jesteśmy na nogach od prawie dwudziestu czterech godzin, marzę o tym, żeby skończyć dyżur, wrócić do domu i położyć się spać.

– Dzień dobry, Henry. Zaczniemy, kiedy pan zechce – odparła Laura; nie miała ochoty na rozmowy.

Lekarze sądowi stanęli po dwóch stronach stołu i przystąpili do oględzin. Laura schowała kosmyk włosów pod zielony czepek. Henry zaczął od przeczytania wstępnego raportu sporządzonego w miejscu, gdzie odkryto zwłoki.

– Sześćdziesięciojednoletni mężczyzna rasy białej, znaleziony na wpół przysypany piaskiem. Temperatura powietrza wynosiła osiemnaście stopni. Krótka rana kłuta na lewym policzku, zadana przedmiotem o ostrych krawędziach, płaskim obusiecznym ostrzem. Zaleca się wprowadzenie parafiny do rany, dzięki temu uzyskamy dokładny obraz cięcia. Wystąpiło obfite krwawienie, krew dostała się do okolicznych tkanek. Inne stwierdzone uszkodzenia to wybroczyny na błonach śluzowych, widoczne przy oględzinach zewnętrznych. Wypchnięcie języka i gałek ocznych, oddanie kału i moczu oraz wyraźne plamy hipostatyczne wskazują na śmierć przez uduszenie.

Laura patrzyła na pozbawioną życia twarz Pietrowa. Uczucie żalu wzięło górę nad gniewem i strachem. Przypomniała sobie ostatnie niespójne słowa farmaceuty, przerażenie, jakie budziła w nim rozmowa o bratanicy. Nigdy nie przypuszczała, że grozi mu tak straszliwe niebezpieczeństwo. Zawsze uważała doping czy nielegalny handel lekami za drobne, niegroźne przestępstwo.

– Potwierdzam, że przyczyną zgonu było zatkanie krtani przez kość gnykową i podstawę języka – oznajmiła Laura i wróciła do badania gardła. – Z obrażeń zewnętrznych najbardziej rzucają się w oczy bruzda na szyi z naciągniętą skórą, liczne plamy opadowe, sina twarz, stłuczenia na ciele powstałe wskutek prób obrony, a do tego złamania kości gnykowej i kręgów. Wybroczyny, otarcia naskórka pod bruzdą i zasinienia wskazują, że uduszenie nastąpiło za życia denata.

– To oczywiste, że został zamordowany – potwierdził drugi lekarz.

Laura nie zachowała żadnego wspomnienia z kilku kolejnych minut, wiedziała jedynie to, co jej później zrelacjonowano. Nagle straciła przytomność. Henry błyskawicznie zdjął jej z ust maseczkę i rozwiązał fartuch. Julien podniósł jej trochę nogi i oparł na małym taborecie z drewna i stali, którego jedna z techniczek, kobieta niskiego wzrostu, używała, by dosięgnąć wyżej położonych miejsc. Upadając, Laura zraniła się w kolano. Kiedy doszła do siebie, leżała w pokoju zespołu lekarzy medycyny sądowej. Mieli tam małą kuchnię z szafkami z białego drewna wyposażoną w niezbędne sprzęty: mikrofalówkę do podgrzewania jedzenia, które przynosili z domu, lodówkę i ekspres do kawy. Na środku pomieszczenia znajdował się stół, także biały, i kilka krzeseł, a przy ścianie stała miękka szara kanapa dla trzech osób. Leżała właśnie na niej, gdy odzyskała przytomność. W pierwszym odruchu chciała się stamtąd wydostać, uciec od ludzi, którzy otaczali ją pośród mgły. Przez chwilę obserwowała swoje powolne ruchy, ciążyły jej ręce, a ciało nie wykonywało poleceń mózgu. Potem mgła się rozproszyła i Laura rozpoznała znajome otoczenie oraz osoby, które były przy niej. Napięcie zniknęło, opanował ją wielki spokój. Widziała zmartwione twarze, słyszała głosy, które wymawiały jej imię. Henry mierzył jej ciśnienie, a Julian dezynfekował skaleczenie na kolanie watą umoczoną w betadynie.

– Jak się czuje moja ulubiona patomorfolożka? – zapytał chłopak, kiedy przykleił jej plaster.

– Dobrze… Nie wiem, co mi się stało – odpowiedziała Laura, wstając.

– Spadek ciśnienia, ma pani osiemdziesiąt na pięćdziesiąt. Tu jest kawa z dużą ilością cukru i kropelką alkoholu – poinformował Henry i wręczył jej parujący kubek.

– Dziękuję, już czuję się dobrze.

Usiadła na kanapie i chwyciła kubek obiema rękami. Ciepło przechodziło przez ceramiczne ścianki i ogrzewało jej dłonie. Z przyjemnością pociągnęła łyk kawy. Lekarz ponownie zmierzył jej ciśnienie – wróciło do normy i było stabilne.

– Lepiej będzie, jeśli pojedzie pani do domu i trochę odpocznie. My musimy dokończyć sekcję. Policja nalega, sprawa jest pilna.

Laurą wstrząsnął dreszcz. Odruchowo mocniej zacisnęła dłonie na kubku. W milczeniu skinęła głową, po czym spuściła ją, zamyślona. Henry wyszedł z pokoju. Julien, zanim ruszył za nim, ukłąkł przed Laurą.

– Na pewno dobrze się czujesz? Mogę powiedzieć technikowi, który zaczyna o ósmej, żeby mnie zastąpił, i odwiozę cię do domu.

Laura spojrzała na niego z wdzięcznością. Julien obciął swoje gęste włosy, jego skrócone o połowę piękne jasne loki rozsypały się w nieładzie po całej głowie. Spojrzała na tatuaż na szyi, tym razem nie mogła się powstrzymać, by nie przebiec po nim opuszkiem wskazującego palca. Kiedy skończyła tę pieszczotę, cofnęła rękę.

– Podoba mi się twoja fryzura, nadaje ci psotny wygląd. Dziękuję za propozycję, mój drogi „Dawidzie" Michała Anioła, ale czuję się dobrze i mogę bez problemów prowadzić – powiedziała i dwoma łykami dopiła kawę.

– Tak czy inaczej zadzwoń, gdybyś czegoś potrzebowała – nalegał Julien z odrobiną rozczarowania w głosie.

– Tak zrobię – odparła z wdzięcznością i dała mu niewinnego całusa w policzek.

Po rozmowie z George'em Thomas zdjął marynarkę z oparcia ławki. Dzień dogasał na horyzoncie. Chmury przybierały granatowy odcień, poza tymi na zachodzie, które zachowały jeszcze intensywny choć ulotny karminowy kolor. Na jego tle wyraźnie rysowały się kontury budynków otaczających Central Park West. Zapalono już latarnie. Thomas ruszył przed siebie, zatrzymał się na skrzyżowaniu Piątej Alei ze Sto Piątą Ulicą. Czekał, aż pośród samochodów i autobusów sunących w północnym kierunku pojawi się jakaś taksówka.

Dwadzieścia minut później zdecydowanym krokiem wchodził do siedziby DEA. George czekał na niego w holu budynku. Miał poważny wyraz twarzy, delikatna zmarszczka na czole zdradzała niepokój.

– Witaj, Thomasie – przywitał się, ściskając go za ramię. – Zrobiliśmy postępy. Mamy imię: Siergiej. Prawa ręka Iwana w Europie. Typ zwiał z hiszpańskiego wybrzeża, gdzie żył jak król, i przeniósł się do Petersburga. Pracuje w firmie public relations, pośredniczy między wielkimi korporacjami, które chcą wejść na rosyjski rynek, a rządem w Moskwie, który przyjmuje je z otwartymi ramionami. Poza tym dostarcza narkotyki i prostytutki osobistościom ze wszystkich sfer społecznych podczas międzynarodowych imprez politycznych, kulturalnych czy sportowych. – Przerwał, po czym dodał z uśmiechem: – Rzecz jasna to nie figuruje w jego CV. Chodź, chcę żebyś poznał mojego kolegę, eksperta od medycyny sądowej.

– Świetnie – powiedział Thomas.

Zapuścili się w labirynt korytarzy i biur.

– Z tym, że cię śledzili albo śledzą, na razie niewiele możemy zrobić, ale uważaj. Nie chcę, żebyś się szwendał sam po mieście.

– Po kolacji umówiłem się z Giną w jej mieszkaniu.

– Z Marilyn?

– Tak. Kończy występ o dwunastej. Chce, żebym zerknął na jej rośliny na balkonie, przywiędły.

– No ładne rzeczy, to teraz tak się mówi na bzykanko. Bardzo eleganckie określenie!

– Jesteś zazdrosny.

– Oczywiście, te ogromne cycki muszą czynić cuda… – powiedział George, puszczając wodze fantazji. Kiedy zdał sobie sprawę, gdzie jest, odchrząknął i dodał: – Ale moim zdaniem nie powinniście się spotykać u niej. Zabierz ją do naszego hotelu, jest bezpieczniejszy.

Thomas skinął głową. Dotarli do celu. Weszli do skromnego, ale przestronnego gabinetu znajdującego się w zewnętrznej części skrzydła administracji. W odróżnieniu od biura George'a miał dwa małe okna. Krzepki mężczyzna w średnim wieku, Afroamerykanin, bardziej przypominający rugbistę niż lekarza, podszedł i przyjaźnie wyciągnął rękę. Przedstawił się jako Adam. Thomas odpowiedział krótkim energicznym uściskiem dłoni. Usiedli w kącie pokoju, przy okrągłym stole z ciemnego drewna. Uwagę Thomasa zwróciły liczne zdjęcia wiszące na ścianach. Dominowały egzotyczne krajobrazy, na tle których lekarz pozował z szerokim uśmiechem poszukiwacza przygód. Zauważył także stojące na solidnym regale epipremnum. Miało zwiędłe, suche liście.

– Wybacz, Adamie, ale widzę, że nie za bardzo cenisz swoje epipremnum.

– Córka podarowała mi je do biura. Nie ma rady, nie przeżyje, chociaż zapewniała mnie, że to najłatwiejsza w pielęgnacji roślina ze wszystkich dostępnych w kwiaciarniach.

– Problem twojego epipremnum polega na tym, że za często je podlewasz. Kiedy te rośliny mają nadmiar wody, zaczynają im żółknąć liście, tracą siłę, a w końcu gniją im korzenie.

George westchnął i ciężko opadł na jedno z obrotowych krzeseł. Niechcący odepchnął się do tyłu i zatrzymał dopiero na ścianie. Thomas ciągnął dalej, nie zwracając na niego uwagi.

– Ja bym skrapiał je przez kilka dni wodą, żeby uratować liście. Trzymaj je zawsze w cieniu, zobaczysz, jak szybko urośnie. W kontakcie z wodą albo wilgotną ziemią każda z tych wypustek, które są na gałązkach, natychmiast wypuści korzeń i będziesz mógł przesadzić ją do innej doniczki.

– A ziemia? Co myślisz o tej, którą ma?

Thomas wstał i dotknął palcami podłoża.

– Lepsza byłaby jakaś lżejsza. Na twoim miejscu kupiłbym worek naturalnego substratu, który zawiera czarny torf, guano, wapń i inne składniki. Mieszasz to z piaskiem i gliną. Jeśli do tego raz w miesiącu dodasz płynnego nawozu, będziesz miał wspaniałe, bujne epipremnum.

George ze zdziwieniem przysłuchiwał się rozmowie przyjaciela z lekarzem. Znał zamiłowanie Thomasa do ogrodnictwa od czasu, kiedy ten pracował jako profiler w Waszyngtonie. Pomógł nawet zaprojektować jego ogród. Nie był jednak w stanie pojąć, skąd takie zainteresowanie tą brzydką, na wpół martwą rośliną.

– Co powiecie na to, żebyśmy przestali rozmawiać o chwastach i przeszli do ważniejszych spraw?

– Jasne – powiedział Thomas z uśmiechem i usiadł na krześle.

– Adam od jakiegoś czasu bada doping genetyczny i jest na bieżąco z tym, co gotuje się w laboratoriach. Teraz nadzoruje analizę substancji, które skonfiskowaliśmy.

– Wiem, że prowadzisz skomplikowane śledztwo mające na celu wyjaśnienie śmierci sześciu sportsmenek i że choć raport lekarza sądowego wskazał na naturalną przyczynę zgonu, masz bardziej niż uzasadnione podstawy twierdzić, że prawdziwym powodem był doping – zreasumował lekarz.

– Dokładnie tak, wszczęliśmy dochodzenie, opierając się na założeniu, że śmierć dziewczyn została spowodowana zażyciem erytropoetyny.

– Przejrzałem raporty George'a, to nie może być przypadek, że wszystkie pochodziły z Europy Wschodniej, mieszkały w tej samej okolicy i zmarły nagle wskutek masywnego zatoru.

– Przepraszam, Adamie – przerwał George. – Opowiedz Thomasowi, co znaleźliście w workach z portu.

– Cierpliwości, wcześniej chcę wam coś wyjaśnić. Dla sportowców problem z obecnymi metodami dopingowymi polega na tym, że substancje, które przyjmują, by poprawić osiągnięcia lekkoatletyczne, są obce ich organizmowi i teoretycznie mogą zostać wykryte podczas testów. Ale panie i panowie – powiedział teatralnie – istnieją już techniki terapii genowej pozwalające na oszukanie nawet najbardziej zaawansowanych metod kontroli. Organizm może wytwarzać większe ilości substancji stymulujących przyrost mięśni albo hamujących ich degradację. Wówczas nie da się odróżnić efektów dopingu od normalnej pracy mięśni.

– Na czym to polega? – zapytał Thomas z zainteresowaniem.

– Łatwo to wyjaśnić. Regeneracja i przyrost mięśni są regulowane przez różne białka. Normalnie rozwój masy mięśniowej jest stymulowany przez małe pęknięcia, które powstają we włóknach podczas ćwiczeń. Inne białka powstrzymują nadmierny przyrost mięśni. Jeśli ich działanie zostanie zablokowane, jak to się zdarza w przypadku niektórych zmutowanych zwierząt, mięśnie zaczynają stanowić bardzo wysoki procent masy ciała.

– Chcesz nam powiedzieć, że teoretycznie można zamienić się w kulturystę po jednej tabletce? – zapytał Thomas sceptycznie.

– To nie teoria – wyjaśnił Adam cierpliwie. – Kilku laboratoryjnym myszom wstrzyknięto gen kodujący czynnik przyrostu mięśni zamknięty w wirusie stowarzyszonym z adenowirusem, AAV. Wirus ten łatwo atakuje mięśnie, ale nie wywołuje schorzeń. Wyniki okazały się dość satysfakcjonujące: całkowita masa mięśniowa i tempo przyrostu były trzydzieści procent wyższe niż normalne wartości, chociaż chodziło o gatunki prowadzące mało aktywny tryb życia.

– To znaczy, że rozwinęły mięśnie, nie wykonując żadnych ćwiczeń? – zapytał George.

– Właśnie. Te wyniki mogą zainteresować sportowców, którzy nie chcą się przemęczać na treningach. Masa mięśniowa wzrasta, nawet jeśli nie ćwiczą. Jest także wolniej tracona po wykonaniu lub przerwaniu ćwiczenia. Nieprawidłowości są niemal niemożliwe do wykrycia, jako że wytwarzane białko jest takie samo jak to produkowane przez organizm. Odnalezienie wirusa w mięśniach też o niczym by nie świadczyło, mógł się tam znaleźć wskutek jakiejś naturalnej infekcji.

– Przecież… to fantastyczne – powiedział George. – Nie znoszę uprawiać sportu.

– Ha! Ale to jeszcze nie wszystko – ciągnął lekarz. – Pojawiła się bardziej radykalna i niebezpieczna metoda modyfikacji tkanki mięśniowej. Żebyście lepiej zrozumieli, powiem wam w uproszczeniu: włókna mięśniowe dzielą się na szybkie i wolne, w zależności od tego, czy posiadają szybką czy wolną odmianę miozyny, białka kurczliwego odpowiadającego za zginanie mięśni. Maratończycy mają w mięśniach większy odsetek włókien wolnych, a sprinterzy – szybkich. Lekarz podszedł do biurka, na którym stała butelka z wodą. Pociągnął łyk, po czym znowu usiadł.

– Przepraszam, mam nadwyrężone struny głosowe. W młodości śpiewałem w chórze gospel i choć były to wspaniałe lata – śpiewaliśmy nawet w Niemczech – pozostawiły mi ten defekt na całe życie.

Upił kolejny łyk wody i mówił dalej:

– Genetyka bada już, jak zmodyfikować naturalne proporcje wolnych i szybkich włókien mięśniowych, żeby otrzymać sportowców *à la carte*, zaprojektowanych do każdego rodzaju zawodów. Rozważa się także możliwość aktywowania jeszcze szybszych odmian miozyny, które występują w komórkach mięśniowych człowieka, ale się nie ujawniają. Pochodzą z okresu, kiedy nasi przodkowie byli poddani wysokiej presji drapieżniczej.

– Nie wierzę, żeby to nie miało konsekwencji dla zdrowia – stwierdził Thomas.

– Słusznie. Te techniki są dość niebezpieczne dla sportowców. Przy takiej sile mięśni podczas wysiłku może dojść do pęknięcia włókien, a nawet kości.

– Pamiętam terapię genową przeprowadzoną w dwa tysiące trzecim roku we Francji na dzieciach cierpiących na nietypową chorobę immunologiczną. Chociaż kuracja skorygowała wadę, wywołała też białaczkę – dodał Thomas.

Lekarz skinął głową.

– Opowiedz Thomasowi, jaki prezencik znaleźliście w laboratorium naszych rosyjskich przyjaciół – wtrącił George.

– Widzę, że się niecierpliwisz – powiedział Adam z uśmiechem.

– Od popołudnia wygląda jak zamknięty w klatce tygrys, nie może się doczekać, żeby rozgłosić to wszem wobec.

– Lepiej opowiadaj, nie uwierzy ci.

– Siedzę jak na rozżarzonych węglach – zapewnił Thomas, ruchem dłoni zachęcając lekarza, żeby kontynuował wyjaśnienia.

– No dobrze, w jednej z substancji znaleźliśmy molekułę kodującą czynnik wzrostowy IGF-1 rozwijający mięśnie. Inna to Repoxygen, wektor wirusowy, który zwiększa produkcję EPO; aktywuje syntezę hormonu, kiedy mięsień przestaje otrzymywać potrzebny tlen. Pozwala to na endogenne wytwarzanie EPO, co czyni tę substancję praktycznie niemożliwą do wykrycia. Trzecią znalezioną jest miozyna IIb. Zwiększenie jej ilości powoduje znaczny przyrost mięśni i ułatwia regenerację niektórych włókien.

– To szaleństwo. – Thomas nie wierzył własnym uszom. – Chcesz mi powiedzieć, że w przyszłości rywalizacja w sporcie wyczynowym może odbywać się nie na stadionach, ale w laboratoriach biotechnologicznych?

– Nie w przyszłości, Thomasie, nie w przyszłości – odpowiedział lekarz posępnie.

48

Odkąd poszedł do Blanca w poszukiwaniu odpowiedzi, każdej nocy budził się zlany potem, z pościelą przyklejoną do ciała. Zastanawiał się, czy powinien zadzwonić do gliniarza z Interpolu i opowiedzieć mu o swoich podejrzeniach wobec Franka Stone'a. Powstrzymywało go pragnienie wygranej, teraz, kiedy spróbował działania koktajlu. Poza tym Irina nie żyła, a Frank miał mnóstwo kontaktów. Janik przekonał sam siebie, że najlepszą rzeczą, jaką może zrobić, jest zrealizowanie marzenia Iriny: zdobycie medalu na najbliższych igrzyskach olimpijskich. Pomyślał o Nicoli. Ich stosunki uległy rozluźnieniu. Porozumiewali się przez WhatsAppa, ale zakochani potrzebują bliskości. Janik żył według ściśle określonych zasad. Potrójne serie treningów, zawody, badania, wizyty w laboratorium, masaże i sesje w komorze hipobarycznej zajmowały mu prawie cały dzień. Nicola odwiedzała go podczas weekendu raz w miesiącu. Zamykali się wtedy w małym hoteliku w Les Diablerets i praktycznie go nie opuszczali. Ponieważ od ostatniego razu minęły dwa miesiące, postanowił ją odwiedzić.

Wyglądała bardzo ładnie. Nie umiałby powiedzieć, jaki makijaż sobie zrobiła, ale jej oczy błyszczały, a usta wydawały się polukrowane.

– Mamy wolne mieszkanie. Moje koleżanki wymyśliły naprędce jakąś podróż, gdy tylko się dowiedziały, że przyjeżdżasz – oznajmiła.

– No proszę – odparł Janik z cieniem rozczarowania w głosie.

– Co z tobą! Nie cieszysz się? – zapytała, widząc jego reakcję.

Janik był umówiony w niedzielę rano na bieżni w Monthey na kilka serii biegów na osiemset metrów; postanowił poczekać na lepszy moment, żeby jej o tym powiedzieć.

– Oczywiście, że się cieszę – sprostował natychmiast. – Zaczekaj! Mam coś dla ciebie.

Kupił jej ulubione perfumy. Na ich widok Nicola objęła go za szyję i pokryła mu twarz pocałunkami.

– Myślałem, żeby podarować ci moje – powiedział. – W ten sposób mogłabyś mnie codziennie wąchać.

– Proszę, co za poeta! – zawołała prześmiewczo. – Może pójdziemy do mojego mieszkania, tam skropisz mi swoimi perfumami, co tylko będziesz chciał.

Kiedy dwie zakochane osoby widzą się po dłuższej przerwie, wzbierają uczucia, wady bledną, a rosną zalety. Cisną się na usta słowa wyjęte z wierszy Nerudy czy Shelleya. Są wtrąceniem między pocałunkami i pieszczotami, które tamtej soboty pochłonęły im znaczną część czasu. Gdy tylko weszli do mieszkania, rozebrali się i położyli na kanapie w salonie, tak blisko siebie, że nie dałoby się włożyć między nich nawet kartki papieru. Kiedy pożądanie dało im chwilę oddechu, przerwali, żeby coś zjeść.

– Jesteś coraz chudszy. Któregoś dnia wbijesz we mnie żebro – powiedziała Nicola żartem.

– Wiedz, że to komplement dla lekkoatlety.

– Z kilkoma kilogramami więcej byłbyś przystojniejszy.

– Przyzwyczaj się, przynajmniej na kilka lat.

– Janiku, podobam ci się…? – zapytała, pokazując pośladki.

– Masz śliczny tyłeczek. Chyba już ci to dzisiaj powiedziałem kilka razy.

– Ostatnio spędzam dużo czasu na siedząco. Będę musiała zacząć ćwiczyć, albo zrobi się miękki jak plastelina.

– *Mens sana in corpore sano.*

– Ja jestem umysłem, ty mięśniami. Stanowimy dobraną parę.

– Nazywasz mnie matołem?

– Mam dla ciebie niespodziankę, matole. Zabiorę cię na mały *tour* po okolicach, zarezerwowałam też jacuzzi na świeżym powietrzu.

Janik usiadł po turecku i spojrzał na nią tak, jakby przyznawał się do zdrady.

– O co chodzi? Dlaczego tak na mnie patrzysz? – zapytała Nicola.

Janik odwrócił wzrok. Podniósł się i stanął do niej tyłem. Radość ustąpiła miejsca przygnębieniu.

– Jutro jestem umówiony na dwunastą na trening – wyznał.

Nicola usiadła na kanapie, zrzucając koc na podłogę.

– Nie widzieliśmy się od prawie dwóch miesięcy, a ty teraz mi mówisz, że musisz jechać jutro na dwunastą na trening?

– Moja dyscyplina sportu nie uwzględnia imprez ani zobowiązań. Wiedziałaś o tym, kiedy się poznaliśmy.

– Gdybyś mi wtedy powiedział, że będę cię tak rzadko widywała, rozważyłabym, czy warto się z tobą spotkać – oświadczyła Nicola ze złością. Oparła się o kanapę i uciekła spojrzeniem przed wzrokiem Janika.

– To niesprawiedliwe. Ty masz swoje stypendium. Gdybyś musiała wyjechać na jakiś czas za granicę, zrozumiałbym to – próbował się usprawiedliwiać.

– Nie! Gdybym miała wyjechać za granicę, nie zaczęłabym się z tobą spotykać!

– Wy, naukowcy, zachowujecie się jak ekonomiści…

– Co to za głupoty – zezłościła się Nicola. – Nie przychodzi ci do głowy nic lepszego na usprawiedliwienie tego, że jesteś kretynem. Może to prawda, że straszny z ciebie matoł.

– To nie w twoim stylu – powiedział Janik.

– Zapomniałeś już, jak było, kiedy zaczynaliśmy…

– Byłem kontuzjowany, miałem mnóstwo czasu, żeby się z tobą spotykać – przerwał jej.

– Teraz czuję, że zostałam wykorzystana.

Przykryła się kocem, nie patrząc na Janika. Miał wrażenie, że układa w głowie listę argumentów za i przeciw ich związkowi.

– Lepiej będzie, jeśli sobie pójdziesz – powiedziała z poważną miną.

Janik poczuł nagły dyskomfort. Opanowało go znajome uczucie smutku. Miał ochotę ją przytulić. Spojrzał na nią. Jej ciało było jednak do tego stopnia w defensywie, że mógł jedynie zapytać, co chce przez to powiedzieć.

– Nie wiem, Janiku. Skrzywdziłeś mnie, nie mogę podjąć żadnej decyzji, kiedy tu jesteś. Chcę, żebyś sobie poszedł.

Zbliżył się do niej i ujął w dłonie jej twarz.

– Kocham cię, Nicolo.

– To nie wystarczy. Skoro teraz, na samym początku, robisz mi coś takiego...Jestem warta więcej niż twoje wyścigi. A teraz proszę, zabierz swoje rzeczy. Porozmawiamy potem przez telefon.

W drodze do ośrodka Janik zatrzymał się i zadzwonił do Nicoli. Nie odebrała. Przypomniał sobie, co powtarzał od czasu do czasu Ethan: że wyczynowcy mogą umawiać się tylko z lekkoatletkami. Irina na pewno by go zrozumiała.

Później czasami wspominał szczęśliwsze dni, kiedy nie był sam i miał przy sobie Nicolę, kiedy opuszki jego palców szukały jej skóry. Teraz wystarczyłaby mu jakakolwiek część jej ciała: ręka, zagłębienie w karku. Pragnął po prostu ciepła.

49

Thomas obudził się wystraszony. Usiadł gwałtownie, zaalarmowany zaczekał, aż jego oddech odzyska normalne tempo. Zawładnął nim irracjonalny lęk. „Skąd się wziął?", pomyślał zdezorientowany. Był przekonany, że coś go obudziło i że poczucie zagrożenia nie jest jedynie wytworem jego wyobraźni. Pokój był pogrążony w całkowitej ciemności. Dotknął dłonią ciepłej skóry Giny. W miarę jak uspokajało się jego serce, otoczenie stopniowo nabierało znajomych kształtów. Dostrzegł w ciemności zarys biurka, na którym zostawił swojego laptopa, wiszący na ścianie telewizor, garnitur na krześle. Jednak z jakichś powodów nie potrafił pozbyć się złych przeczuć. Nastawił ucha. Delikatny oddech śpiącej Giny zagłuszał inny... Ktoś go obserwował. Wyciągnął rękę i włączył lampkę stojącą na szafce nocnej. Chociaż światło było słabe, przymknął oczy. Zobaczył mężczyznę siedzącego na fotelu pod ścianą. Jego twarz wyglądała znajomo – to był ten facet, którego ścigał w Conservatory Garden.

– Czego chcesz? – zapytał Thomas, udając pewność siebie, której wcale nie czuł.

– Przyszedłem z propozycją znakomitego układu. Bardzo ci się spodoba, ale najpierw zadzwoń po swojego kolegę George'a, żeby przyłączył się do zabawy.

Thomas przyjrzał mu się uważnie. Facet nie wyglądał na zbira, raczej na gnoma z bajki dla dzieci: był brzydki, mały i okrągły. „Z taką aparycją ludzie ze świata przestępczego nie potraktują go poważnie", pomyślał. Światło obudziło Ginę. W pierwszym odruchu zatopiła twarz w poduszce, żeby chronić się przed blaskiem, potem nakryła głowę kołdrą.

– Powiedz swojej kurewce, żeby zmiatała.

Thomas zadzwonił z komórki do George'a. Dobiegł go przytłumiony dźwięk dzwonka, który rozległ się dwa pokoje dalej. Po piątym sygnale włączyła się poczta głosowa. Spróbował jeszcze raz, tym razem z większym powodzeniem.

– Jeśli dzwonisz dlatego, że potrzebujesz prezerwatywy, że ci nie staje albo że Marilyn jest pijana, zabiję cię.

– Musisz przyjść do mojego pokoju.

Thomas nie wyjaśnił niczego więcej, zrobiła to za niego pełna napięcia, głęboka, straszliwa cisza.

– Już idę – odparł George. Zorientował się, że coś jest nie tak.

Gnom pokiwał głową z szerokim uśmiechem. Thomas zanurkował pod kołdrę i szepnął Ginie na ucho kilka słów. Kobieta poderwała się jak wypchnięta sprężyną. Nie miała odwagi spojrzeć na mężczyznę w fotelu, zebrała szybko rozrzucone po wykładzinie ubrania i zamknęła się w łazience.

– Drogo musiała cię kosztować ta dziwka.

Thomas nie zareagował na ten komentarz. Włożył spodnie i koszulkę. Kilka minut później rozległo się walenie do drzwi. Gnom wskazał mu ruchem głowy, żeby otworzył. Gina skorzystała z okazji, wyszła z łazienki, podniosła z podłogi torebkę, przeszła pomiędzy dwoma przyjaciółmi i wypadła na korytarz.

Zanim George zamknął drzwi, zerknął kątem oka na siedzącego mężczyznę.

– Czemu zawdzięczamy tę przyjemność? – zapytał beztroskim tonem.

– Chodzi o wymianę przysług.

– Mów – nakazał George.

– Szef przysyła mnie z propozycją.

– Kto jest twoim szefem?

– Iwan Puskin.

– Kiedy tylko się dowiem, który gliniarz dał mu komórkę, żeby mógł do ciebie zadzwonić, aresztuję go.

– Nie mam nic przeciwko temu, możemy uwzględnić jego nazwisko w umowie.

– Jakiej umowie?

– Mój szef chce, żebyście go wypuścili. Możecie oskarżyć go o jakieś drobne wykroczenie, w końcu nie zależy nam na tym, żeby przyciągnąć czyjąkolwiek uwagę. W zamian za to udzieli wam informacji o lokalizacji dwóch nielegalnych laboratoriów w Europie, odda w wasze ręce Siergieja, swojego serdecznego przyjaciela, i nie zabije doktor Laury Terraux.

Thomas podszedł do zbira, chwycił go za klapy marynarki, podniósł do góry i przysunął do swojej twarzy.

– Powtórz, co powiedziałeś – rozkazał.

– Daj spokój, przystojniaczku, nie złość się, przecież nawet jej nie bzyknąłeś.

– Chcę to jeszcze raz usłyszeć – nalegał Thomas. Jego głos był ochrypły, gardłowy.

– W porządku, w porządku… Lekarka stanowi część umowy. A teraz puść mnie z łaski swojej, bo mam lęk wysokości.

Thomas podniósł go jeszcze wyżej, po czym rzucił na fotel.

– Powiedz swojemu koledze, żeby trochę wyluzował. – Mężczyzna zwrócił się do George'a. – Mam wrażenie, że nie wie, jak zawiera się przyjacielskie umowy. Poza tym tracimy cenny czas. Oczywiście nie chodzi o mnie, ja przebywam w miłym towarzystwie, czego nie można powiedzieć o pani doktor.

Thomas desperackim ruchem potarł twarz dłońmi.

– Pozwól, że ja to załatwię – szepnął George. Przeniósł krzesło i usiadł naprzeciwko zbira.

– Mów. Słucham.

– Już wam wszystko powiedziałem. Wypuścisz szefa w zamian za informacje i życie lekarki.

– Muszę wiedzieć, że nic jej nie grozi. Pozwól mi do niej zadzwonić – poprosił George.

– Nie. To tak nie działa. Zapomnij o filmach, które oglądałeś. Wy zrobicie to, co wam powiedziałem, a my dotrzymamy naszej części umowy.

Thomasowi przewracało się w żołądku na sam widok gnoma. Chętnie jednym ciosem zmazałby mu z twarzy ten głupi, jełopowaty uśmiech.

– Ach, zapomniałbym! – dodał zbir. – Koledzy, którzy towarzyszą pani doktor, czekają na rozkaz, czy mają ją zabić, czy tylko spuścić jej łomot.

– O czym ty mówisz? – Thomas z pogardą wyplul te słowa.
– A czego się spodziewaliście? – zapytał wyzywająco. – Że uj-
dzie wam to na sucho? Wsadziliście nos w nie swoje sprawy, zasłu-
gujecie na nauczkę.

Mężczyzna przerwał i wygładził sobie klapę marynarki.
– Myśleliśmy o twoich rodzicach, państwu Connorsach, ale
– co za traf! Wypłynęli w rejs po wyspach greckich, który zafun-
dował im ich dobry synek. Oczywiście chłopaki wolą lekarkę. Za
dwie minuty – zagroził, spoglądając na zegarek – zaczną bić. Wy
zdecydujecie, jak to się skończy.

Laura zaparkowała suzuki w garażu i ruszyła w stronę drzwi. Zimne powietrze poranka podziałało na nią pokrzepiająco. Omdlenie
w sali sekcyjnej osłabiło ją, ale najgorsze było wyczerpanie psychicz-
ne. Nie mogła uwierzyć, że Pietrow nie żyje. Weszła do domu i zamknęła drzwi na klucz. Zapaliła światło w przedpokoju. Znajdowała się kilka kroków od schodów, kiedy wyczuła za plecami jakiś
ruch i odwróciła głowę. Z kuchni wyszło dwóch mężczyzn. Byli
młodzi, wysocy, umięśnieni. Stanęli przed nią, posłali jej szerokie
uśmiechy, a jeden z nich lubieżnie się oblizał. Laurę sparaliżowało
na ich widok. Wkrótce jednak zdumienie ustąpiło miejsca złości,
a potem panicznemu strachowi. Rzuciła się biegiem w górę schodów,
przeskakując po dwa stopnie. Dyszała głośno, ale to nie zagłuszyło
ich kroków. Śmiali się i rozmawiali. Pomyślała, że może zdoła dotrzeć do sypialni, wejść do łazienki i zamknąć się w niej na zasuwkę.

Kiedy była na półpiętrze i widziała już drzwi swojego pokoju,
złapali ją za włosy i pociągnęli do tyłu. Krzyknęła, próbowała się
uwolnić, była bliska paniki. Czyjeś dłonie chwyciły ją w pasie. Zaczęła wierzgać nogami, ugryzła rękę, która ją trzymała. Waliło jej
serce. We dwóch powalili ją na brzuch na dywanie z szarej wełny.
W ciągu sekundy wykręcili jej ręce, złączyli je za plecami i związali
nadgarstki srebrną taśmą izolacyjną.

Nie wiedziała, co robić. Słyszała swoje rozdzierające krzyki
przeplatane szlochem. Tamci rozmawiali spokojnie w jakimś nie-
znanym języku. Po chwili zakleili jej usta innym kawałkiem taśmy.
Laura drżała, jakby była zanurzona w lodowatej wodzie. Włosy

z dywanu wchodziły jej do nosa i utrudniały oddychanie. Odwróciła twarz na bok, próbując złapać powietrze. Jej płacz zamienił się w zduszone jęki. Jeden z napastników złapał ją za ramiona, a drugi podciągnął jej sukienkę. Bliska ataku histerii, usiłowała wstać i uciec. Bezskutecznie. Wreszcie ogarnęła ją bezsilność i przestała walczyć. Musiała odzyskać spokój, jeśli chciała wyjść z tego względnie bez szwanku. Nie będzie stawiać oporu. Mogą z nią robić, co chcą. Znieruchomiała.

Thomas zaczął nerwowo chodzić po pokoju. Trzy kroki do ściany i z powrotem.

– Zgoda – powiedział George – umowa stoi. Ale niektórych miejsc nie mogą tknąć. Znam gości twojego pokroju, źle zadany cios kończy się śmiercią.

– Brzmi sensownie. Wybierzcie miejsca, które chcecie oszczędzić.

Dla Thomasa to było czyste szaleństwo. Coś takiego nie mogło się dziać. Próbował odzyskać spokój i na zimno przeanalizować sytuację. Kierowanie się uczuciami nie pomagało. Stanął i spojrzał na mężczyznę, z którego twarzy nie schodził szeroki uśmiech. Wiedział już, co ma robić.

– Nie ważcie się jej tknąć od pasa w górę. Możesz już wydać rozkaz. – Potem spojrzał na przyjaciela i powiedział: – George, przygotuj, proszę, dokumenty potrzebne do wypuszczenia jego szefa. Na pewno wiesz, co zrobić, nie pierwszy raz uwalnia się więźnia w zamian za informacje.

– W porządku.

George i zbir wykonali niezbędne telefony.

– Załatwione – oznajmił Rosjanin, zamykając klapkę komórki. – Z mojej strony to wszystko. Wiem, że panowie, moi drodzy stróże prawa, dotrzymacie swojej części umowy.

Thomas wyrwał mu komórkę i szybko wybrał szwajcarski numer alarmowy.

– Wyślijcie karetkę na Rue Le Mousquetaire 6 w Monthey do ciężko rannej kobiety. To pilne.

Potem wykonał kolejny telefon.

– *Allô* – odebrał głos po trzecim sygnale.

– Sierżancie Fontaine, to ja, Thomas Connors z Interpolu. Proszę niezwłocznie jechać do domu doktor Terraux – powiedział po francusku.

– Co się stało? – zapytał sierżant.

– Została pobita przez jakichś bandziorów, spokojnie, karetka jest już w drodze. Kiedy tylko się pan czegoś dowie, proszę do mnie zadzwonić.

Thomas przerwał połącznie, nie czekając na odpowiedź sierżanta, i wściekły rzucił telefonem o ścianę. Po pokoju rozprysły się kawałki szkła i metalu.

– Hola! – zaprotestował zbir. – To droga zabawka!

– A teraz, Thomasie, jeśli nie masz nic przeciwko temu, zdejmę uśmiech z twarzy naszego niespodziewanego gościa. Gwarantuję ci, że miną miesiące, zanim znów się na niej pojawi – szepnął George głosem, który zdradzał duże napięcie.

– Dobry pomysł.

Szybkim ruchem odebrał mężczyźnie pistolet i strzelił mu w kolano.

Zbir zawył, długo i piskliwie.

– Musisz bardziej uważać, broń jest niebezpieczna – oznajmił kpiąco George.

Oczyścił pistolet z odcisków palców i włożył go za pasek.

– Ale cieplutki – powiedział, klepiąc gnoma po policzku.

W tym czasie Thomas spakował swoje rzeczy do walizki. Nie przejmując się krzykami i pogróżkami, zamknęli drzwi i poszli do pokoju George'a.

– Wiem, że jest ci ciężko, ale na razie nic nie można zrobić. Pozostaje tylko czekać.

Thomas powiedział sobie, że musi się opanować. Runął na kanapę. Nie mógł uwierzyć, że urzeczywistniły się jego najgorsze sny. Próbował w nich pomóc komuś bliskiemu, chciał biec, ale jego stopy były przyklejone do ziemi.

Jego oczom ukazała się twarz Laury, blada jak twarz Uny.

– Zawiadomiłem centralę, za kilka minut będziemy coś wiedzieli. Musimy czekać – powtórzył George.

– Nie mogę tu spokojnie siedzieć, wariuję. Jedźmy na komisariat, muszę porozmawiać z Rosjaninem, zanim go wypuszczą.
– Jak chcesz.

Kiedy siedzieli w taksówce, telefon George'a głośno zawibrował. Przyjaciele wymienili pełne powagi spojrzenia. George odebrał. Telefonowano z centrali, niejaki sierżant Fontaine pytał słabą angielszczyzną o agenta Interpolu, Thomasa Connorsa. George podał komórkę koledze. Thomas nie mógł powstrzymać lekkiego drżenia. Waliło mu serce. Spojrzał na telefon, jakby to była bomba, która w każdej chwili może wybuchnąć mu w rękach. Czuł prawdziwy strach.

– *Allô*, mówi Connors, proszę mi powiedzieć, co z doktor Terraux? – Thomas wstrzymał oddech.

– Przepraszam, jeśli będą problemy z połączeniem. Jadę za karetką do szpitala – powiedział sierżant Fontaine.

– Co z nią? – nalegał.

– Nie wiem. Przyjechałem pierwszy... Leżała naga w przedpokoju, związana. Było widać, że ma nogi złamane w kilku miejscach. Skurwysyny tłukły ją kijem bejsbolowym. – Z jego głosu przebijał ogromny smutek połączony z gniewem. – Beztrosko porzucili go na podłodze. Dopóki nie zrobią jej tomografii, nie będzie wiadomo, czy ma jakieś wewnętrzne obrażenia. Obili jej twarz, ma rozciętą wargę.

– Była przytomna? – chciał wiedzieć Thomas.

– Niestety tak. Przeciąłem taśmę izolacyjną na ustach i nadgarstkach, ale nie odważyłem się jej ruszyć z miejsca. Nie miałem pojęcia, co robić... Pogłaskałem ją po włosach, wiem, że to bez sensu, ale... – Sierżant nie dokończył zdania.

Thomasowi zabrakło słów.

– Jestem panu wdzięczny, sierżancie, że pojechał pan do jej domu. Nie będę już panu dłużej przeszkadzać.

– Kiedy sytuacja się trochę uspokoi, musi mi pan opowiedzieć o postępach w śledztwie. Kilka godzin temu znaleźliśmy zwłoki Olega Pietrowa. Nie wiem, czy pan słyszał, że została podpalona jego apteka.

Thomas milczał przez chwilę, przetrawiając te informacje.

– O niczym nie miałem pojęcia… – powiedział. – Proszę się nie martwić, za kilka godzin wsiadam w samolot do Zurychu. Niech mnie pan informuje na bieżąco o stanie doktor Terraux. Proszę zapisać sobie mój numer telefonu.

Thomas rozłączył się i zamknął oczy. Światła mijanych latarni błyskały niczym migacze samochodów jadących przez centrum miasta i przenikały przez jego powieki. Ogarnął go bezmierny smutek. Zlekceważył to śledztwo. Uznał je za niezbyt ważne, mało ryzykowne. Musiał przez tyle lat ścigać przestępców, żeby odkryć coś, co może już wcześniej podejrzewał – że lepiej wychodziła mu praca dydaktyczna. Pomyślał, że jest obłudnikiem, który obnosi się ze swoimi dyplomami, wysoko postawionymi znajomymi, dobrą prezencją. Mimo tego wszystkiego w tej sprawie nie potrafił odczytać sygnałów, a konsekwencje tego nie mogły być gorsze – farmaceuta nie żył, Laura była w drodze do szpitala.

– Co się stało? Wszystko w porządku? – zapytał zmartwiony George.

– Żyje – odpowiedział Thomas, nie otwierając oczu. – Potrzebuję chwili sam na sam z Iwanem Puskinem. Możesz to zorganizować?

– Jasne, pod warunkiem, że nie wpakujesz się w kłopoty ani nie narobisz ich mnie.

– Zgoda.

– W takim razie załatwione.

Iwan Puskin spoglądał na niego z poważną miną. Thomas wiedział, że kajdanki przypięte do metalowego regału w gabinecie George'a – który naprawdę był norą, chociaż jego przyjaciel upierał się, że to idealne miejsce do medytacji – ranią mu nadgarstki. Byli sami. Thomas usiadł na obrotowym krześle i podjechał na nim do Rosjanina na odległość kilku centymetrów. Zdjął marynarkę i krawat, podwinął rękawy koszuli. Zdawał sobie sprawę z niebezpieczeństw, jakie stwarzała ta sytuacja. Wiedział, że to szaleństwo, ale wiedział też, że zrobiłby to tak czy inaczej, bez względu na konsekwencje. Przestał słuchać dobiegających z zewnątrz odgłosów. Uczucie strachu zalało go niczym trąba morska, przebiegło po jego klatce piersiowej i przeniknęło do samego jego jestestwa. Z ciężkim sercem pożegnał się w duchu z osobami, które najbardziej kochał, także z sobą samym. W tej chwili nie powinien przywoływać wspomnień żadnej z nich, bo to by go tylko pogrążyło.

– Chcę, żebyś wiedział, że nie wyjdziesz stąd, dopóki nie odpowiesz na wszystkie moje pytania. Nie spieszy mi się – oznajmił spokojnie.

Rosjanin spojrzał na niego. Thomasowi nie spodobało się to, co zobaczył w oczach Puskina. Była w nich determinacja, ale i coś gorszego – prowokacja. Próbował dostrzec choćby cień strachu lub gniewu, ale go nie znalazł. W jego zawodzie należało manipulować ludzkimi uczuciami, a on był w tym mistrzem. Zaszedł tak daleko wyłącznie dlatego, że potrafił jak nikt interpretować pragnienia i lęki innych. Był urodzonym czytelnikiem twarzy. Odgadywał skąpstwo, strach, dumę i obracał je na własną korzyść, jednak w tym momencie czuł się zdezorientowany.

– Widzę, że nie wystarczyło ci to, jak potraktowaliśmy twoją przyjaciółkę. Nie wiem, co mam zrobić, żebyś zrozumiał, że nie warto mieć we mnie wroga. Może wytłumaczą ci to lepiej twoi rodzice.

– Dokładnie tego się po tobie spodziewałem – powiedział Thomas z uśmiechem. – Nie zawiodłeś mnie. Rodzice na pewno mi to wytłumaczą, zwłaszcza matka. Zapewniam cię, że nie ma dobrego zdania o mafii. Nie martw się, zapytam ich, kiedy tylko będę mógł. Ale myślę, że twoja rodzina też mogłaby mi to i owo wyjaśnić.

– Nie wiesz, co robisz – odparł Rosjanin gardłowym głosem.

– Doskonale wiem – powiedział Thomas stanowczo. – Nawet największy skurwiel – dodał, wbijając palec w pierś Iwana – ma kogoś, kogo kocha i komu nie życzy, by spotkała go jakakolwiek krzywda.

– Grozisz mi? – zapytał Puskin z niedowierzaniem.

– Dokładnie tak.

– Pożegnaj się ze swoją rodziną, pieprzony glino.

– Już to zrobiłem.

Iwan zrozumiał, że nie pomylił się co do tego gościa. Nie znajdował żadnej szczeliny, przez którą mógłby do niego dotrzeć. Jeśli ktoś się niczego nie boi, nawet utraty życia, najlepiej z nim współpracować albo go zabić.

– Powtarzam ci, że nie wyjdziesz stąd, dopóki nie powiesz mi wszystkiego, co chcę wiedzieć – zagroził Thomas.

– Nic ci nie powiem. Wypełniłem moją część umowy. Twój kolega grubas ma już wszystko, czego potrzebuje, żeby przełożeni zawiesili mu na szyi medal.

– Chcę wiedzieć, kto zabił sześć sportsmenek w Szwajcarii, jak to zrobił i dlaczego.

Iwan wybuchnął donośnym śmiechem. Thomas czekał nieporuszony, aż umilknie.

– Możesz mnie od razu puścić, bo nic nie wiem o tej sprawie – odpowiedział. Jego rysy się wyostrzyły. – Nie pierdol, stary, że cała ta szopka jest po to, by zapytać mnie o takie bzdety.

– Powtarzam ci jeszcze raz. Nie wyjdziesz, dopóki nie odpowiesz na moje pytania – wyjaśnił Thomas łagodnym głosem.

– Wal się. Jest mi tu bardzo wygodnie, myślę, że nawet trochę się zdrzemnę.

– Dlaczego nie zadzwonisz do swojej babci? O tej porze na pewno nie śpi. W Kijowie jest chyba jedenasta rano.

Twarz Iwana wykrzywił grymas przerażenia. Thomas uśmiechnął się w duchu.

– Jesteś martwy – zawyrokował Rosjanin.

– Masz rację, od dawna jestem martwy. Ale nie mówmy o mnie, ja się tu nie liczę. Opowiedz mi, jak organizowaliście produkcję i dystrybucję leków w Europie, kto dostarczał i podawał je dziewczynom. Chcę też wiedzieć, co poszło nie tak i dlaczego umarły, ilu sportowców stosuje obecnie tego rodzaju doping i ile młodych dziewczyn zmarło śmiercią naturalną po przyjmowaniu waszych produktów.

– Coś jeszcze? – zapytał Iwan z ironią.

– To tylko przystawka.

– Zadzwoń do mojej babci.

– Oczywiście. Wybierz jej numer.

Thomas wyjął komórkę z kieszeni marynarki i położył ją na udach Rosjanina.

– Tym ołówkiem bez problemu wstukasz numer.

Iwan rzucił Thomasowi nienawistne spojrzenie i wybrał numer telefonu czubkiem ołówka włożonego mu do ust.

– Chwileczkę, włączę głośnik.

Po niespełna dwóch sygnałach odebrał jakiś mężczyzna. Thomas nie rozumiał, o czym rozmawiają, ale Iwan coraz bardziej podnosił głos. Jego złość rosła, w miarę jak zdenerwowany mężczyzna po drugiej stronie tłumaczył coś bezładnie.

Thomas schował komórkę i spojrzał na Iwana, który od jakiegoś czasu miał zamknięte oczy, oddychał miarowo i głęboko.

– Chcę mieć winnych za kratkami. Dokładną lokalizację laboratorium, nazwiska handlarzy, skorumpowanych lekarzy, menedżerów, którzy rekrutowali dziewczyny, trenerów. Jednym słowem, wszystkie szczegóły dotyczące siatki. Zresztą lepiej nie mieć ze mną na pieńku. Po pierwsze dlatego, że mam twoją babunię, po drugie dlatego, że mogę cię odesłać do twojego kraju, no i odbiorą ci amerykańskie obywatelstwo, które zdobyłeś z takim trudem, po trzecie, staniesz się dla Interpolu czerwonym kodem, czyli nie będzie ci wolno popełnić nawet wykroczenia drogowego. Mam mówić dalej?

Iwan otworzył oczy i powiedział:

– Walisz głową w mur i nie zdajesz sobie z tego sprawy.

– Mów – rozkazał Thomas.

– Chyba zdrętwiała mi ręka – rzucił Iwan, kręcąc się na krześle.

– Kiedy powiesz mi to, co chcę wiedzieć, będziesz mógł wrócić do domu – nalegał Thomas, nie zwracając uwagi na jego skargi.

– Nie doczekasz się sprawiedliwości w tej sprawie. Winni mają zbyt dużą władzę, dlatego są nieosiągalni. Zrozumie to nawet taki glina jak ty.

– Mów dalej.

– Handel środkami dopingującymi jest organizowany, kontrolowany i prowadzony przez rosyjski rząd. Wiele siatek działa na najwyższym szczeblu, pod osłoną prawa i polityków. Mają na celu nie tylko udowodnienie wyższości własnego społeczeństwa, ale także odwrócenie uwagi od ważniejszych problemów. Kiedy sportowiec zdobywa medal na olimpiadzie, zdobywa go cały kraj – naród, ludzie na ulicach uważają to za własne zwycięstwo. Sport jest nowym opium dla mas. Wiele państw wykorzystuje go do prowadzenia polityki, dla podkreślenia swoich osiągnięć – wyjaśniał spokojnie, choć jego postawa pozostała wroga.

– Nie wiem, czy dobrze zrozumiałem. Chcesz mi powiedzieć, że za tą siatką dopingową stoi sam rząd Rosji?

– Dokładnie tak. Nie wydaje ci się podejrzane, że kraj, który organizuje igrzyska olimpijskie, zwiększa w spektakularny sposób swoją pozycję w klasyfikacji medalowej? – zapytał Iwan, poruszając zdrętwiałymi palcami prawej ręki. – Osiem lat temu Rosja odkryła dodatkowe korzyści płynące z olimpijskich zwycięstw. Społeczeństwo czuło się dumne ze swojej rosyjskości, sport spoił je i zintegrował. Nie chciało już z tego rezygnować. Zgony to tylko skutki uboczne, doskonale zakamuflowane. Nigdy nie będziesz w stanie udowodnić, że nie były naturalne.

Thomas oniemiał. Trudno mu było przyswoić sobie konsekwencje tych rewelacji.

– Społeczeństwo czuje, że ma dług wobec sportowców – ciągnął Iwan. – Kiedy wątpisz w nich, wątpisz w kraj. Mówiąc o dopingu, nie tylko kwestionujesz ich uczciwość, ale także legalność zwycięstw. Dopóki wciąga się flagę, władza patrzy na nią z satysfakcją, a widownia wypina pierś, nie zadając pytań.

– Dlaczego kazałeś pobić moją koleżankę, skoro mafia nie miała nic wspólnego ze sprawą?

– Zatrzymaliście mnie. Kto mnie wkurwia, ten potem żałuje. Wybór był przypadkowy.

– Co będzie z martwymi dziewczynami?

– Nic. Były pełnoletnie. Wiedziały, co robią, miały świadomość ryzyka i wybrały sławę.

– Dlaczego zabiliście aptekarza?

– No tak, już się o tym dowiedziałem. To była tylko kwestia czasu. Miał dowody, które mogły powiązać zgony z dopingiem. Przyznam, że w tym akurat pomogłem. Poprosili mnie o kogoś zaufanego do tej roboty. Podałem im nazwisko. Rozumiesz, trzeba być w dobrych stosunkach z wpływowymi ludźmi. Chociaż nie przepadam za słowem „zabić", wolę stwierdzenie, że przerwano jego życie.

– Iwan uśmiechnął się do siebie.

Thomas siedział zgarbiony, ze wzrokiem wbitym w podłogę. Z udawanym zainteresowaniem obserwował jakiś punkt między swoimi butami.

– A ci, którzy podawali dziewczynom środki dopingujące? Co się z nimi stało? – zapytał drżącym głosem, nie podnosząc wzroku.

– Siatka ze Szwajcarii przeniosła się w inne miejsce, już ich tam nie ma. Ci, którzy zostali, prowadzą indywidualną działalność na małą skalę, kilku sportowców, jakiś menedżer, jak Frank Stone… A właśnie, jego sielankowe życie dobiega końca.

– Znam go.

– Straci monopol na przyszłe gwiazdy lekkoatletyki, a do tego został zatrzymany Siergiej, jego dostawca morfiny, koki i dziwek. – Iwan zniżył głos do szeptu, po czym dodał z ironią: – Ktoś go wsypał. Nikomu już nie można ufać.

Nagle Thomas przypomniał sobie pewne nazwisko.

– Daj mi też Hugona Kellera. Masz świadomość, że to taki sam śmieć jak ty, tyle że ubrany w smoking.

– Nie bądź śmieszny. Wiesz, jaką kasą obraca ta rodzina? – zapytał Iwan z pogardą, próbując wyprostować się na krześle, żeby złagodzić ból. – Następcę tronu w koncernie Poche poinformowano już o obławie, jego nieskazitelna przeszłość pozostanie czysta jak łza. Zresztą nawet jeśli każą mu zeznawać, powie, że zna Franka tylko z klubu golfowego, a z tego co wiem, uprawianie sportu nie jest przestępstwem. Chociaż nie zaprzeczę, że czasem mam ochotę złamać kij golfowy na głowie tego wpływowego smarkacza. – Nagle podniósł głos: – Myślę, że już skończyliśmy.

Thomas nie chciał wypuszczać tego gościa. Trudno mu było uwierzyć, że nie dowie się niczego więcej. Najchętniej waliłby w tę twarz zarozumiałego dzieciaka dotąd, aż zamieniłaby się w twarz starca. Ale niewiele mógł zrobić. George dotrzyma umowy, a on niestety znał już rozwiązanie sprawy lekkoatletek.

– Za godzinę twoja babcia wróci od fryzjera. Towarzyszył jej jeden z naszych agentów. Łatwo było ją oszukać – powiedział Thomas.

– Zabiję moich ludzi. Trzy osoby pilnują jej dwadzieścia cztery godziny na dobę.

– Nie mam nic przeciwko temu, zasługują na to. Są niekompetentni.

– Nie wchodź mi więcej w drogę. Na razie jesteśmy kwita.

– Niczego ci nie obiecuję – powiedział Thomas i opuścił pokój bez okien.

50

Janik spędzał popołudnie w swoim pokoju. Zamknął drzwi na zasuwkę. Otaczający go labirynt sal, pawilonów, siłowni, pokojów wydawał się wyludniony, ale było to tylko złudzenie. Uważny obserwator wyłapałby odgłosy telewizorów, komputerów, telefonów komórkowych i konsoli do gier należących do sportowców. Gdyby ów obserwator mógł podejść dostatecznie blisko, by usłyszeć bicie serc tych młodych ludzi, przekonałby się, że pracują one coraz wolniej i spokojniej. Była pora odpoczynku. Mięśnie otrzymały poranną dawkę ćwiczeń, jedne w wodzie, inne na siłowniach i w pawilonach, kolejne na bieżniach pod gołym niebem. Wyciągając się, utrzymując ciężar ciała albo przyrządów, powtarzały raz za razem te same ruchy, niemal bez przerwy na odzyskanie sił. Gdyby ktoś wszedł pod skórę sportowców, zobaczyłby mięśnie napompowane jak opony roweru.

Janik skorzystał z okazji, że Wiktor pojechał do Monthey, i postanowił wstrzyknąć sobie hormon wzrostu – był delikatny jak bańka mydlana, należało go chronić przed światłem i ciepłem. Wyciągnął z lodówki fiolkę z IGF-1 w postaci liofilizowanego proszku. Żeby hormon zaczął działać, musiał go zrekonstruować, dodając witaminę B_{12} albo wodę bakteriostatyczną. Dzięki temu nie ulegał on zanieczyszczeniu i był zdatny do użycia przez trzy tygodnie. Chociaż w tym miesiącu brał hormon wzrostu co dwa dni – w sumie już dziesięć razy – wciąż nie przywykł do zastrzyków, robił je sobie, błądząc wzrokiem po ścianach pokoju. Czasami, jak teraz, nie mógł patrzeć na siebie w lustrze. Odbijała się w nim twarz o zmarszczonym czole, która pytała: kim jesteś? Kiedyś myślał, że to wie, był chłopcem, który pragnął odbiec jak najdalej od domu i wznieść się tak wysoko, by dotknąć ojca. Teraz jednak nie znał odpowiedzi.

51

Thomas dotarł do szpitala w Monthey o dziewiętnastej. Był zmęczony długą podróżą i brakiem snu. Błądził pośród bzyczących świetlówek i aparatów, które czekały na swoją kolej, zaparkowane przy drzwiach pokoi. Pielęgniarka zaprowadziła go do poczekalni, gdzie miał zostać do czasu, aż od Laury wyjdzie lekarz. Przeglądając niecierpliwie stary numer jakiegoś magazynu, pomyślał, że mimo oślepiających świateł szpital jest najbardziej mrocznym ze wszystkich znanych mu miejsc. Zauważył, że otaczają go dziwne osoby o zgaszonych twarzach, czekające jak on. Wstał i wyjrzał przez duże okno wychodzące na niewielki ogród, na środku którego rosła imponująca jodła. Rozpostarte na boki gałęzie niemal dotykały szyby. Zobaczył w niej niewyraźne odbicie własnej twarzy. Bał się, ale ten strach dotyczył tylko jego samego. Pielęgniarka z niebieską maseczką na szyi zawołała go i poinformowała, że ma pięć minut na odwiedziny.

Wszedł do pokoju Laury. Przez chwilę myślał, że się pomylił, że kobieta śpiąca w łóżku to ktoś inny. Stanął przy niej nieruchomo, usiłując powstrzymać drżenie, które wstrząsało jego klatką piersiową i groziło rozprzestrzenieniem się na resztę ciała. Spojrzał na twarz lekarki, opuchniętą i pokrytą siniakami. Spała spokojnie, oddychała miarowo. W trakcie snu na jej ustach zastygł delikatny uśmiech; dziwnie łagodził rysy Laury. Jej skóra przypominała mu pośmiertną bladość Uny; przez moment obraz upiornej twarzy dziewczyny unosił się nad łóżkiem. Pod prześcieradłem dostrzegł zarys żelastwa i śrub, którymi zespolili jej połamane kości nóg.

Nagle otworzyła oczy. Spojrzała na niego, początkowo z lękiem, potem, kiedy poznała, że to on – z ulgą. Chwycił ją za rękę, w której nie miała wenflonu. Poczuł pokrzepiające ciepło jej dłoni. Nie rozmawiali. Mimo odgłosu maszyn w pokoju zapanowała cisza, która ich połączyła. Lekarka zamknęła oczy, uśmiech na jej twarzy stał się jeszcze wyraźniejszy. Kiedy czas wizyty dobiegł końca, Thomas wyszedł z sali i udał się do recepcji, przy której czekał na niego lekarz.

– Doktorze, nazywam się Thomas Connors, jestem przyjacielem doktor Terraux. Chciałbym wiedzieć, jak się czuje.

– No cóż, właśnie poinformowałem jej rodzinę, konkretnie siostrę i ojca, że mamy pewien drobny problem w związku z jej obecnym stanem.

Thomasa zdziwiła wiadomość, że Laura ma rodzinę i że ta przyjechała do szpitala. Uświadomił sobie, że nic o niej nie wie, nigdy nie zainteresował się jej życiem. Zadał sobie pytanie, kiedy stał się takim człowiekiem. W którym momencie jego relacje z innymi ludźmi sprowadziły się do przechodzenia na palcach przez ich życia? Dlaczego jego uczucia tak szybko się rozpuszczały, kurczyły, aż wreszcie zupełnie znikały?

– Przepraszam, o jakim dodatkowym problemie pan mówi? – zapytał oszołomiony.

– Może to nie do końca problem, po prostu ciąża nie pozwala nam na wykonanie niektórych badań radiologicznych. Poza tym musimy bardzo uważać z lekami, żeby w miarę możliwości nie przeniknęły przez łożysko.

Dzień jeszcze nie dobiegł końca, ale pierwsze wieczorne cienie zbierały się już w głębi lasku otaczającego szpital Chablais. Thomas wyobrażał je sobie przyczajone pośród plątaniny gałęzi i krzaków. W miarę jak zapuszczał się dalej, światło uciekało przez korony drzew i roślinność spowijał ciemny granat. Serce ściskał mu ogromny żal. Jego ciężar nie pozwalał mu swobodnie oddychać. Powłóczył nogami, zostawiając za sobą ślad w postaci zdeptanych paproci.

Pomyślał ze smutkiem, że w jego życiu nie było dotąd niczego trwałego. Duch Uny uwieszał mu się na szyi, nie pozwalając iść naprzód. W końcu stanął, pokonany. Zwalił się na wilgotną ziemię pokrytą liśćmi. Strzępy chmur przypominające włosy staruszki plątały się między gałęziami. Zamknął oczy i niebo zgasło. Uległ głosom z przeszłości, które szeptały, żeby wrócił. Zobaczył ciężarną Maire czyszczącą ryby nad jeziorem, z brudnymi rękami i pękniętym sercem, czekającą na jego telefon, którego nigdy nie wykonał. Poczuł samotność i dezorientację, które spowodował swoim odejściem. Zawieszona w ciężkim powietrzu lasu, pojawiła się Una; z poważną miną wycinała jakieś zdjęcie, żeby potem schować je do swojego kuferka ze skarbami. Nagle odwróciła się i spojrzała ze zdziwieniem na intruza. Thomas wstrzymał oddech, otaczająca go złudna cisza lasu przeszyła powietrze jak bat. Una obserwowała go, lodowata i przezroczysta. Niebo przypominało wiszące na wietrze prześcieradło, ogromne, śnieżnobiałe. Thomas patrzył, jak Albert i Una idą, trzymając się za ręce, za widoczny za drzewami horyzont. Z papierowego nieba spadł drobny deszcz, który szybko moczył ich ciała i wydobywał szepty z leżących na ziemi suchych liści, z wiatru, z pokrywającego kamienie mchu.

Thomas spojrzał na to niewidoczne niebo i ogarnął go dziwny spokój. Nagle nabrał całkowitej pewności, że tu jest jego miejsce, że w jakimś zakątku tej pustej przestrzeni znajdzie to, co do tej pory odrzucał.

52

Na stadionie właśnie miała się rozpocząć ceremonia wręczenia medali za bieg na 1500 metrów. Janik stał na podium, na najwyższym miejscu. Ciepło tysięcy widzów przenikało bieżnie i docierało do niego w postaci fal podziwu. Prezes szwajcarskiej federacji zawiesił mu na szyi złoty medal. Z głośników rozległ się hymn. W tym momencie ogarnęło go najintensywniejsze uczucie, jakiego doświadczył w całym swoim życiu, przemieszane z nutami i wspomnieniami. Upojony tym doznaniem, dał się porwać wzruszeniu. Rozlewało się ono na wszystkie zakamarki jego wysportowanego ciała, najpierw wypełniło mu serce, potem napompowało żyły, a wreszcie wybuchło w jego mózgu. Po policzkach spłynęły mu łzy. Hymn ustąpił miejsca owacjom, które momentalnie rozwiały to niezwykłe wrażenie.

Woda w Tamizie przybrała bladozielony kolor od odbijających się w niej świateł miasta. Wycieńczony i oszołomiony Janik dotarł do swojego pokoju, zdjął złoty medal i położył go w walizce obok ostatniego zdjęcia Iriny, zrobionego po wyjściu z rowu na bieżni z przeszkodami. Spojrzał na nie. Kropelki wody błyszczały na ciele dziewczyny oświetlone fleszem aparatu. Lewe ramię Janika otaczało jej szczupłą talię. Zamknął oczy i usłyszał w oddali głos swojego ojca. Ten sam głos, który tamtego popołudnia na brzegu rzeki, kiedy Janik był jeszcze dzieckiem, podniósł go i poprowadził ku nieznanemu.

Podziękowania

Dla Augusta Apasteguiego, cudownego człowieka, który przedkłada przyjaźń nad zwycięstwa; mimo to jego ekipa lekkoatletów zostanie na zawsze zapamiętana jako wyjątkowa.

Dla Luisa Antonia Rubia, dobrego doradcy i wspaniałego nauczyciela.

Dla Ignacia Santamaríi, doskonałego trenera i prawdziwego dżentelmena, który wyprzedził swoją epokę i wprowadził pulsometr do treningów.

Dla Estebana Gorostiagi, wielkiego lekarza sportowego, obrońcy czystego sportu, zwolennika zasady podniesienia progu mleczanowego.

Dla Josefiny Modrego, odważnej, upartej kobiety, która towarzyszyła swojemu synowi w złych chwilach i cieszyła się razem z nim w dobrych.

Dla Demetria Remóna, mecenasa sportu, założyciela popularnego klubu lekkoatletycznego Beste Iruña, który brał udział w dwudziestu dziewięciu maratonach, a w wieku prawie osiemdziesięciu lat wciąż ma do przebiegnięcia wiele mil.

Dla Alberta Olana, który nas opuścił, ale robaczek świętojański, którego niósł w dłoniach tamtej nocy na plaży, nadal oświetla mi drogę.

Dla mojego rodzeństwa, bo razem przemierzyliśmy pustynię i przeżyliśmy. W szczególności dla mojej siostry Laury, która od tamtej nocy w Indiach nie przestała mnie wspierać i wciąż pozostaje największą fanką mojej powieści.

Dla Socorra Mediny za jej ogromną miłość.

Dla mądralińskiego Adriána i Asiera pluszaka, bo jesteście, chłopaki, najlepsze!

Dla mojej dobrej przyjaciółki Cristiny Fernández za wsparcie, przyjaźń i oczywiście jej cudowne notatki z patomorfologii.

Dla Laury Arnedo, filolożki i poetki, za mądre rady.

Dla Carlosa Adanera, cudownego farmaceuty, bezlitosnego wobec korupcji.

Dla Víctora Hugo, alias Popeye, bo jego krytyka była najromantyczniejszą, jaką odebrałam.

Dla Agencji Pontas, zwłaszcza dla Ricarda, za intuicję, i dla Mariny, za jej słodki sposób bycia – może będący efektem płynącej w jej żyłach irlandzkiej krwi.

Chciałabym także podziękować Carlosowi Arribasowi za artykuł „Uzależnieni od dopingu"; Loles Vives za blog; Jordiemu Segurze, dyrektorowi Laboratorium Kontroli Antydopingowej w Barcelonie; Fundacji Miguela Induraina; Randy'emu Alonsowi, kubańskiemu dziennikarzowi, szefowi portalu Cubadebate; mieszkańcom Les Diablerets. Wreszcie, bardzo dziękuję Działowi Prasowemu lyońskiego biura International Criminal Police Organization (Interpol) za nieocenioną pomoc.